# O IMPERADOR DAS IDÉIAS

— Gilberto Freyre em questão —

JOAQUIM FALCÃO
ROSA MARIA BARBOZA DE ARAÚJO
(organizadores)

# O IMPERADOR DAS IDÉIAS
— Gilberto Freyre em questão —

*Textos de*

Evaldo Cabral de Mello • Maria Lúcia G. Pallares-Burke
• Nicolau Sevcenko • Peter Burke •
Pedro Puntoni • Antonio Dimas • Stuart Schwartz •
Edson Nery da Fonseca • Joaquim Falcão •
Carlos Guilherme Mota • João Cezar de Castro Rocha •
Olavo de Carvalho • Gabriel Cohn •
Hermano Vianna • Sérgio D. J. Pena e outros

*Com seleta de correspondência e artigos de e sobre*
Gilberto Freyre

Colégio do Brasil • UniverCidade
Fundação Roberto Marinho • Topbooks

*Composição e fotolitos*
Art Line Produções Gráficas Ltda.

*Preparação de originais e revisão*
Topbooks

*Capa*
Adriana Moreno

Todos os direitos reservados pela
**TOPBOOKS EDITORA E DISTRIBUIDORA DE LIVROS LTDA.**
Rua Visconde de Inhaúma, 58 / gr. 203 — Rio de Janeiro — RJ
CEP 20091-000    Tel.: (21) 2233-8718 e 2283-1039
topbooks@topbooks.com.br

*Impresso no Brasil*

Este livro se baseia no seminário *Gilberto Freyre, patrimônio brasileiro*, realizado de 14 a 17 de agosto de 2000, na Academia Brasileira de Letras (14/08), UniverCidade (15/08), jornal *Folha de S. Paulo* (16/08) e na Universidade de São Paulo — USPoficina (17/08), em comemoração aos 100 anos do nascimento de Gilberto Freyre. Contribuíram para o seminário as seguintes instituições:

*Realização*: Colégio do Brasil

*Participação especial*: Academia Brasileira de Letras

*Apoio*:  Fundação Roberto Marinho
UniverCidade
Instituto de Estudos Avançados da USP
*Folha de S. Paulo*
Secretaria de Cultura de Pernambuco

*Participantes*:

Eduardo Portella
Carlos Nejar
Joaquim Falcão
Ronald Guimarães Levinsohn
Carlos Guilherme Mota
Carlos Garcia
Marcos Vinicios Vilaça
Stuart Schwartz
Evaldo Cabral de Mello
Maria Lúcia Garcia Pallares-Burke
Mariza Veloso
Muniz Sodré
Ricardo Benzaquen de Araújo
Peter Burke

Pedro Puntoni
Edson Nery da Fonseca
Marcos Chor Maio
Gilberto Velho
Gilberto Vasconcellos
Nicolau Sevcenko
José Marques de Melo
Marcelo Coelho
Alfredo Bosi
Guillermo Giucci
João Cezar de Castro Rocha
Antonio Dimas
Tarcísio Costa
Elide Rugai Bastos

*Colaboradores*:

Eduardo Portella
Silvia Finguerut
Joaquim Falcão

José Mario Pereira
Carlos Guilherme Mota
Paulo César Martinez y Alonso

*Coordenadores*:

Ricardo Piquet
Rosa Maria Barboza de Araújo

# SUMÁRIO

## PARTE I

### ENSAIANDO ABORDAGENS

## PARTE II

### GILBERTO FREYRE E SÃO PAULO

## ANEXOS

## APÊNDICE

# PATRIMÔNIO, ANTES DE IMPERADOR

*Joaquim Falcão* e
*Rosa Maria Barboza de Araújo*

Tal como o Brasil, Gilberto Freyre não é para principiantes. Vida longa, produção intelectual monumental, agente provocador do mais acalorado e substantivo debate acadêmico, Gilberto Freyre é hoje um patrimônio incorporado à cultura brasileira. Para entendê-lo, não basta a leitura de todos os seus livros, artigos e entrevistas, ou mesmo ter tido o privilégio do contato pessoal em Apipucos. É preciso situar-se no Brasil de seu tempo, conhecer a constelação de intelectuais com quem conviveu, e com os quais, ao formular sua interpretação sobre a formação social do Brasil, disputou o que imaginamos ser o título de Imperador das Idéias. Quem, desde 1930, dentre tantos intelectuais e cientistas sociais, melhor respondeu à pergunta fundamental: "Quem somos nós?" É preciso ler e ouvir todos: Gilberto, seus interlocutores e opositores.

Gilberto Freyre abriu caminhos. Deu-nos a chance de ler melhor o Brasil. A partir de 1933, com a publicação de *Casa-Grande & Senzala*, o Brasil passou a olhar para si mesmo com outros olhos, percebendo a diversidade de ritmos, de atores e ambientes. Pôde reconhecer-se como mestiço e sincrético. Explicitou-se a denúncia do racismo como teoria anticientífica.

A inovação de Freyre começa no método, explode na análise e concretiza-se nas conclusões, por vezes precipitadas, sejam por ele, sejam por seus intérpretes. O peso da cultura, da natureza, do meio e da estrutura social em sua obra é resultado de um sistemático trabalho de pesquisa. Os documentos são localizados, indiferentemente, nos vários momentos da História, apresentando novas fontes e novos atores. A originalidade do Brasil é vista como resultado das misturas genéticas e culturais. Adotando a especial visão do tempo tríbio, onde passado, presente e futuro interagem, Freyre articula as raízes das tradições à modernidade.

Nem só por pensar o Brasil Gilberto Freyre tornou-se parte de nosso patrimônio. Ele conquistou seu lugar por aliar uma metodologia científica a um estilo literário, anti-retórico, de sociólogo e historiador. Dotado de boa prosa, capaz de interpretar os fatos a partir da rotina diária das pessoas, tanto dos pobres como dos ricos, Freyre compraz-se em desorganizar as idéias. Usou a imaginação sociológica para propor novos arranjos lingüísticos e elaborar interpretações originais da formação nacional.

Denunciado por romantizar a questão da escravidão, é também atacado por ter sido condescendente com as crueldades da colonização. A crítica veio de muitos lados. Veio sobretudo de São Paulo. Veio da Universidade de São Paulo, a USP. Lá, intelectuais de todas as matrizes, mas sobretudo de matriz marxista, como Caio Prado Jr., Florestan Fernandes, Antonio Candido, Octavio Ianni e Fernando Henrique Cardoso, entre tantos outros, procuravam também formular sua própria interpretação sobre nossa formação social. Foram seus competidores principais. Discordaram e criticaram no plano teórico e depois politicamente.

A estratégia de criação de Gilberto Freyre para entender o Brasil tinha a ambição da universalidade, da percepção da condição humana. Talvez por isso tenha obtido o reconhecimento acadêmico mundial. *Casa-Grande & Senzala* foi incluído pelos franceses na lista dos cem livros do século. Sua edição da Gallimard tem prefácio de Lucien Febvre. Na Itália, prefácio de Fernand Braudel. Na Inglaterra, Eric Hobsbawm sublinha a contribuição histórica de Freyre, apesar da visão parcial de suas idéias. Nos Estados Unidos, é leitura obrigatória para o entendimento da sociologia brasileira. No Brasil, antecipa temas como o multiculturalismo, a ecologia e a globalização.

Goste-se ou não dele, considere-se ou não Freyre o Imperador das Idéias — quem melhor disse o que somos? —, o fato é que hoje ele se transformou num patrimônio incorporado à cultura brasileira. Ao lado de tantos outros nomes expressivos, Freyre tornou-se uma marca de nossa terra, com a qual podemos concordar ou discordar, mas não podemos ignorar. É referência obrigatória. O que é isso, senão patrimônio de uma cultura?

Registrando o centenário de seu nascimento, o editor José Mario Pereira, da Topbooks, capitaneou esforços para publicar seus inéditos, reunir entrevistas, publicar a correspondência, reeditar as obras esgotadas. É nesta linha que se insere o volume que ora apresentamos aos leitores. Tanto aos que bem conhecem Freyre quanto principalmente àqueles jovens estudiosos que buscam novas oportunidades de dialogar com o pensamento brasileiro.

O ponto de partida foi o seminário *Gilberto Freyre, patrimônio brasileiro*, realizado nas cidades do Rio de Janeiro e São Paulo em agosto de 2000, por iniciativa do Colégio do Brasil, com a participação especial da Academia Brasileira de Letras e a coordenação da Fundação Roberto Marinho aliada à UniverCidade, ao Instituto de Estudos Avançados da USP, à *Folha de S. Paulo* e à Secretaria de Cultura de Pernambuco.

A contribuição de alguns especialistas, de diferentes gerações, que participam do seminário é aqui somada a textos especialmente encomendados para reforçar a polêmica em torno de Freyre. Documentos selecionados em seu arquivo privado, organizado com maestria técnica pela Fundação Gilberto Freyre, seguidos pelo esclarecedor artigo da revista *Ciência Hoje* sobre o "Retrato molecular do Brasil", no Apêndice, ilustram a vitalidade de sua obra.

O livro é dividido em duas partes. A primeira, *Ensaiando Abordagens*, reúne textos interpretativos de diversos teores, linguagens e extensão. Evaldo Cabral de Mello e Maria Lúcia Pallares-Burke dialogam substancialmente sobre a documentação e a metodologia do autor. Nicolau Sevcenko atesta o caráter pioneiro e premonitório de Freyre ao analisar o início da República no livro *Ordem e Progresso*. Peter Burke e Pedro Puntoni dedicam-se a aspectos da cultura material *strictu-sensu*, como a arquitetura, as casas, a mobília, a alimentação, o vestuário. Antonio Dimas apresenta a visão do autor sobre crítica literária. Stuart Schwartz encerra esta parte sublinhando o traço otimista de Freyre em relação ao Brasil e aos brasileiros, mostrando que o autor não caiu na armadilha do determinismo racial, mas soube louvar com entusiasmo a miscigenação.

A segunda parte, *Gilberto Freyre e São Paulo*, reúne pela primeira vez em livro a cronologia dos conflitos e consensos entre o pensamento de Freyre e a chamada Sociologia Paulista, trabalho cuidadosamente elaborado pelo vitorioso intelectual Edson Nery da Fonseca. Segue-se o artigo interpretativo de Joaquim Falcão, que descreve a luta pelo trono, as táticas e estratégias da competição entre os principais intelectuais brasileiros. Carlos Guilherme Mota reafirma as diferenças entre a visão de cultura da USP e a de Gilberto Freyre, analisando a relação das partes com sólido conhecimento. João Cezar de Castro Rocha enfrenta o desafio da conciliação de idéias controversas.

O filósofo Olavo de Carvalho defende a visão e a produção de Freyre com paixão. Gabriel Cohn rebate, ilustrando a narrativa com o modelo crítico de entendimento do Brasil da escola uspiana. Hermano Vianna fecha a segunda parte como o fiel da balança. Argumenta, com texto leve, que a tese da democracia racial não passa de um mito, além do mais mal intencionado.

Nos Anexos, como nos referimos anteriormente, reunimos uma pequeníssima mostra documental da correspondência enviada a Gilberto Freyre e de textos, dele e sobre ele, que não devemos esconder do leitor.

Quem sabe o conjunto será útil para melhor entender nosso país, suas identidades culturais, sempre procuradas e pouco aclamadas? A todos os colegas que participaram deste projeto, nosso profundo reconhecimento. Valeu a empreitada.

PARTE 1

# ENSAIANDO ABORDAGENS

# O "OVO DE COLOMBO" GILBERTIANO

*Evaldo Cabral de Mello*

Para começar, devo dizer da minha satisfação em estar presente a este seminário sobre Gilberto Freyre, embora não prometa ater-me rigorosamente ao tema que me foi atribuído de *Metodologia e documentação na obra de Gilberto Freyre*. Entretanto, irrespectivamente do grau de fidelidade ao assunto, os presentes nada têm a temer a respeito da duração da minha exposição. Afinal de contas, tenho em meu favor a definição de historiador que há muito deu Flaubert: um gênero de autor que bebe um oceano para urinar um copo d'água, embora, como já lembrou um gaiato, também existam historiadores que bebem um copo d'água mas urinam um oceano. Espero pertencer à primeira categoria.

\* \* \*

Confesso não ser fácil para mim falar da obra de Gilberto Freyre; e isto pela simples razão de que tenho certa dificuldade em acompanhar o oito e o oitenta das modas intelectuais brasileira, vale dizer, as oscilações bruscas e extremas a que nossa cultura submete seus produtos, como se ela se tratasse de uma bolsa de valores, fazendo com que os autores passem, de um momento a outro e ao sabor muitas vezes de caprichos políticos e ideológicos, de irrecuperáveis reacionários a gênios da raça. Tendo lido e relido seus livros, nunca pude convencer-me de que suas idéias fos-

17

sem tão entranhadamente conservadoras como se tentou fazer crer. Tampouco quer me parecer que outros autores que se dedicaram à tarefa, já por si tão ingrata, de compreender e de explicar o Brasil detêm o monopólio das obras política e socialmente avançadas que se escreveram a respeito; e acrescentarei mesmo que, no caso de *Raízes do Brasil*, o radicalismo que ora lhe é imputado reside sobretudo no título. Não o releio há muito; mas a recordação que me ficou da leitura feita há três ou quatro décadas é a de um livro pessimista sobre o nosso passado e sobre as projeções deste passado sobre o presente e sobre o futuro, pessimismo ao qual me considero, aliás, muito mais próximo do que ao otimismo gilbertiano.

Estou além do mais convencido de que a atual redescoberta de Gilberto Freyre não é apenas uma questão de movimento pendular. Ela é também um produto da presente empolgação pela história da vida privada que, ironicamente para as nossas instituições universitárias, entrou na ordem do dia não graças à obra deste autor brasileiro que viera pioneiramente tratando do tema desde os anos trinta, mas por intermédio da França, vale dizer, da obra de Philippe Ariès e de Georges Duby. A releitura de Gilberto também se vem beneficiando de outra voga, a carnavalização a que nestes quinhentos anos de Brasil nossos intelectuais vêm submetendo a nossa chamada 'identidade nacional'. Identidade, palavra de conotação eleática, é conceito, aliás, de que o historiador deve fugir como o diabo da cruz. Há dias, lia num jornal do Rio de Janeiro a notícia de que se estava realizando um seminário intitulado 'Em busca da identidade nacional'. Depois de tantos decênios de investigação sociológica e antropológica, surpreendi-me com que ainda se esteja à procura da referida senhora, que a esta altura já devia ter sido normalmente encontrada. O fato de não o ter sido talvez seja a indicação de que ela simplesmente não existe e de quão fugazes são as identidades nacionais, ao menos na ótica dos historiadores.

Lia há pouco, numa recente história do Império Britânico, o capítulo de um conceituado historiador, creio que americano, Jack P. Greene, intitulado 'Império e identidade entre a gloriosa revolução e a revolução americana'. Felizmente, ele se apressa em esclarecer nos parágrafos introdutórios que sua utilização do termo 'identidade' nada tem de metafísico ou de antropológico, referindo-se apenas às "construções intelectuais" mediante as quais se procura "identificar os atributos que distinguem o povo de uma nação", do povo de outra nação. Trata-se de advertência louvável. Neste caso, porém, em que o emprego do termo é meramente instrumental, por que não abandoná-lo em favor de algo que exprima melhor a transitoriedade e a precariedade conceitual de tais fórmulas? Com efeito, o que há de comum, por exemplo, entre o inglês setecentista que nos aparece no *Tom Jones* de Fielding e o inglês que cem anos depois era súdito da rainha Vitória e personagem dos romances de Trollope é tão pouco manifesto que seria difícil falar de uma identidade inglesa que compreendesse ambos. Neste sentido, o vocábulo *habitus*, há muito proposto por Norbert Elias, afigura-se bem mais conveniente. Quanto a mim, não só o prefiro como ademais estou disposto a ceder um naco substancial da nossa identidade nacional em troca de um pouco mais de seriedade nacional. Caberia, aliás, indagar em que medida todo esse alarido em torno da nossa identidade não visa objetivos de carnavalização do Brasil para consumo externo da parte dos chamados promotores culturais.

A riqueza e a variedade da obra de Gilberto Freyre ainda exige a dedicação não de uns poucos especialistas mas o trabalho aturado de muitos. Seu núcleo é evidentemente a Introdução à história da sociedade patriarcal no Brasil formada por *Casa-Grande & Senzala*, *Sobrados e Mucambos* e *Ordem e Progresso*, aos quais devia ter vindo juntar-se *Jazigos e covas rasas*, que ficou por escrever e que seria um estudo pioneiro do culto dos mortos. Em torno da Introdução, giram, à maneira de satélites, outros livros quase tão importantes, dentre os quais cumpriria mencionar *Nordeste*, *Um engenheiro francês no Brasil* e *Ingleses no Brasil*, estes dois últimos podendo ser lidos como desenvolvimento de temas tratados de maneira sucinta num dos capítulos de *Sobrados e Mucambos*. Em que consiste sua originalidade e importância? Quando em 1933 Gilberto publicou *Casa-Grande & Senzala*, a reflexão em torno da formação brasileira nacional estava absorvida por dois grandes temas. O primeiro dizia respeito à adequação de nossas instituições políticas à realidade brasileira; o segundo, aos pretendidos efeitos negativos que a mestiçagem teria trazido para o futuro nacional. O ovo de Colombo gilbertiano consistiu, como todo ovo de Colombo, numa operação simples: a de transtrocar os dados de um problema, no tocante ao primeiro, deslocando a análise sociológica do público para o privado, e, quanto ao segundo, transformando a miscigenação de hipoteca em lucro.

Nos anos vinte, estudante de ciências sociais nos Estados Unidos, Gilberto concebeu o projeto, que comunicou em carta a seu amigo Oliveira Lima, de escrever uma história social da família brasileira no século XIX, a qual deveria intitular-se 'O Brasil dos nossos avós'. Tratar-se-ia evidentemente do desdobramento da sua tese de mestrado sobre a *Vida social no Brasil em meados do século XIX*. A cultura anglo-norte-americana havia sido sempre mais sensível do que a francesa ao interesse da história social em ambas vertentes, a da história econômica e social e a da história da vida privada. No Brasil, culturalmente enfeudado à *rive gauche*, dominava portanto a tradição da historiografia política, jurídica e institucional. Daí que escrever uma história da família constituísse uma ousadia inegável não só em termos do Brasil dos anos trinta como da França de entre as duas guerras. Basta dizer que ali a primeira geração dos *Annales*, isto é, Lucien Febvre e Marc Bloch, ainda procurava impor a história econômica e social a uma recalcitrante universidade, triunfo que, a bem dizer, só foi verdadeiramente alcançado, na geração seguinte, por Fernand Braudel. Destarte a história da vida privada só será descoberta pelos 'analistas' da terceira geração nos anos setenta e oitenta. No Brasil, ela se reduzia ao livrinho precursor de Alcântara Machado, olhado apenas como curiosidade, tanto mais que o autor vinha do direito, não tendo formação propriamente historiográfica.

Na formação gilbertiana, a antropologia, mais do que a sociologia, pelo menos como esta era convencionalmente entendida entre nós, veio somar-se às sugestões da história social. A antropologia clássica, como também a sua contemporânea, a sociologia oitocentista, tivera por objetivo a explicação dos grandes esquemas evolutivos. Tais ambições começaram a se esvaziar a partir dos finais do século XIX e dos começos do XX, quando a antropologia trocou as macroexplicações de gabinete pelo trabalho de campo entre as sociedades primitivas. Destarte, ela tornou-se eminentemente descritiva, o que a habilitou a reconstruir as estruturas, no sentido de imbricação dos vários níveis sociais, dessas sociedades, com um êxito de dar água na boca às demais ciências sociais, cujos métodos haviam sido até então os métodos diacrônicos convencionalmente encarados como próprios às sociedades históricas. A originalidade metodológica de Gilberto residiu em aplicar ao estudo de uma sociedade histórica, a brasileira, a perspectiva sincrônica da nova antropologia. Daí, entre outras características, o seu gosto pelas totalidades em detrimento das seqüências e da descrição em prejuízo da narração; o seu proclamado desprezo pela cronologia, reduzida na sua obra à tripartição Colônia, Império e República Velha; sua recusa da história política, que ele se gabava de haver posto fora de circulação; o seu entusiasmo pela cooperação interdisciplinar e pelo pluralismo metodológico. Assim como Braudel descobrira a existência do tempo longo e até quase imóvel, como na história da geografia e do clima, mediante seus estudos de história econômica, Gilberto, graças à antropologia e à história social, mergulhou em busca da 'infra-história', para usar a expressão de autor de muito do seu agrado, Unamuno, que a utilizou, porém, com acepção perceptivelmente diversa.

Ocorre que, entre nós, a tradição da história política foi reforçada nos anos trinta, de um lado, pela assimilação da sociologia weberiana, como em *Raízes do Brasil* e, bem posteriormente, pelos 'donos do poder'; de outro, pelo marxismo, a partir sobretudo da *Evolução política do Brasil*, de Caio Prado Júnior. Destarte, a trilogia gilbertiana ficou sendo encarada pela universidade brasileira, sobretudo em São Paulo, como uma sociologia impressionista, pitoresca, história e sentimental, que, por conseguinte, não deveria ser levada muito a sério. Quando do seu aparecimento, *Casa-Grande & Senzala* foi mesmo reputada obra pornográfica por distinto escritor mineiro, devido inclusive a uma referência aos costumes brasileiros de defecar; e o estudo etnográfico do bolo e do doce do Nordeste, que Gilberto fizera em *Açúcar* (1939), levado ao ridículo, por versar tema indigno de um verdadeiro intelectual. Por outro lado, o processo de industrialização no pós-guerra também tendeu a rejeitar a obra gilbertiana, que evidentemente não versava quaisquer das preocupações intelectuais dominantes, exceto a escravidão, matéria em que ela foi também repudiada. A partir do momento em que o regime militar polarizou a vida política do país, sectarizou os meios intelectuais e levou o próprio Gilberto a assumir posições ideológicas mal inspiradas, seus livros perderam inteiramente a capacidade de penetração universitária. A respeitabilidade intelectual continuou a ser apenas reconhecida a quem versasse, mesmo com uma mediocridade clamorosa, a temática do momento, inclusive a metafísica althusseriana dos modos de produção. Para tanto, era indispensável escrever propositadamente mal, ou de maneira intencionalmente obscura, de modo a escamotear a vacuidade das teorias que se manipulavam.

Ironicamente, a obra gilbertiana vem sendo redescoberta entre nós por tabela, isto é, na esteira da moda européia da história da vida privada e da história das mentalidades, o que equivale a dizer que o Brasil está redescobrindo Gilberto através da França, a qual, por sua vez, já o havia descoberto nos anos cinqüenta graças a Febvre, a Braudel e a Barthes. Como no caso de Gilberto quarenta anos antes, aquela moda resultou de uma antropologização da história, bem visível nos últimos livros de Duby, em Le Goff e no *Montaillou*, de Le Roy Ladurie. E, contudo, todos três haviam começado como historiadores da vida econômica, à boa maneira de Braudel, que, como se sabe, encarou com as maiores reservas a virada antropologizadora dos *Annales* nos anos setenta. É chegado, aliás, o momento de indagar se a antropologização da história não está sendo levada demasiado longe e se já não ameaça a historiografia com um desses curto-circuitos empobrecedores, como o causado pela moda antecedente da história econômica.

O próprio Duby, insuspeito na matéria, advertiu há muito acerca do caráter visceralmente diacrônico, vale dizer, seqüencial, da historiografia. "O que faz a história [declarou certa vez] é uma referência, a mais precisa possível, a uma duração". Ora, atualmente, "seus progressos procedem essencialmente de observações no longo-prazo", por isso mesmo sobre "objetos freqüentemente impalpáveis", fenômenos "dificilmente datáveis", e que por isso mesmo exigem "ter presente os problemas metodológicos novos que essa investigação coloca no tocante à exigência de cronologia". Mas se me refiro à antropologia, é que ela representa apenas a forma mais recente da colonização da historiografia pelas outras ciências humanas. Não se trata de declarar-lhes uma guerra de independência, nem de abolir os avanços feitos pela história graças a elas, o que seria um despautério, mas de constatar que grosso modo a cooperação interdisciplinar tem suas limitações, não podendo ser realizada indiscriminadamente, levando o historiador a perder de vista o que constitui a originalidade do conhecimento histórico, ao menos até o dia, que ainda se afigura remoto, em que um gênio por nascer consiga realizar a síntese das ciências do homem.

Gilberto não se antecipou apenas a várias das preocupações fundamentais do seu próprio tempo, mas também o fez no tocante a algumas das nossas. Caberia citar apenas dois exemplos. *Sobrados e Mucambos*, por exemplo, contém um capítulo intitulado 'O homem e a mulher', que contém um exame das relações entre os sexos no Brasil, de feminista nenhuma botar defeito. Em 1937, quando ninguém falava em ecologia no Brasil, pois se tratava de um conceito que apenas vinha sendo formulado pela escola sociológica de Chicago, quando a depredação da natureza pela sociedade não se tornara ainda objeto de maior consideração científica nos países ocidentais, Gilberto publicava *Nordeste*, que é nem mais nem menos que um estudo do impacto da monocultura canavieira sobre a mata atlântica e a ecologia regional. Outra maneira de aferir a influência da obra gilbertiana é mediante sua contribuição para o estoque de idéias que hoje, acertadamente ou não, dominam a cultura nacional. Muitas vezes não se sabe sequer de quem elas procedem, da mesma maneira pela qual as pessoas discutem psicanálise sem nunca terem lido Freud, ou são marxistas tendo apenas ouvido o nome de Marx, ou falam de carisma sem se darem conta de que estão utilizando um conceito sociológico forjado por Max Weber, o que é prova exatamente da força dessas teorias, que impregnam o ar intelectual do tempo.

Neste particular, a rejeição do anátema a que a mestiçagem havia sido submetida no Brasil pré-1930 representa o grande aporte gilbertiano à cultura brasileira do século que termina. Ninguém fez mais do que ele para transformar a miscigenação de passivo em ativo, de objeto de elucubrações pessimistas em motivo de otimismo nacional, esvaziando o debate herdado do fim do Império e da República Velha sobre as suas conseqüências inapelavelmente negativas para o futuro do país. Equivocar-se-á, contudo, quem julgar que a obra gilbertiana tenha logrado evacuar o problema da raça do horizonte intelectual e pseudo-intelectual no Brasil. Na realidade, ele renasce sob a forma oposta de um elogio da mestiçagem ('mestiço é que é bom') tão carente de base científica quanto a condenação que pesara sobre ela antes da publicação de *Casa-Grande & Senzala*. Os epígonos inconfessados de Gilberto levaram às últimas conseqüências as idéias do mestre de Apipucos.

Gostaria de examinar em seguida o problema das relações entre sociologia e antropologia no quadro de uma das obras de Gilberto que melhor ilustram, a meu ver, o ovo de Colombo gilbertiano. *Ingleses no Brasil*, publicado em 1948, devia constituir o primeiro volume de uma trilogia que ele projetou escrever sobre a influência britânica na vida, na paisagem e na cultura brasileiras, assunto pelo qual demonstrou interesse antigo e persistente. Seus contactos com a cultura inglesa começaram na sua meninice de aluno do Colégio Americano Batista do Recife, contactos aprofundados nos seus anos de estudo nos Estados Unidos e nos meses de Inglaterra quando do regresso ao Recife em 1923. Em 1942, ele havia reunido, sob o título de *Ingleses*, seus artigos de jornal relativos a temas ingleses. O leitor que desejar informar-se a respeito das influências britânicas em Gilberto Freyre já dispõe de trabalho de autoria de Maria Lúcia Pallares-Burke, chamando especialmente a atenção para um velho ensaio de Walter Pater que teria exercido um papel decisivo na atração gilbertiana pelas relações entre a casa e a infância. *Ingleses no Brasil*, como também *Um engenheiro francês no Brasil* já estão, aliás, prefigurados no capítulo 'O brasileiro e o europeu', de *Sobrados e Mucambos*, que se ocupa do processo de reeuropeização da cultura brasileira ao longo da primeira metade de oitocentos, depois dos séculos de segregação colonial.

Tal reeuropeização representou a face cultural da derrocada do monopólio comercial português. Devido a ele como também à sua posição marginal no desenvolvimento do Ocidente e às suas relações privilegiadas com o Oriente, Portugal não se achava em posição de tomar a frente da abertura do Brasil à Europa burguesa de oitocentos. À Inglaterra e à França é que caberia fazer o papel de pontas de lança deste processo, cada uma à sua maneira, ou antes, de acordo com as suas vantagens culturais comparativas, o que significa que ambas atuaram entre nós sob a forma de um condomínio não só econômico como cultural, mediante o qual ao passo que os franceses se especializaram no comércio de luxo e de moda, os ingleses concentraram-se nos produtos da sua revolução industrial. Condomínio que Gilberto Freyre foi inclusive agudamente surpreender na expressão espacial com que ele se manifestou no centro do Rio de Janeiro, segundo a localização das casas comerciais de ambas nações, situadas em ruas como a do Ouvidor, de um lado, e a da Alfândega, de outro, de fisionomia outrora tão diversa. Noutra urbe do Brasil de oitocentos, o Recife, essa diferença se extremaria em bairros, o chamado bairro do Recife, com seu famoso Schipchandler, representando, por excelência, o domínio do negócio inglês, e Santo Antônio, o do francês. Caberia, aliás, aduzir que numa sociedade misógina como a brasileira semelhante característica teria também de assumir aspecto de especialização sexual, de vez que o acesso à rua por parte da mulher de condição social estava necessariamente adscrita às artérias em que se adensavam as lojas de modas. Daí poderem essas ruas serem descritas como propriamente femininas, como ainda era o caso inclusive no Rio, quando o próprio Gilberto Freyre escrevia *Ingleses no Brasil*, da rua do Ouvidor ou da Gonçalves Dias, em comparação com a da Alfândega, eminentemente masculina.

Em conseqüência do predomínio político e comercial da Grã-Bretanha, que Portugal nos transmitiu e reforçou na esteira da transmigração da família real para o Rio de Janeiro, era natural que o ressentimento anti-inglês fosse sempre vivo na historiografia de língua portuguesa. Portugal tinha uma irresolvida história de queixumes contra seu velho aliado, que ia desde o tratado de 1661 até a crise deflagrada pelo Ultimato britânico nos anos noventa do século XIX, passando pelos célebres tratados de Methuen, de começos do XVIII. Quanto a nós, as reclamações haviam girado em torno dos termos leoninos do tratado de comércio de 1812, renovado em 1825 como preço da Independência, bem como da oposição do governo de Londres ao tráfico de escravos. Daí que tradicionalmente o tema da presença britânica, em Portugal como no Brasil, estivesse limitado à história política, diplomática e econômica, mesmo quando versado por historiadores anglo-saxões, como Alan K. Manchester e mais recentemente por Leslie Bethell ou Richard Graham. A originalidade de *Ingleses no Brasil* consiste em que Gilberto Freyre, sempre desdenhoso de um tipo de análise que lhe parecia e que efetivamente era, quando ele começou a escrever, imperdoavelmente superficial, optou pela história social da influência britânica entre nós, dando-nos um livro que no seu feitio desleixadamente ensaístico, bem distante da rigidez monográfica das teses universitárias, e por isto mesmo, é um livro de leitura extremamente agradável.

A obra compreende quatro capítulos, outros tantos ensaios que podem ser lidos separadamente. O primeiro ('Aventura, comércio e técnica') funciona como uma introdução ao tema da presença inglesa no Brasil, razão pela qual o autor teve, para usar linguagem de baseball, de *touch all bases*, referindo os inúmeros aspectos em que ela se fez sentir, para o que recorreu inclusive à técnica, eminentemente literária mas que nem por isso deve ser considerada historiograficamente inaceitável, da chamada enumeração caótica, como nas páginas em que relacionou os vestígios materiais e espirituais da influência britânica, desde o 'mister', vale dizer, o inglês do anedotário nacional, até o gosto brasileiro pela sinuca, aliás, um dos incontáveis anglicismos que hoje fazem parte do português falado no Brasil, que, no tocante à adoção de palavras inglesas, sempre se mostrou bem mais transigente do que Portugal, onde o nosso trem ou o nosso bonde ainda são castiça e patrioticamente designados por comboio e elétrico. O segundo e o terceiro capítulos de *Ingleses no Brasil* examinam a atividade britânica através dos anúncios de jornais, técnica que, como se sabe, Gilberto Freyre usou pioneiramente no Brasil e desconfio que também fora dele; e através dos ofícios dos cônsules de Sua Majestade Britânica às autoridades brasileiras.

Sob ambos aspectos, a preferência do autor pela história social, e mais especificamente pela história da vida privada, permitiu-lhe descobrir a importância e a riqueza de fontes que haviam sido marginalizadas pela história política, o anúncio de jornal por oposição ao *suelto* e ao artigo de natureza política, e a correspondência consular por oposição à correspondência estritamente diplomática, tão explorada por seu mestre Oliveira Lima. Mas se graças a Gilberto Freyre o anúncio de jornal passou a ser utilizado com certa freqüência na historiografia brasileira, o mesmo não aconteceu à correspondência consular, que continua inexplicavelmente desdenhada, talvez em conseqüência de fato assinalado pelo próprio Gilberto. Com efeito, enquanto 'ofício' e 'cônsul' têm conotações monotonamente burocráticas, 'papéis diplomáticos' sugere o universo aparentemente glamouroso das intrigas internacionais. Quanto ao derradeiro capítulo de *Ingleses no Brasil*, trata-se de uma deliciosa glosa dos aspectos privados de um episódio pertencente por definição à história política, como seja a abdicação de D. Pedro I, escrita a partir do relato de oficial do navio de guerra inglês 'Warspite', em que se asilou o imperador antes de seguir para Portugal.

Rebento tardio da análise gilbertiana do processo de reeuropeização do Brasil esboçada em *Sobrados e Mucambos*, análise a que, aliás, não faltara o estudo do que podia ser considerado sua

27

contrapartida, vale dizer, a resistência oposta pelas influências orientais com que Portugal impregnara desde cedo a América portuguesa, *Ingleses no Brasil* emprega os mesmos meios que o autor usara desde *Casa-Grande & Senzala* no estudo da formação da família patriarcal brasileira. Já tentei explicar em outro lugar o que parece constituir, do ponto-de-vista do historiador, a novidade da abordagem gilbertiana: a transposição a uma sociedade de tipo histórico, como a brasileira, até então exclusivamente examinada a partir dos métodos diacrônicos da história, da visão sincrônica desenvolvida pela antropologia anglo-saxônica para a descrição de sociedades primitivas. O que era então uma ousadia teórica habilitou o mestre de Apipucos a dar uma das contribuições mais originais à cultura ocidental do século XX. Não se trata de exagero. Não vou entrar aqui na questão do ostracismo intelectual a que Gilberto Freyre foi relegado no Brasil precisamente nos anos, como a década de cinqüenta ou sessenta, em que a originalidade da sua contribuição passou a ser reconhecida nos grandes centros europeus e norte-americanos. Bastaria lembrar que foi então que Roland Barthes assinalaria haver nosso autor realizado a proeza de apresentar "o homem histórico quase sem o desprender do seu corpo vivo, o que importa na quase realização da quadratura do círculo dos historiadores, o ponto último da investigação histórica".

Dito o que, caberia também apontar as limitações do ovo de Colombo gilbertiano, limitações, aliás, que servem de advertência contra a utilização acrítica da abordagem antropológica na história, fenômeno recente no Brasil e que não se deveu a Gilberto Freyre mas à leitura dos historiadores franceses que a partir de Ariès começaram a cultivar, nos anos sessenta e setenta, a história da vida privada. Como nos indica a própria obra gilbertiana, a utilidade heurística do tratamento sincrônico de um determinado período histórico será tanto maior quanto for mais curto o marco cronológico adotado. Porque *Casa-Grande & Senzala* teve por quadro os três séculos de história colonial, sua descrição da sociedade brasileira parece ao historiador menos convincente e mais vulnerável do que a de *Sobrados e Mucambos* ou de *Ingleses no Brasil*, limitada aos cinqüenta ou sessenta primeiros anos do século XIX. O perigo que ronda o emprego de métodos sincrônicos ao longo prazo não consiste apenas em tornar a investigação passível de anacronismo mas sobretudo em enxergar relações estruturais que não resistiriam ao rigor do exame diacrônico. Para fazer justiça aos antropólogos, cumpre, contudo, assinalar que o uso e o abuso do sincrônico na história vêm ocorrendo por iniciativa dos próprios historiadores, deslumbrados pelos êxitos alcançados pela antropologia na ambição, comum às ciências humanas, de descobrir a chave para a reconstrução de totalidades sociais.

A realidade é que, já no século XIX, a própria historiografia havia descoberto por si mesma a valia do sincrônico, graças a *Kulturgeschichte* germânica, e particularmente ao suíço Burckhardt e posteriormente ao holandês Huizinga. Croce atribuirá à *forma mentis* de Burckhardt, por ele acusada de eminentemente anti-histórica, a substituição pura e simples da história factual pela história da cultura e da civilização, em vez de procurar integrá-las e de enriquecer a primeira graças ao aporte da segunda. Como não o fez, a obra de Burckhardt parecia-lhe uma "história da cultura inteiramente empírica e estática", que anulava o drama e a dialética da ação humana, esgotando-se na apresentação de "uma realidade fixa, solidificada, imobilizada". Os reparos de Croce ajudam a entender o fato insólito de *A civilização do Renascimento na Itália* continuar a ser um livro fascinante malgrado a contestação a que foram submetidas, pelos historiadores que desde então se ocuparam do assunto, quase todas suas análises pontuais. É evidente que *O Renascimento na Itália* passou pela mesma sorte a que se referiu Dumézil a respeito da sua própria obra, ao prever que, caso se vier a concluir em contra do seu caráter científico, ainda assim não caberia jogá-la fora mas apenas transferi-la da estante de ciências humanas para a de literatura. Quando a erudição de um grande livro de história envelhece, ele sobrevive pela imaginação propriamente histórica, categoria distinta vis-à-vis dos outros tipos de imaginação, mas tão valiosa quanto eles. É o que está ocorrendo inclusive à *Casa-Grande & Senzala*.

A antropologia e a história são como são porque não podem ser de outra maneira, limitadas que se acham pela natureza carente da matéria-prima que processam. Se a antropologia segregou-se na sincronia foi porque o antropólogo não dispõe, para o estudo das sociedades primitivas, da variedade e da riqueza das fontes com que conta o historiador para o estudo das sociedades históricas. Se, por sua vez, o historiador isolou-se na diacronia, foi porque não tinha o privilégio, ao contrário do antropólogo, de ser testemunha ocular da sociedade romana de finais da República ou do funcionamento do *manoir* medieval. Bem que o antropólogo gostaria de que os pataxós possuíssem um arquivo, mas, como isto não é possível, só lhe resta munir-se do seu caderno de campo e observar atentamente o que se passa na existência quotidiana da tribo, embora, se viesse a ocorrer um milagre dos deuses pelo qual as sociedades primitivas se encontrassem subitamente dotadas de acervos documentais, provavelmente boa parte do conhecimento antropológico teria o destino a que aludiu Dumézil. É inegável, por outro lado, que o historiador adoraria regressar no tempo e assistir ao assassinato de César ou espiar a vida econômica na Florença dos Médicis, mas, como isto também é impossível, ele se vê na contingência de reconstruí-los laboriosamente mediante o conhecimento inferencial dos correspondentes vestígios. Cumpriria, porém, acrescentar que, devido às diferenças fundamentais entre sociedades históricas e sociedades primitivas, cabe duvidar de que o historiador seria capaz de tirar maior partido do que veria com os próprios olhos do que faria se se pusesse a contemplar a própria sociedade em que vive. Provavelmente lhe ocorreria o que ocorreu a Fabricio del Dongo na batalha de Waterloo. Daí que, empregando a distinção feita por Montaigne, o historiador provavelmente optaria por conhecer Brutus através das páginas de Plutarco em lugar de visitá-lo na sua casa. Afinal de contas, como lembrou Paul Veyne num livro fundamental de reflexão epistemológica,

mesmo que eu fosse contemporâneo e testemunha de Waterloo, mesmo que fosse o principal ator e Napoleão em pessoa, teria somente uma perspectiva sobre o que os historiadores chamarão o acontecimento de Waterloo [...] Mesmo que eu fosse Bismarck que toma a decisão de expedir o telegrama de Ems, a minha própria interpretação do acontecimento não seria talvez a mesma dos meus amigos, do meu confessor, do meu historiador oficial e do meu psicanalista, que poderão ter a sua própria versão da minha decisão e pretender saber melhor que eu o que eu queria.

O historiador necessita recorrer à dimensão sincrônica com espírito informadamente crítico, o que significa subordiná-la à diacronia que é, por excelência, sua reserva de mercado. Se não o fizer, apenas empobrecerá sua capacidade de explicação e de compreensão do passado. Tal empobrecimento já começa, aliás, a ser visível na produção historiográfica em geral, repetindo-se assim o mesmo reducionismo esterilizante com que a ameaçou a novidade economicista nos anos cinqüenta e sessenta. As tendências das principais variáveis econômicas e até das não tão principais assim foram o 'abre-te Sésamo' dos historiadores fatigados, com razão, da história factual e positivista. Mas ao cabo do notável enriquecimento trazido pela história econômica a partir dos anos trinta, constatou-se, como, por exemplo, na França, que os alunos já não sabiam história, não haviam ouvido falar da rivalidade entre Francisco I e Carlos V nem das guerras de religião, embora estivessem a par da expansão demográfica de quinhentos e da estagnação secular de seiscentos.

# UM MÉTODO ANTIMETÓDICO: WERNER HEISENBERG E GILBERTO FREYRE

*Maria Lúcia Garcia Pallares-Burke*

A rica e sugestiva apresentação de Evaldo Cabral de Mello sobre metodologia e documentação em Gilberto Freyre levanta diversas questões de inegável importância e relevância. Comentá-las à altura exigiria erudição, talento e espaço que me faltam. Os comentários que seguem serão, pois, limitados a alguns dos pontos levantados.

A grande realização de Gilberto Freyre, ou, como disse Cabral de Mello, "o ovo de Colombo gilbertiano" foi empregar a abordagem sincrônica, caracteristicamente antropológica, para o estudo histórico da sociedade brasileira. A diferença entre história e antropologia tem muito a ver, conforme ele esclarece, com as diferenças entre as fontes disponíveis para as pessoas que trabalham nessas duas disciplinas. Os antropólogos não têm arquivos porque os povos iletrados que eles estudam (os Nuer, os Azande, etc.) não têm arquivos. Assim, desde que seguiram o conselho de Malinowski de que deveriam descer da "varanda" da casa dos missionários e dos administradores coloniais a fim de estudar mais profundamente essas sociedades, os antropólogos desenvolveram o método da pesquisa de campo que implica contacto e observação direta. A abordagem sincrônica é, pois, aquela que não tem a dimensão de tempo e que examina as conexões laterais entre os diferentes aspectos da vida de uma cultura: o econômico, o político, o social, e assim por diante. O resultado é a visão total de uma dada sociedade, focalizada, em geral, naquilo que é mais passível de se observar, isto é, a vida do cotidiano. Os historiadores, por outro lado, não podem, evidentemente, fazer pesquisa de campo entre os mortos, mas contam, em contrapartida, com toda a riqueza das fontes de arquivo, o que lhes possibilitou desenvolver o método diacrônico para a recuperação de tempos passados, o que fazem, em geral, em relação a assuntos especializados.[1]

Ao escrever, nos anos 30, uma história do Brasil centrada na vida da família utilizando uma abordagem sincrônica, caracteristicamente antropológica, Gilberto Freyre se insurgia, pois, contra uma longa tradição de história política, jurídica e institucional estudada até então com uma abordagem estritamente diacrônica. Com isso o historiador-antropólogo pernambucano se filiava a historiadores da envergadura do suíço Burckhardt e do holandês Huizinga, para falar dos mais antigos, e do francês Le Roy Ladurie (especialmente no seu *Montaillou*), para falar dos mais recentes, que procuraram recuperar o passado num quadro mais amplo do que as histórias comumente especializadas. Na verdade, a trilogia de Freyre poderia ser vista como uma tentativa de história total, já que, partindo de um estudo micro-histórico sobre a casa-grande, a relacionava com a senzala, de um lado, e com outros aspectos da sociedade brasileira, de outro, incluindo, com *Sobrados e Mucambos* e *Ordem e Progresso*, também o mundo da cidade.

Muitas das características inovadoras de Freyre teriam resultado, diz Cabral de Mello, dessa sua opção pelo método desenvolvido pela antropologia anglo-saxônica para o estudo das sociedades primitivas, como, por exemplo, o seu gosto pelas totalidades (desde cedo Freyre manifesta sua ambição de escrever um "estudo total" sobre a rua) e pela descrição (ao invés de pelas seqüências e narração), seu descaso pela cronologia e sua aversão pela história política de grandes vultos e de grandes eventos.

---

[1] Foi a essa especialização que F. Braudel opôs sua visão de "histoire total" (cf. Peter Burke, *The French Historical Revolution*, Cambridge, Polity Press, 1990, p. 42).

Que Freyre se empolgara com o método da antropologia parece não haver dúvidas. Em relação aos seus conterrâneos, ele se orgulhava de se distinguir mesmo dos mais cultos, por não ser, como eles, "livrescos" e desinteressados do que se passa na vida real da cidade. Tais eruditos, criticava Freyre, "não vão a pastoris nem pedalam de bicicleta pelos subúrbios. Nem conversam com gente do povo". Ao contrário dele, que deseja impregnar-se "da vida brasileira como ela é intensamente vivida", não só pelos seus iguais, mas também pela gente comum e pela "negralhada", a maioria desses "eruditos" fala como se fossem de outra espécie, "como se pertencessem a outro mundo", comenta Freyre. Em 1924, por ex., já de volta ao Recife após ter passado cinco anos entre os Estados Unidos e Europa, ele se preparava para escrever sua "história da vida de menino" no Brasil (história que deveria cobrir desde os "primeiros tempos coloniais" até os "dias atuais") lendo, como diz, "livros técnicos sobre field-work" e colhendo nas ruas da cidade "muita nota de possível interesse sociológico e antropológico sobre a vida da gente das mucambarias do Recife".[2]

Sua escolha de fontes históricas foi também determinada por essa sua opção antropológica e nesse campo temos outra das maiores inovações introduzidas por Freyre nos estudos históricos. Como bem apontou Cabral de Mello, Freyre foi buscar os substitutos para o trabalho de campo do antropólogo nas "fontes que haviam sido marginalizadas pela história política", como, por exemplo, em cartas de cônsules estrangeiros radicados no Brasil, nos anúncios de jornais em cujo estudo Freyre foi o pioneiro aqui, e talvez mesmo no mundo, e nas descrições do Brasil por viajantes estrangeiros.

Mas esse "ovo de Colombo gilbertiano" tem também limitações que devem servir de alerta aos historiadores, especialmente agora que Freyre foi reabilitado, nem sempre criticamente, e que a virada antropológica, por assim dizer, "pegou" (mais via França do que via Gilberto Freyre). Igual alerta, diga-se de passagem,

---

[2] G. Freyre, *Tempo morto e outros tempos*, Rio de Janeiro, José Olympio, 1975, pp. 160, 166, 208, 247.

tem sido feito por alguns dos historiadores vistos como representantes, eles próprios, dessa tendência historiográfica. Cabral de Mello menciona Georges Duby. Eu gostaria aqui de acrescentar as reservas de outros representantes igualmente eminentes como Carlo Ginzburg e Keith Thomas que, como Freyre já fizera muito antes, trouxeram para o centro da história fenômenos até então considerados periféricos, como a feitiçaria a partir da visão dos feiticeiros ou de seus vizinhos (ao invés da dos juízes e inquisidores) e o mundo visto por um simples moleiro.[3] Esses historiadores também se referem aos perigos que rondam essa virada antropológica da história como sendo, dentre outros, o da substituição de uma abordagem ortodoxa por outra igualmente ortodoxa. É nesse sentido que eles apóiam a crítica espirituosa de John Elliot à micro-história (tipo de história grandemente marcada pela antropologia), quando diz que "algo está muito errado quando o nome de Martin Guerre se torna tão ou mais conhecido do que o de Martin Luther". Crítica, aliás, bem recebida pela própria historiadora Natalie Zemon Davis, a autora do best-seller em micro-história, *The Return of Martin Guerre*, e colaboradora do filme com o mesmo nome estrelado por Gérard Depardieu.[4]

Enfim, como acontece com qualquer outra moda, a "antropologização da história" levada ao extremo corre o risco de comprometer os ganhos que inicialmente trouxe para os estudos históricos. O estudo crítico da obra de Freyre indica, pois, segundo Cabral de Mello, que "a utilidade heurística do tratamento sincrônico de determinado período histórico será tanto maior quanto for mais curto o marco cronológico adotado. Porque *Casa-Grande & Senzala*", ele explica, "teve por quadro os três séculos da história colonial, sua descrição da sociedade brasileira parece ao historiador menos convincente e mais vulnerável do que a de *Sobrados e Mucambos* ou de *Ingleses no Brasil*, limitada aos cinqüenta ou sessenta primeiros anos do século XIX".

[3] C. Ginzburg, *Il Formaggio e i Vermi*, Turim, Einaudi, 1976 ; K. Thomas, *Religion and the Decline of Magic*, Londres, Weidenfeld, 1971.
[4] Entrevista com Natalie Z. Davis, in Maria Lúcia Garcia Pallares-Burke, *As muitas faces da História — nove entrevistas*, Editora Unesp, 2000, pp. 105-6.

Quando se emprega os métodos sincrônicos a longos periodos históricos, os perigos maiores são, de um lado, o anacronismo e, de outro, (o mais grave, segundo Cabral de Mello) o da paralisação da história, ou seja, o risco de solidificar ou imobilizar em estruturas rígidas aquilo que, na realidade, é móvel e variável. E, lembrando que Freyre tinha a companhia de outros eminentes historiadores tanto nessa empreitada sincrônica quanto nas críticas de que ela é passível, Cabral de Mello se refere ao historiador suíço Jacob Burckhardt que também teve sua grande obra sobre o Renascimento italiano criticada por Benedetto Croce como sendo "eminentemente anti-histórica", crítica que, entretanto, não teria impedido, como ele bem aponta, de *A Civilização do Renascimento na Itália* se tornar obra clássica que sobrevive pela força de sua "imaginação propriamente histórica".

Apesar de basicamente concordar com as considerações críticas de Cabral de Mello a essa antropologização da história, gostaria, no entanto, de qualificar um pouco essa oposição binária entre história e antropologia, a partir de uma perspectiva de tempo. A distinção, tal como foi feita, me parece especialmente válida para o período 1900-50, o clássico período para as pesquisas de campo realizadas pelos antropólogos ocidentais que, tendo seguido o conselho de Malinowski e descido da varanda, se envolveram mais ativamente com as sociedades primitivas iletradas que estavam a estudar. Mas, depois desse período, se considerarmos o desenvolvimento de estudos antropológicos de sociedades mais complexas do Mediterrâneo e outros lugares, o dilema ou oposição antes válida me parece, se não falsa, ao menos muito amenizada. Anton Blok, por exemplo, no seu estudo sobre a máfia numa vila siciliana procurou vê-la como um processo e, para tanto, combinou pesquisa de campo convencional com um estudo histórico ao longo de 100 anos da vida dessa comunidade.[5] O mesmo esforço histórico se percebe em Carmelo Lisón Tolosana, que estuda três gerações de uma vila espanhola, definindo-as em relação à Guerra Civil Espanhola.[6]

---

[5] A. Blok, *The Mafia of a Sicilian Village*, Oxford, Blackwell, 1974.
[6] C. Lisón Tolosana, *Belmonte de los Caballeros*, Oxford, Oxford University Press, 1966.

Estudando agora não mais exclusivamente sociedades primitivas mas também sociedades letradas que dispõem de arquivos, os antropólogos passaram a poder explorar as mesmas fontes dos historiadores, diluindo-se, assim, aquela oposição básica com a história que antes era tão acentuada. E, do lado dos historiadores, o crescente interesse pela história contemporânea fez com que eles desenvolvessem um método não de todo diferente de pesquisa de campo, como as entrevistas como prática essencial da história oral.

Em outras palavras, podemos falar que se firmou nas últimas décadas do século XX a história antropológica (ou *historical anthropology*, como dizem os ingleses), uma história em que G. Freyre foi, sem dúvida, um dos pioneiros. Mas ele não foi completamente sincrônico, como aliás Cabral de Mello parece também concordar, pois não tentava descrever uma sociedade num *determinado momento*, como os antropólogos pretendiam. Estava, sim, mais interessado em um *período* do que em um momento, em, enfim, "pintar o retrato de uma era" (para usar a feliz expressão do historiador inglês G. M. Young),[7] com estruturas sendo definidas, como quer Pierre Chaunu, como "aquilo que muda relativamente devagar". Se Freyre errou, foi talvez não só, ou não tanto, por ter se esquecido do caráter seqüencial da história, por ter abusado dos métodos sincrônicos e por ter "paralisado" a história, mas, sim, por ter superstimado as continuidades em detrimento das mudanças; por ter, enfim, superstimado a lentidão com que as seqüências se sucedem. E isso porque, talvez nostálgico de um período glorioso de Pernambuco e do Nordeste, ele desejasse que as mudanças ocorressem em câmara lenta, que fossem efetivamente muito mais vagorosas e suaves.

É nesse ponto interessante lembrar que Jack Goody, o eminente antropólogo e historiador britânico, autor de obras clássicas como *The Domestication of the Savage Mind*, defendeu recentemente a aliança da abordagem sincrônica com a diacrônica para os

---

[7] G. M.Young, *Victorian England; Portrait of an Age*, Oxford, Oxford University Press, 1936.

estudos antropológicos, do mesmo modo que Cabral de Mello defende a utilização crítica das duas abordagens pelos historiadores. "Quando se faz um estudo antropológico de uma cultura que *não tem registros históricos*", diz Goody, "há sempre o terrível perigo de se pensar que seu estado permanente é aquele em que está, e que os guivaro ou os zunio, por ex., sempre se comportaram naturalmente daquele modo. Ora, uma coisa que podemos estar certos é que esse nunca é o caso, que as culturas não são imóveis e estão sempre em mudança. No entanto, se se tem uma visão instantânea de uma sociedade ou uma visão sincrônica, como se dizia em antropologia — que é basicamente o que se consegue quando se faz pesquisa de campo de uma sociedade — fica-se com a impressão de que a cultura é algo sólido, que tem a mesma forma desde o início... E, num certo sentido, é a história que nos salva desse perigo, ao dar à antropologia a dimensão de tempo e de profundidade que lhe falta". E, conclui Goody, se os antropólogos não podem, muitas vezes, atingir essa dimensão por falta de fontes, eles têm ao menos que estar concientes de que os instantâneos que observam são *só instantâneos* e não lhes revelam o que há de permanente.[8]

Um outro ponto que me parece importante destacar é que, ao chamar atenção para a originalidade de Freyre ao usar o método sincrônico para o tratamento de assuntos históricos, Cabral de Mello está, no meu entender, indiretamente também respondendo àqueles estudiosos que tradicionalmente têm criticado Freyre por sua falta de rigor, por sua fluidez conceitual, por não ser, enfim, metódico ou sistemático, mas, ao contrário, intuitivo e impressionista. Sim, porque acredito que implicitamente ele está aí dizendo que Freyre não era levianamente anti-metódico e assistemático, que seu procedimento impressionista e seu uso e abuso de "colagem"(apontado e criticado por T. Skidmore, por ex.)[9] não era fortuito.

---

[8] Entrevista com Jack Goody, in Maria Lúcia Garcia Pallares-Burke, *As muitas faces da História — nove entrevistas*, ob. cit., p. 44.
[9] T. Skidmore, "Gilberto Freyre and the Early Brazilian Republic: some notes on methodology", *Comparative Studies in Society and History*, 1964, p. 490-505.

Ao contrário, Freyre era *proposital* e *conscientemente* anti-metodológico e impressionista. Dentro dessa dimensão sincrônica que ele privilegiava por possibilitar uma visão mais total da sociedade, com todas as suas relações, Freyre se permitia a liberdade de abordar seu objeto de estudo com o "espírito de aventura intelectual" ou, como dizia, com o "unsystematic method of thinking" dos ensaístas ingleses que ele tanto admirava. E isso porque, segundo Freyre, ao invés de se pretender completa e objetiva, a história que se escreve deveria se coadunar com a natureza da realidade psicossocial que é, no seu entender, fundamentalmente ambivalente, fragmentária, subjetiva e fugidia.

Nesse quadro, parece-me lícito supor que, no entender de Freyre, seu *método anti-metódico* ao invés de ser obstáculo era *condição indispensável* para seu objetivo de pintar o retrato psicossociológico do Brasil. Nesse aspecto, não resisto à tentação de fazer uma analogia com o procedimento do físico nuclear Heisenberg, também criticado por muitos de seus colegas cientistas por se desviar do convencional e infringir todas as regras da aplicação da física quântica; por ser, enfim, desconcertantemente anti-metódico, intuitivo, inconsistente, fragmentário e contraditório.

Referindo-se a uma das descobertas que lhe valeu o Prêmio Nobel de Física quando tinha 32 anos de idade, um crítico o descreveu de um modo que poderia ser igualmente aplicado a Freyre: "ali estava Heisenberg no seu maior grau de excelência — seguindo simultaneamente métodos incompatíveis e empregando argumentos inconsistentes de modo intenso e brilhante".[10] Enfim, essa mesma postura meio amadorística, ou "extra-acadêmica" e "extra-didática" que caracterizava Freyre e da qual ele se orgulhava, lhe possibilitava se insurgir contra as regras estabelecidas e as "convenções triunfantes" e se valer tanto de fontes marginais (incluindo até receitas de bolo e cantigas populares), como também de um estilo de escritura bastante pessoal, muito distante da rigidez e da formalidade do estilo acadêmico. Estilo que, diga-se de

---

[10] David C. Cassidy, *Uncertainty — the life and science of Werner Heisenberg*, N. York, W. H. Freeman and Company, 1992, pp. 123-4, 169, 197, passim.

passagem, se lhe valeu muitas críticas também lhe valeu rasgados elogios por seu valor didático. "Com tais livros" (como os de Gilberto), diria o grande educador Anísio Teixeira, "se poderia, talvez, dispensar a escola. Porque o saber precisa para ser comunicado de se tornar assim pessoal, humano, quente, imaginativo...".[11]

Considerando agora o problema da documentação ou fontes, Cabral de Mello bem lembrou que um dos méritos de Freyre, assim como fora o de Burckhardt e Huizinga, foi nadar contra a corrente e se utilizar de fontes até então marginalizadas, o que lhes permitiu ser extremamente inovadores. No caso de Freyre, inspirado na antropologia, ele teria procurado aquelas fontes que lhe possibilitavam fazer uma espécie de pesquisa de campo de segunda mão. Assim, diários, correspondência particular, pinturas, álbuns de fotografia, jornais e livros de etiqueta foram extremamente úteis para a história antropológica que escreveu.

Mas a fonte que mais se aproxima da do antropólogo é a fornecida pelos viajantes, que podem ser vistos como uma espécie de "antropólogos temporários".[12] A descrição de um país feita por viajantes estrangeiros merece atenção, pois se trata de uma das mais importantes fontes empregadas por Gilberto Freyre no seu esforço para recompor o quadro de um época. "Para o conhecimento da história social do Brasil não há talvez fonte de informação mais segura que os livros de viagem de estrangeiros", postula Freyre já no primeiro prefácio de *Casa-Grande & Senzala*. É assim que ele se utiliza amplamente de depoimentos de viajantes como Graham, Kidder, Koster, Spix e Martius, Tollenare, etc. Em certo sentido, podemos dizer que a utilização dessa fonte mais antropológica permitiu que Freyre contrabalançasse, ao menos um pouco, aquilo que Stuart Schwartz se referiu como sendo a perspectiva predominante dos estudos sobre a sociedade colonial, ou seja, o fato de serem "escritos a partir da varanda da 'casa-grande'", baseados em documentação produzida pelos grandes senhores e

---

[11] Cf. Carta de 2 de fevereiro de 1946 de Anísio Teixeira a Gilberto Freyre, in Correspondência original de Gilberto Freyre, Doc. 9.

[12] Para uma comparação entre os viajantes e os antropólogos e uma distinção entre as testemunhas "de dentro" e "de fora", ver P. Burke, *Historical Anthropology of Early Modern Italy*, Cambridge, Cambridge University Press, 1987, Introdução.

escritos, em geral, por descendentes da aristocracia colonial.[13] Isso porque, na verdade, os relatos dos viajantes fizeram com que, a meu ver, Freyre descesse alguns degraus da "varanda da casa-grande", da mesma forma que a pesquisa de campo permitira que os antropólogos do início do século, seguindo Malinowski, descessem da varanda dos missionários e administradores coloniais a fim de estudar em profundidade as sociedades iletradas.

A questão essencial nesse aspecto é o uso crítico dessas fontes, o que vale, sem dúvida, também para fontes de arquivo. Estas, no entanto, por serem mais convencionais foram bem escrutinadas já desde o século XIX pelos manuais de métodos históricos, o que não ocorreu no caso dos relatos dos viajantes que, após terem sido fontes marginalizadas, se tornaram privilegiadas, sem que isso fosse acompanhado, muitas vezes, de uma crítica sistemática de seu uso. No caso dos jornais, podemos dizer que o uso feito por Freyre dos anúncios foi, de um lado, exemplar, já que lhe permitiu reconstruir a aparência física da população escrava (a partir dos anúncios dos escravos fugitivos, por ex.,) e a crescente europeização ou anglicização do país (especialmente através dos anúncios de leilões). Mas, de outro, sua leitura de periódicos como *O Carapuceiro*, por exemplo, foi um tanto ingênua, não tendo aparentemente lhe ocorrido que o quadro da sociedade pernambucana que Lopes Gama apresentava podia não ser, na sua totalidade, o documentário fiel que ele alardeava ser. Pelo menos no que diz respeito ao comportamento das mulheres, hoje sabemos que Lopes Gama reproduziu textos publicados mais de um século antes para um público estrangeiro, o britânico, e que ele, na verdade, não "presenciou muitos dos eventos que relatou, não recebeu realmente todas das poucas cartas que publicou e nem participou de muitas conversas que transcreveu".[14]

Voltando aos relatos dos viajantes, o primeiro ponto é a necessidade de se distinguir os diferentes viajantes quanto à fide-

13 S. Schwartz, *Sugar Plantations in the Formation of Brazilian Society — Bahia, 1550-1835*, Cambridge, Cambridge University Press, 1985, p.xiv.
14 Cf. M.L.G. Pallares-Burke, "A Spectator in the Tropics: a Case Study in the Production and Reproduction of Culture", *Comparative Studies in Society and History*, vol. 36, nº 4, outubro 1994, pp. 676-701 (reprod. em *Nísia Floresta, O Carapuceiro e outros ensaios de tradução cultural*, S. Paulo, Editora Hucitec, 1996, pp.129-165).

dignidade de suas descrições. Disso Gilberto Freyre desde logo se apercebeu, lembrando a necessidade de se distinguir entre os "autores superficiais ou viciados por preconceitos", de um lado, e "os bons e honestos" de outro. "A tentação de generalizar é forte" e "raros os que a ela sabem esquivar-se", diz ele.[15] É verdade que "os livros de estrangeiros são às vezes a melhor crítica social de uma país", mas "há que saber lê-los", acrescenta.[16] É nesse quadro que a inglesa Maria Graham é particularmente elogiada por sua argúcia em notar o que Freyre chama de "pormenores significativos", esses "pequenos nadas das relações entre os povos" cuja recuperação ele considera como essencial ao procedimento do historiador (já que são mais reveladores do humano do que "os episódios grandiosos"), nisso se antecipando a Carlo Ginzburg que, também como ele, iria se inspirar no detetive Sherlock Holmes, o famoso personagem de Conan Doyle.[17]

No entanto, além dessas distinções, há outras que devem ser feitas, mas que escaparam a Freyre, até porque baseadas, algumas delas, em estudos literários mais recentes a que ele, evidentemente, não podia ter acesso.

Quanto tempo, por exemplo, esses viajantes estiveram no lugar que se puseram a descrever? Em que domínios suas informações são mais e menos fidedignas? Como Stuart Schwartz bem percebeu, Freyre muitas vezes não atentou para esses problemas e se enganou por aceitar as descrições dos estrangeiros que aqui estiveram muito brevemente e por transpor as observações de viajantes do século XIX para períodos anteriores, o que o impediu de perceber as mudanças ao longo do tempo e de fazer uma análise histórica mais sólida.[18]

Quanto ao uso dessa fonte, um outro problema a ser considerado é que, para o viajante, nem sempre é fácil contextualizar

[15] G. Freyre, *Tempo de Aprendiz*, S. Paulo, Ibrasa, 1979, vol. 1, p. 103.
[16] G.Freyre, *Tempo de Aprendiz*, ob. cit., vol. 1, p. 345.
[17] G. Freyre, *Ingleses no Brasil*, Rio de Janeiro, José Olympio, 1948, pp. 39, 44, 295 ; para uma discussão sobre a importância dos "pormenores significativos" na metodologia de Freyre, ver M.L.G. Pallares-Burke, "'Ingleses no Brasil' ou um quase manifesto", Fundação Joaquim Nabuco, no prelo.
[18] S. Schwartz, *Sugar Plantations*, ob. cit., pp. 87, 106, 283.

as pessoas que observa, quer no que diz respeito à classe, quer a ocasiões. Muitas vezes, por exemplo, se torna para eles muito difícil distinguir, dentre as mulheres bem vestidas, quais as respeitáveis e quais as prostitutas; ou mesmo perceber se os meninos vestidos em roupas de adulto, observados pelos viajantes do século XIX, estavam sempre vestidos dessa forma ou se esse era somente o traje apropriado para determinadas ocasiões públicas. G. Freyre, por exemplo, leu literalmente, e sem a devida cautela, a descrição que Alphonse Rendu fez dos meninos brasileiros, que com sete anos de idade já têm "a gravidade de um adulto".[19]

Os problemas da intertextualidade e da presença de elementos de ficção nos relatos dos viajantes são outras questões que estudos mais recentes, especialmente literários, têm levantado, apontando para a necessidade de se pensar na possibilidade de os viajantes estarem ecoando outros que os antecederam, e também na possibilidade de o apego a certos gêneros literários poderem, de certo modo, desvirtuar seus relatos. Daí, por exemplo, a necessidade de se distinguir entre as notas tomadas pelos viajantes *in loco* (como os sketches dos pintores) e o texto trabalhado "em casa" para ser publicado e lido por um público de determinada cultura que tem suas preferências literárias bem estabelecidas, como o público-leitor da Inglaterra vitoriana. Essas restrições ao uso mais ou menos acrítico dos viajantes não serão, evidentemente, novidade para Cabral de Mello, que também usa, como Freyre, esse tipo de fonte, mas de uma maneira mais sofisticada e refinada. No seu *Rubro Veio*, por exemplo, muitos dos historiadores catalogados como "bons e honestos" por Freyre são utilizados como evidência, mas utilizados com cautela, como por exemplo nas informações que dão sobre os regimentos de pardos e negros que observaram diretamente. Ou na sua utilização dos relatos de Herbert Smith e Moritz Lambert, os "observadores idôneos", segundo diz, que descreveram o velho Recife antes da cidade ser submetida ao que Cabral de Mello chama de "cirurgia plástica".

Para finalizar, gostaria de retomar a arguta observação feita por Cabral de Mello a respeito do valor permanente da obra de

---

[19] G. Freyre, *Sobrados e Mucambos*, 3ª ed., Rio de Janeiro, José Olympio, 1961, p. 92.

Burckhardt, não obstante as críticas de Croce e de outros a ela serem legítimas. "Quando a erudição de um grande livro de história envelhece, ele sobrevive pela imaginação propriamente histórica... É o que está ocorrendo com *Casa-Grande & Senzala*", conclui.

Se é verdade, pois, que 70 anos de pesquisas podem ter feito com que parte da obra de Freyre ficasse datada, que uma série de qualificações às suas teses atestam seu envelhecimento, ela permanece, no entanto, uma grande obra pela força de sua imaginação histórica. Uma das questões que se coloca aos historiadores é, então, a seguinte: se podemos aprender muito com os *erros* de Freyre (como, por exemplo, utilizar os relatos de viajantes e artigos de jornais com maior cautela ou evitar que a abordagem sincrônica paralise indevidamente a história, subordinando essa dimensão sincrônica à diacronia, como sugere Cabral de Mello), como, no entanto, podemos aprender com seus acertos, ou, em outras palavras, como desenvolver efetivamente aquilo que não envelhece, a imaginação histórica? E aqui entramos num terreno muito mais nebuloso, pois significa, no limite, perguntarmos se se pode ensinar alguém a desenvolver a imaginação criativa (quer histórica, literária ou mesmo científica), se há como aprender a escrever obras imaginativas como as de Burckhardt sobre o Renascimento italiano ou *Montaillou* de Le Roy Ladurie, *O queijo e os vermes* de C. Ginzburg, *Guerra e paz* de Tolstoi, e assim por diante.

Diante dessa pergunta, o historiador Carlo Ginzburg se revelou recentemente um tanto cético quanto ao limite de todo aprendizado, mas admitiu que o historiador será tanto melhor e mais criativo quanto mais ele tiver desenvolvido o que chama de "imaginação moral", ou seja, aquilo que lhe permite fazer conjecturas sobre os seres humanos; conjecturas que, por sua vez, dependem fundamentalmente do que se lê, desde contos de fada a romances de todo tipo.[20] Corroborando essa idéia, lembremos novamente do premiado físico Heisenberg que, além de exímio jogador de xadrez e apaixonado ouvinte de música clássica, era amante de literatura e ávido leitor de Goethe e dos platonistas.

---

[20] Entrevista com Carlo Ginzburg, in Maria Lúcia Garcia Pallares-Burke, *As muitas faces da História — nove entrevistas*, ob. cit., pp. 296-7.

Pois bem, seu peculiar estilo intuitivo e assistemático de fazer ciência já foi visto como sendo o resultado da confluência da visão poética do mundo de Goethe, dos elementos irracionalistas da filosofia taoísta e até mesmo das muitas horas que se debruçava sobre complicados jogos de xadrez.[21]

Quando se observa o uso imaginativo que eminentes historiadores fazem de uma grande variedade de leituras, muitas delas aparentemente tão distantes de seu objeto de estudo (como Freyre se utilizando de tratados de criminologia, de nutrição e de clima, bem como de um estudo sobre as atividades colonizadoras dos puritanos ingleses para falar sobre o Brasil colonial;[22] ou Evaldo Cabral de Mello se utilizando do estudo de Kantorowicz sobre a teologia política medieval para falar de Pernambuco do século XVII),[23] fica-se com a impressão de que Keith Thomas tem razão quando faz a seguinte afirmação categórica: "Insisto que as leituras dos historiadores devem cobrir um espectro de temas e disciplinas o mais amplo possível porque, no final, a história é o que os historiadores trazem para ela; e se o historiador for estreito em seus pressupostos e na extensão de suas referências culturais, os resultados serão igualmente estreitos".[24]

Infelizmente, essa não é receita infalível, pois nada garante que desse esforço saia algo equivalente a *Os reis taumaturgos*, *O queijo e os vermes*, *Casa-Grande & Senzala*, e outras obras dessa categoria. Pois, como lembra Thomas, resta acrescentar aquilo que é imponderável, mas essencial — um "toque de gênio" que, devemos admitir, só poucos possuem.

---

[21] David C. Cassidy, *Uncertainty — the life and science of Werner Heisenberg*, ob. cit., pp. 83-85, 449, passim.

[22] Cf. Notas de rodapé do primeiro capítulo de *Casa-Grande & Senzala*, em especial, Mendes Correia, *Os criminosos portugueses*; Ferraz de Macedo, *Bosquejos de Antropologia Criminal*; R. de Courcy Ward, *Climate especially in Relation to Man*; E. G. Dexter, *Weather Influences*; E. V. McCollum e N. Simmonds, *The Newer Knowledge of Nutrition*; A. P. Newton, *The Colonizing Activities of the English Puritans*.

[23] Cf. Evaldo Cabral de Mello, *Rubro Veio — O imaginário da restauração pernambucana*, 2ª edição, Rio de Janeiro, Topbooks, 1997, p. 110, nota 14.

[24] Entrevista com Keith Thomas in Maria Lúcia Garcia Pallares-Burke, *As muitas faces da História — nove entrevistas*, ob. cit., p. 136.

# GILBERTO FREYRE E A MÍDIA:
## PIONEIRISMO, SENSIBILIDADE E INOVAÇÃO*

*Nicolau Sevcenko*

O convite do Grupo Folha da Manhã e da Fundação Roberto Marinho para participar do seminário *Gilberto Freyre, patrimônio brasileiro* foi uma ótima oportunidade para destacar uma das características mais interessantes do pioneirismo de Gilberto Freyre, que, apesar de ser pouco realçada em seus livros mais conhecidos, é de enorme atualidade. Sua obra tem um caráter premonitório marcante, está afinada não só com o reconhecimento de alguns dos traços mais distintivos da sociedade brasileira atual, por meio de uma sondagem do passado, mas também com uma prospecção sólida em direção ao futuro.

Vou me concentrar num único livro de Gilberto Freyre, o último da trilogia na qual o autor revê a estrutura e a dinâmica da sociedade brasileira. Trata-se de *Ordem e Progresso*, que começa com uma estranha e moderníssima colagem, à moda de McLuhan, em que ele apresenta imagens e trechos de matérias editoriais e publicitárias da imprensa do começo do século XX. É uma coleção aparentemente caótica, sem sentido e não legendada, de tal maneira que cabe a cada um fazer a própria interpretação desse imenso painel, desse grande mosaico ilustrativo e cultural com que o jornalismo enriqueceu a vida brasileira no período. *Ordem e Progresso* representa um esforço fecundo de com-

---

* Este texto é o registro da palestra proferida no seminário *Gilberto Freyre, patrimônio brasileiro*, em 16 de agosto de 2000, no auditório do jornal *Folha de S. Paulo*.

preensão da passagem de uma sociedade escravocrata para uma sociedade baseada no trabalho livre, da ordem monárquica para a ordem republicana, do século XIX para o século XX. O autor dirige sua atenção ao intervalo entre o início da República e o começo da década de 1920, quando a situação é então dramaticamente alterada durante o período de entre guerras.

Para dar uma idéia do caráter dos registros que ele incorpora nesse trabalho, cito alguns exemplos. Primeiro uma pequenina nota em que um ardoroso personagem republicano desafia a colônia lusitana, a qual ainda congregava fortes núcleos monarquistas. A nota foi publicada em tom publicitário e se refere a Dom Pedro II: "REPUBLICANOS" — é a grande chamada — "guerra de morte ao tucano! Não mais testas coroadas!... O Quintas tem à venda em sua livraria à Rua do Crespo os retratos do distinto democrata Martins Júnior". Pura provocação. Mas o notável é o senso profético utilizado na escolha do trecho. A nota chama a atenção para o clamor à guerra ao tucano; a escolha mostra, portanto, além do grande senso de humor, o quanto Freyre estava em sintonia com o futuro, que acontece de coincidir com o nosso melancólico presente.

Também muito interessante, outro trecho retrata uma situação de rua: "Às sete e meia horas da noite de ontem, estava em frente do Armazém do Lima, na Rua Barão da Vitória, uma senhora acompanhada de seu marido. Passando por ali um cavaleiro, bisnagou aquela senhora ao que o marido replicou dando uns murros no bisnagante. (...) Aquela senhora teve um forte ataque histérico. Foi conduzida para o estabelecimento acima, onde minutos depois tornou a si". A nota é extremamente digna de reparo porque é óbvio que ela não se refere a um fato concreto. É apenas um artifício usado pelo comerciante a fim de despertar a curiosidade do público para o estabelecimento, falando de algo notável que teria acontecido num horário em que nenhuma outra pessoa provavelmente estaria ali e que, por isso, ninguém poderia atestar; no entanto, certamente a história seria alvo de todos os comentários do dia seguinte, já que todo o mundo queria conhecer as identidades do bisnagante e da bisnagada. Era então uma matéria publicitária? Intuindo muito bem a psicologia social e a avidez de fofocas

47

num período anterior à grande imprensa, ao rádio e à TV, essa prática astuciosa de comunicação atrairia por certo uma enorme clientela ao Armazém do Lima na Rua Barão da Vitória.

Ainda mais pitoresca, uma terceira nota faz um apelo "Às almas caridosas" da seguinte forma: "Maria Cândida Wanderley Autran, viúva do empregado público Cândido Autran da Mata Albuquerque, moradora na Rua de Santa Teresa, nº 50, tendo em sua companhia três moças solteiras órfãs e achando-se na mais extrema pobreza, vem recorrer às almas fiéis e caridosas que a auxiliem pelo amor de Deus, visto como não enxerga mais coisa nenhuma". É evidente que temos aqui um apelo da galinha mais velha às raposas para que venham cuidar das franguinhas. Hoje em dia seria um convite para uma sauna. Naquele momento, uma chamada para uma estranha forma de caridade erótica, através da qual se aliviavam ao mesmo tempo as demandas da consciência e as urgências do instinto, absolutamente genial.

Temos aqui, então, agentes de publicidade moderna, numa coletânea incrivelmente inovadora, que chama a atenção de forma certeira para o modo como a sociedade tradicional brasileira era atravessada, naquela fase, por uma mudança no sentido da preponderância de índices de caráter nivelador e mercantil, que deveria prevalecer a partir de então sobre os valores do passado, assentados na propriedade, na tradição e na família.

Em *Ordem e Progresso*, Gilberto Freyre transpõe a ênfase do estudo para os processos de mudança acelerada da sociedade brasileira, cujas fontes de condicionamento se encontravam sobretudo no contexto econômico internacional. Nessa obra ele se concentra sobretudo nas injunções e imperativos que vinham de fora. Em obras anteriores, o autor observava a estruturação social a partir de causas internas, tentando explicar a estabilidade orgânica fundamental do país. Nesse texto, ele vê um quadro de dissolução, condicionada principalmente por agentes externos. O próprio Gilberto Freyre chamou esse livro de obra revolucionária, no prefácio da segunda edição, de 1962 (a primeira é de 1959):

"Como conjugação de métodos para a análise e a interpretação de um passado recente, até hoje desencontrados (...) *Ordem e Progresso* está tão distante de *Casa-Grande & Senzala* e de *Sobrados e Mucambos*, como *Casa-Grande & Senzala*, ao aparecer, estava de *Capítulos de História Colonial*, de Capistrano de Abreu, ou de *Populações meridionais do Brasil*, de Oliveira Viana. É livro, sob esse aspecto, revolucionário. Compreende-se assim, a relutância da parte dos historiadores e dos sociólogos de feitio convencional em aceitá-lo ou admiti-lo no rol das obras para eles idôneas". E daí o ter sido "compreendido, aceito e exaltado apenas pelos críticos lucidamente jovens de então".

Os aspectos inovadores desse livro são vários. Ressalto alguns deles, para retornar no final ao tema que motivou o Seminário, a questão da mídia. O primeiro ponto a destacar é que Gilberto Freyre realiza em *Ordem e Progresso* um estudo histórico voltado para a compreensão, em suas palavras, de "processos socioculturais". O uso desta expressão complexa, forte e pioneira — que não se esperaria encontrar num estudo convencional do período — significa que sua atenção se voltava especialmente para os fluxos de mudança, ao invés de se assentar sobre fatos ou estruturas estanques, e que ele se preocupava em entendê-los por sua natureza interativa, na qual as tensões sociais se articulam e se reformulam constantemente em consonância com as trocas, jogos e disputas que alteram os quadros de valores simbólicos e de níveis sociais. Outro elemento imensamente novo é o relevo dado ao enfoque interdisciplinar. Ele mesmo propõe um panorama amplo, ao conjugar disciplinas diferentes como História, Antropologia, Sociologia e Psicologia Social. Freyre também é bastante modernizador ao usar a abordagem denominada por ele de "penetração simpática", na verdade uma expressão emprestada de Earl S. Johnson, autor de *Theory and practice of the Social Sciences* (Nova York, 1956). Trata-se de um enfoque pela empatia, de um esforço de identificação com o Outro, ou melhor, com os outros, com as múltiplas vozes e diferenças que compõem a complexidade do cenário social e cultural do período. É por essa razão que ele adota a metodologia de entrevistas com pessoas dos mais diversos níveis sociais e das mais diferentes formações culturais, tornando seu livro o eco de mil vozes e a expressão de mil discursos.

A opção pelas entrevistas não só lhe permitia a multiplicação das vozes, de vários *outros*, mas também a incorporação de um tipo de fala, de locução, que nunca estaria presente num trabalho de natureza sociológica ou antropológica baseado estritamente na documentação escrita, porque muitos dos entrevistados eram analfabetos e jamais poderiam ter se comunicado de outra forma exceto falando. Assim, Freyre transcendeu os limites da própria imprensa escrita, entrando no nível da comunicação popular. Num país como o Brasil, onde a taxa de alfabetização tradicionalmente foi muito limitada, a iniciativa de trabalhar com técnicas de história oral revela um potencial notável, o que traz à luz mais um aspecto de seu pioneirismo.

O pensador pernambucano também insiste que *Ordem e Progresso* é um estudo de "sensibilidade histórica". Nesse sentido, ele sugere que sua obra é um registro assinalado pela dimensão da intimidade do imaginário e das percepções sensoriais, numa formulação que é em grande parte precursora de procedimentos que só hoje em dia estão consolidados em disciplinas como a história das mentalidades ou a assim chamada nova história cultural. Nesse ponto, menciono uma vez mais a perspectiva metodológica da "sensibilidade histórica" ou o método da empatia. O estudo das "predominâncias de palavras" — Gilberto Freyre fez um levantamento de mais de cinco mil neologismos que apareceram em apenas duas décadas na passagem do século XIX para o XX, fato que considera altamente positivo, uma forma de enriquecimento da língua e da cultura — "como as de símbolos e de ritos sociais, estilos de arte, formas de retórica, ritmos de dança, regras de conduta, modas de trajo e de penteado, permitem-nos tentar surpreender e interpretar o que houve de mais íntimo no caráter de uma época, dentre as várias vividas por um povo. Todas exprimem formas de conviver que condicionaram modos de sentir e de pensar e foram por eles condicionados".

Isto o levou a estudar uma vasta gama de documentos raramente considerados valiosos, de interesse ou de expressão histórica. Em particular, documentos capazes de revelar aspectos da intimidade ou privacidade de pessoas, famílias ou grupos sociais, como correspondências, diários, notas autobiográficas, cartões-postais, escritos de escravos e ex-escravos, inventários, testamentos, listas de gêneros alimentícios e de vestuário, arquivos pessoais e familiares, álbuns de fotografias, coleções de partituras, cadernos de música, livros de modinhas, cadernos escolares, livros didáticos, coleções de receitas de pratos salgados e doces, e por aí afora.

Da mesma forma, ele se abre de forma inédita a toda uma extensa documentação no plano da cultura material, estudando elementos do urbanismo, da arquitetura, da decoração de interiores, mobiliário, equipamentos domésticos, objetos pessoais, devocionais e artísticos, utensílios de limpeza, hábitos de consumo e de lazer, práticas de convívio social, candeeiros, porcelanas, cristais, metais, brinquedos, bonecas, decoração de festas, presépios, leques, roupas, fotos, embalagens, artesanato, etc. Isso tudo sem contar trechos antológicos em que ele faz uma sociologia do bonde, uma antropologia do charuto, cigarro e rapé, e uma sociopsicologia da "pianolatria", o imperativo de que todos os lares respeitáveis contendo moças casadoiras deveriam necessariamente ter um piano, acompanhado de intermináveis aulas e estudos, de aturdir os ouvidos e arrebentar os nervos da vizinhança, que tomou conta das famílias na passagem do século. Além do estudo sistemático das danças sincopadas dos bordéis, para não ficar somente no decoro das famílias.

No que se refere mais diretamente a esta reflexão — o estudo do jornalismo e dos sistemas de comunicação — *Ordem e Progresso* também inclui uma série de aspectos pioneiros. O primeiro é o destaque ao fato de a imprensa ter se transformado no principal esteio no âmbito das trocas culturais durante a passagem do século XIX para o século XX e de como ela se tornou o elemento promotor por excelência da constituição daquilo que se articularia como o espaço público republicano. Assim, afirma Gilberto Freyre, "os escritores notáveis do período" se fizeram notar por sua presença nos jornais e nas revistas "que eram os meios pelos quais canalizavam seu desejo de influir na vida nacional, de atuar sobre o público, de participar na política e de intervir na discussão dos problemas do dia-a-dia".

Esta é uma mudança em relação a práticas convencionais que estavam centradas na política partidária e sobretudo na

Igreja, que a partir de então seriam todas tacitamente absorvidas pelo jornalismo diário. "Esse prestígio da imprensa, em sucessão ao do púlpito, em competição com a tribuna e em antecipação ao livro literário de grande público, caracterizou o Brasil intelectual do mil e novecentos". Por isso, Freyre vai se dedicar ao estudo das grandes casas editoras e seus sucessos editoriais, ligados inclusive à publicação de jornais e revistas, a uma prática publicitária agressiva e assim, também, a um estudo da imprensa como sistema. Pelo mesmo motivo, o autor faz grande uso e exalta o aspecto jornalístico das crônicas de Machado de Assis e dos textos de Aluísio Azevedo, Joaquim Nabuco e Eça de Queirós como as grandes lideranças que entenderam a simbiose que articulava naquele momento a literatura com a prática jornalística.

Gilberto Freyre dá um grande destaque a um personagem ainda pouco reconhecido no que se refere à sua conexão com o jornalismo: João do Rio, que nunca se identificou como escritor, como literato, mas sim como "o repórter da vida moderna". A seu respeito, Gilberto Freyre afirma que "para a época ele foi um revolucionário". Em *Ordem e Progresso* há somente duas pessoas consideradas revolucionárias, o próprio autor e João do Rio, o que é altamente significativo. E por que essa empatia com o jornalista? Porque ele, da mesma forma que Freyre, ao invés de se dedicar aos grandes temas da tradição literária ou à linguagem dos clássicos portugueses, atentava para os pequenos detalhes, para as dimensões mais obscuras, banais, contemporâneas e fugazes do cotidiano da cidade do Rio de Janeiro. A linguagem adotada era a das ruas, das pessoas comuns, dos vários grupos sociais, uma linguagem que incorporava a diversidade e a alteridade. João do Rio trabalhava sobretudo através do contato com pessoas comuns e, realizando entrevistas, o que ele fazia era colocar nos jornais e nas revistas para as quais escrevia essas mil vozes e mil faces de diferentes contingentes da cidade. Nesse sentido, João do Rio era a modernidade e, de certa forma, incorporando o personagem, Gilberto Freyre também se reveste dessa modernidade; assim, é na prática jornalística que ela encontra a sua sintaxe mais cristalizada.

Dentro dos limites existentes para a composição de *Ordem e Progresso*, Gilberto Freyre utiliza amplamente a força da imprensa, além das fontes estritamente oficiais, por exemplo, estudando a imprensa sindical e operária. Seria possível supor que, ao encontrar uma certa expressão cultural que não tivesse referência no jornalismo da época, Freyre lançava mão da entrevista oral. Assim, ele escapa da consideração da imprensa como documento consumado, para a rearticular como possibilidade comunicacional capaz de resgatar o contato com alguém cuja voz num determinado contexto fora omitida, para reinserir esta fala na circulação de um painel social do qual ela havia sido escamoteada ou excluída.

Naturalmente, ele não consegue compor todo o espectro da complexa sociedade do Rio de Janeiro na passagem do século. No saldo, prevalece a voz de pessoas provenientes da educação oficial, o que não quer dizer que ele não tenha em todos os sentidos procurado ao menos registrar as possibilidades, variantes e alternativas que podiam dar o elemento dissonante, o contraditório, o elemento que colocava em xeque a oficialidade. Nesse sentido, o trabalho repousa mais sobre a metodologia das entrevistas numa linha de história oral que propriamente sobre a compulsão da pesquisa, sobre o exame do material jornalístico produzido durante a passagem do século. Creio que Gilberto Freyre fez o que pôde nos limites que teve como pesquisador e que *Ordem e Progresso* contém a inspiração de um método para quem disponha de mais versatilidade e recursos para consultar uma variedade maior de fontes, além das que o próprio autor estudou e conseguiu sistematizar.

Esses aspectos podem ser resumidos no modo como Freyre definiu seu método de trabalho — de análise histórica, sociológica e antropológica. Chamado por ele de "método perspectivista" e inspirado nas teorias de Ortega y Gasset e na prática do jornalismo moderno, esse método visa a flexibilidade capaz de incorporar as diferenças e as perspectivas inesperadas que afinal compunham a sociedade complexa e em processo acelerado de transformação. Sobre isso, fazendo suas as palavras de Ortega y Gasset, ele afirma: "As visões distintas não se excluem, mas ao contrário se integram, pois nenhuma esgota a realidade. Isso porque a idéia de uma realidade que, vista de qualquer ponto, permanecesse sempre idêntica, seria um conceito absurdo, na medida em que cada vida comporta um ponto de vista diferente". E ele conclui de maneira enfática, ainda com base nas palavras do pensador espanhol: "A única perspectiva falsa é justamente aquela que pretende ser a única".

Penso, portanto, que se encontra nesse contexto de perspectivismo pluralista a contribuição mais notável de Gilberto Freyre, mesmo que ainda mal conhecida e pouco explorada. Intensamente guiado pelas práticas da imprensa na passagem do século e, é claro, por seu próprio tempo e sua experiência de vida, *Ordem e Progresso* indica de maneira nítida o papel que a imprensa teve na postulação da opinião pública, que é a base da construção de uma cultura democrática. É em torno desse Gilberto Freyre que nos reunimos neste Seminário para evocar e homenagear, e que eu me sinto muito grato por ter compartilhado.

Finalizando, friso ainda alguns elementos que foram levantados neste Seminário e que chamam a atenção para aspectos da obra de Gilberto Freyre que representam uma contribuição importante ao estudo da sociedade, elementos que costumam ser postos em segundo plano, pela própria natureza da cultura, do ensino e da pesquisa acadêmica tradicionais. Falou-se aqui de forma significativa sobre como Freyre se relacionava com o corpo, dança, culinária, sabores, música, imagens, cores, rituais; estes são elementos que vão além da ênfase que em geral a academia, sem sucesso, quer dar à cultura escrita e aos documentos, apontando para uma dimensão de comunicação não-lingüística e buscando nesta uma tradição performativa que é típica da cultura popular brasileira, a qual se cristaliza particularmente em festas e representações, trazendo sempre elementos rituais, lúdicos e sensuais, além de encantamento e magia. Numa conjuntura de rápidas mudanças tecnológicas, a maneira como as classes populares encaram os novos recursos técnicos e de comunicação consiste numa transição direta da tradição mágico-poética não-lingüística para a forma através da qual a comunicação de hoje em dia se faz, ou seja, por recursos visuais, acústicos e gestuais extremamente variados, muito além do referencial escrito. Nesse sentido, eu julgo que a contribuição da obra de Gilberto Freyre é absolutamente genial.

# A CULTURA MATERIAL NA OBRA DE GILBERTO FREYRE

*Peter Burke*

"Nunca consigo fazer com que você perceba a importância das mangas, as sugestões contidas nas unhas dos polegares, ou as grandes questões que podem estar suspensas num cadarço de bota".

(Sherlock Holmes para Watson em *A Case of Identity*)

"Os homens e os livros muitas vezes mentem. A arquitetura quase sempre diz a verdade através de seus sinais de dedos de pedra".

(Gilberto Freyre)

Uma das características mais marcantes e originais da obra de Gilberto Freyre como historiador era o seu "viés social", sua rejeição da tradicional pressuposição de dignidade da história — a preocupação com os grandes acontecimentos e com os grandes homens —, e o seu interesse pelo passado da sociedade como um todo.[1] Uma das características mais marcantes e originais da obra de Gilberto Freyre como historiador social era a sua preocupação com o que — seguindo o exemplo dos arqueólogos e dos antropólogos — viemos a denominar "cultura material", ou, mais precisamente, a história da alimentação, do vestuário e das casas e de suas mobílias.

Esse interesse, atualmente, é virtualmente aceito tanto por historiadores e sociólogos, quanto por antropólogos e arqueólogos.

---

[1] Gilberto Freyre, *Ingleses no Brasil* (Rio, 1948), 43; cf. Peter Burke (1998) "Elective Affinities: Gilberto Freyre and the nouvelle histoire", *The European Legacy* 3, Nº 4, 1-10, tradução para o português em *Tempo Social 9* (1997), 1-12.

Exemplos bem conhecidos disto incluem o estudo de Fernand Braudel sobre a *civilisation matérielle*, o estudo de Daniel Roche sobre o vestuário, *La culture des apparences*, e seu mais recente *Histoire des choses banales*. Entre os historiadores de língua inglesa, vêm à mente os debates sobre o consumo e o surgimento da sociedade de consumo.[2] Entre os estudos antropológicos, *The World of Goods*, de Mary Douglas e Baron Isherwood, ou ainda *Material Culture and Mass Comsumption*, de Daniel Miller.[3] Entre os estudos sociológicos, aqueles de Pierre Bourdieu e de outros autores sobre a França moderna, e os de Mihaly Csikszentmihaly ou Arjun Appadurai sobre os Estados Unidos.[4] Entre os estudos arqueológicos do mundo moderno, o de James Deetz, *In Small Things Forgotten*, sobre a América colonial, e também *Archaeology of the Consumer Society*, de Kenneth Hudson, e *Modern Material Culture*, de R. A. Gould e M. B. Schiffer, ambos referindo-se ao final do século XX.[5]

Antes dos anos 60, por outro lado, apenas um reduzido número de historiadores levava a cultura material a sério. Entretanto, Gilberto Freyre já estava interessado nesses temas nos anos 20 e 30. Seu interesse pela comida, em especial pelos famosos doces de Pernambuco, é bem conhecido. Vemos que esse interesse era, pelo menos em parte, um interesse histórico e etnográfico, observando seu ensaio de 1939, *Açúcar: em torno da etnografia, da história e da sociologia do doce no Nordeste canavieiro*. Seu interesse pela história do vestuário estendia-se dos trajes formais dos

2 Fernand Braudel, *Civilisation matérielle et capitalisme* (Paris 1963, 2ª Ed., 1979); Daniel Roche, *La culture des apparences: une histoire du vêtement, 17e e 18e siècle* (Paris, 1989); id. *Histoire des choses banales: naissance de la consommation dans les sociétés traditionnelles (XVIIe-XVIIIe siècle)* (Paris, 1997); Neil McKendrick *et al, The Birth of Consumer Society* (Londres, 1982); John Brewer e Roy Porter (eds.), *Consumption and the World of Goods* (Londres, 1993).
3 Mary Douglas e Baron Isherwood, *The World of Goods* (1978); Daniel Miller, *Material Culture and Mass Consumption* (1987).
4 Pierre Bourdieu, *Distinction* (1979: tradução inglesa, Londres, 1984); Béatrix Le Wita, *French Bourgeois Culture* (1988: tradução inglesa, Cambridge, 1994); Mihaly Csikszentmihaly, *The Meaning of Things* (1981); Arjun Appadurai (ed.), *The Social Life of Things* (Cambridge, 1986).
5 James Deetz, *In Small Things Forgotten: the Archaeology of Early American Life* (1979); R. A. Gould e M. B. Schifffer (eds.), *Modern American Culture: the Archaeology of Us* (1981); K. Hudson, *The Archaeology of Consume Society* (Londres, 1983).

garotos de classe alta do século XIX, que faziam com que eles se assemelhassem a pequenos adultos e, de certa forma, os despojava de seu aspecto infantil, até os vários tipos de turbantes usados pelas escravas. A percepção de Freyre para a importância das casas e dos móveis na história social era ainda mais aguda, e é com esse aspecto de sua obra que este trabalho lidará.

Como foi que o jovem Gilberto Freyre desenvolveu um grande interesse na história, na sociologia e na antropologia da cultura material é uma pergunta que deixo para que seus biógrafos intelectuais respondam. Concordaria com a sugestão de que sua sensibilidade em relação às construções e ao seu mobiliário deve, inicialmente, ter sido um estímulo estético e sentimental, anterior a sua carreira acadêmica.[6] O fato de ele ter continuado a reagir desta maneira é sugerido por uma passagem de sua "seminovela", na qual Paulo, voltando para o Brasil, vindo da França, no final do século XIX, observava as mudanças recentes na cultura material com repugnância, especialmente a introdução da cama de ferro e "a invasão do Brasil pelo móvel chamado austríaco, que começava a substituir jacarandás e vinháticos".[7]

Entretanto, Freyre também observou esses objetos como sendo indícios da morfologia de diferentes culturas, e ele provavelmente aprendeu isso durante o tempo em que estudou antropologia na Universidade de Colúmbia com Franz Boas, no início da década de 20. Seu interesse pela história da arquitetura vernácula data deste tempo. Numa visita a Versailles, ele ficou impressionado com o fato de um estudioso francês, Clément de Grandprey, ter perguntado-lhe sobre os *mucambos* de Pernambuco.[8] Quando voltou para Recife, Gilberto Freyre colaborou com Ulysses Freyre em um estudo da cultura material dos afro-brasileiros da cidade, recrutando o auxílio de um fotógrafo e de um artista para

---

6 Maria Lúcia G. Pallares-Burke, "Gilberto Freyre e a Inglaterra", *Tempo Social 9* (1997), pp. 13-38, especialmente 27f.

7 Gilberto Freyre, *Dona Sinhá e o filho padre* (3ª edição, 2000), p. 200.

8 Gilberto Freyre, *Manifesto* (4ª edição, 1967), p. 36; cf. o seu *Sociologia* (4ª edição, 1967), p. 77.

registrar "formas de tabuleiro, chinelas, cachimbos e facas de ponta, tipos de janelas mouriscas".[9]

# I

Como prefácio a meu debate sobre Gilberto Freyre, gostaria de falar sobre seu professor, Boas. Boas foi praticamente o fundador da antropologia americana, e entre seus alunos incluem-se não apenas Freyre, mas também Ruth Benedict, Melville Herskovits, Alfred Kroeber, Robert Lowie, Margaret Mead, Paul Radin e Edward Sapir. Atualmente, Boas é famoso por sua crítica da idéia de raça, mas sua contribuição para o estudo da cultura material também foi muito importante.[10] Ele trabalhou em museus antes de se tornar professor universitário. Antes de ir para os Estados Unidos, ele trabalhou no *Museum für Völkerkunde*, em Berlim, e foi durante a catalogação de peças para exposições que ele inicialmente se interessou pelos artefatos da costa noroeste da América do Norte, principalmente aqueles do povo que ele denominou de Kwakiutl, a respeito do qual ele veio a se tornar o principal especialista. Depois de sua chegada aos EUA, ele trabalhou ativamente no *Field Museum of Chicago* (1895), e no *American Museum of Natural History*, de Nova York (1896-9).

Foi durante seu trabalho nos museus que Boas formulou suas principais idéias. Ele causou sensação no cenário dos museus americanos, por exemplo, ao criticar a organização de exposições no *Smithsonian Institute* (organizadas por Otis T. Mason). As exposições do *Smithsonian* eram organizadas de acordo com uma pressuposição do que Boas chamava de "uma história sistemática uniforme da evolução da cultura". Ele, por sua vez, preferia o que

---

[9] Gilberto Freyre, *Problemas de Antropologia* (2ª edição, 1959), lxx.
[10] Ira Jacknis, "Franz Boas and Exhibits" in *Objects and Others*, ed. George W. Stocking (Madison, 1985), 75-111; Eric Kasten, "Franz Boas' Ethnographie und Museumsmethode", in *Franz Boas*, ed. Michael Dürr, Erich Kasten e Egon Renner (Wiesbaden, 1992), 79-102; Ira Jacknis, "The Etnographic Object and the Object of Ethnology in the Early Career of Franz Boas", in *Volksgeist as Method and Ethic*, ed. George W. Stocking (Madison, 1996), 185-214.

denominava como sendo "a disposição tribal das coleções", o que mais tarde veio a ser conhecido como "áreas de cultura". O Salão da Costa do Noroeste, que ele organizou no *Museum of Natural History*, ilustra sua abordagem e sua visão dos objetos como sendo testemunhas da natureza da cultura dentro da qual eles foram produzidos. Exposições, ele argumentou, podem demonstrar a proporção na qual cada uma das civilizações é o produto do seu meio geográfico e histórico.[11]

Um objeto, segundo Boas, não podia ser entendido "fora de seu meio"(ou, como freqüentemente dizemos atualmente, de seu contexto). "Um cachimbo de índios norte-americanos", ele argumentava, "não é somente um utensílio curioso com o qual o índio fumava, mas também tem uma grande quantidade de usos e significados, que só podem ser compreendidos quando analisados a partir do ponto de vista da vida social e religiosa de seu povo". Por isso, Boas gostava de exibir "grupos vivos" no museu — com estátuas de cera mostrando pessoas em ação, usando os objetos —, como um meio de "transportar o visitante para um meio estranho", para fazer com que ele apreciasse a cultura estrangeira como um todo.[12]

Entre 1886 e 1900, Boas visitou com freqüência a costa noroeste e trabalhou entre os Kwakiutl (como ele os chamava), coletando artefatos, fazendo desenhos e tirando fotos de objetos (cestas, jarros, aventais e assim por diante), e observando, também, o modo de vida local. Ele estava particularmente interessado no costume do *potlatch*, um festival que ilustrava "o método para adquirir uma posição social elevada por meio da distribuição de posses". Ele transcreveu o fraseado dos Kwakiutl, referente ao "brigar com as posses", e enfatizou a destruição de posses tais como cobertores, canoas e folhas de cobre pelos chefes rivais. Um dos chefes iniciava a destruição, "mostrando seu desprezo pela quantidade de posses destruídas" e, assim, compelia seu rival a fazer o mesmo, até que um deles não tivesse mais nada.[13]

---

[11] George W. Stocking (ed.), *The Shaping of American Anthropology, 1883-1911: A Franz Boas Reader* (Nova York 1974), pp. 61-7.

[12] Citado *in* Jacknis (1985), 79, 101; Jacknis (1996), p. 205.

[13] Franz Boas (1966), *Kwakiutl Etnography*, ed. Helen Codere (Chicago 1966), 77-104. Cf. Boas "Decorative Art" (1897), e "Primitive Art" (1921).

Boas preenchia seus livros e artigos com descrições detalhadas, mas — salvo raras exceções, tais como suas vigorosas descrições do *potlatch* — normalmente se contentava em deixar a análise mais ou menos implícita. Em comparação, tanto o filósofo alemão Oswald Spengler como o sociólogo americano Thorstein Veblen preferiam criar teorias genéricas, que eles ilustravam, aqui e ali, com exemplos concretos. Acredito que Freyre tenha aprendido um pouco com cada um deles.

O famoso livro de Spengler, *Decline of the West* (publicado em 1918), é uma meditação filosófica com exemplos históricos, incluindo o famoso estudo sobre a relação entre as casas e a cultura, ao qual Freyre reconheceu sua dívida no primeiro prefácio de *Casa-Grande*. Spengler declarava que "de todas as expressões da raça, a casa é a mais pura". A casa reflete "todas as características do costume original e da forma de ser", incluindo a organização familiar.[14] O livro *Decline of the West* chegou a uma conclusão similar a respeito do que o autor chamava de "as formas básicas ainda não estudadas (i.e., costumeiras) de potes, armas, e vestuário". Por exemplo, "a evolução dos móveis para sentar no Norte é, mesmo incluindo a cadeira de braço, uma parte da história-raça e não do que se pode chamar de história-estilo".[15] Em outras palavras, devia ser estudada por antropólogos, e não por historiadores da arte.

O quase tão famoso *Theory of the Leisure Class* (publicado em 1899), de Thorstein Veblen, estava mais preocupado com as diferenças verificadas no interior de uma sociedade específica, mas assemelhava-se com o trabalho de Boas pela grande atenção que prestava à cultura material. Veblen parece ter usado o trabalho de Boas sobre o *potlatch*, transformando a detalhada etnografia em uma generalização de que "o motivo que se esconde na raiz da posse é a emulação". Veblen dedicou um capítulo inteiro de seu *Theory of the Leisure Class* ao tema da "forma de se vestir como expressão da cultura pecuniária", argumentando que a cartola e a bengala para os homens, assim como o salto alto e o espartilho

---

14 Oswald Spengler, *The Decline of the West* (1918: tradução inglesa, 2 vols., 1926), vol. 2, pp. 120-1, 329-30.
15 Spengler, vol. 2, pp. 121-2.

no caso das mulheres, eram "insígnias do ócio", visto que estes eram obstáculos conspícuos para aquilo que ele denominava de "empenho útil", ou, em outras palavras, o trabalho físico.[16]

## II

Boas freqüentemente oferecia a seus leitores uma riqueza de detalhes, sem chegar a conclusões gerais. Spengler e Veblen, por outro lado, ofereciam uma grande quantidade de teoria e algumas breves exemplificações. A obra de Freyre era mais detalhada do que aquela de Spengler e de Veblen, todavia era mais analítica do que a de Boas. Provavelmente, ele aprendeu com todos os três. A dívida para com Boas e com Spengler foi por ele reconhecida. Quanto a Veblen, teria sido difícil estudar sociologia na Universidade de Colúmbia, no início dos anos 20, sem ler suas obras, visto que ele era um dos mais conhecidos sociólogos de sua época, e Freyre de fato menciona o nome de Veblen e sua teoria do consumo conspícuo em obras posteriores.[17]

O fato de que Freyre tenha aprendido com Boas uma maneira de estudar a cultura material é sugerido por um trecho de seu diário, datado de 1922, quando Gilberto estava em Berlim. Neste, ele se descreve "deliciado com os museus de antropologia e etnologia da Alemanha que venho visitando, orientado por meu mestre Boas". Foi nesta época que ele visitou lojas de brinquedos e começou a especular sobre aquilo que chamava de "a sociologia do brinquedo", como parte de uma história social da infância no Brasil, o "projeto secreto" a partir do qual *Casa-Grande* posteriormente se desenvolveu.[18] Gilberto também estava lendo Proust,

---

[16] Thorstein Veblen, *Theory of the Leisure Class* (Nova York, 1899), pp. 35, 121.

[17] Gilberto Freyre, *Sociologia* (4ª edição, 1967), vol. 2, pp. 364, 419; cf. *Ordem e Progresso* (Rio, 1959), p. 734.

[18] Gilberto Freyre, *Tempo morto e outros tempos: trechos de um diário de adolescência e primeira mocidade, 1915-1930* (Rio, 1975), pp. 54, 88; sobre o interesse de Freyre pela infância, ver Peter Burke, "Father of the Man: Gilberto Freyre and the History of Childhood" (a ser publicado).

um romancista extremamente sensível aos sinais em geral, e ao simbolismo social dos objetos do cotidiano em particular.[19]

O interesse de Freyre pela cultura material também era visível em alguns artigos que ele escreveu para o *Diário de Pernambuco* nos anos 20, quando ele estava morando na Europa. Um deles foi dedicado a Nuremberg, "A cidade onde se faz brinquedo", e a fábrica de brinquedos que ele visitou. Em outro artigo, o autor sugeria que um viajante, assim como ele, precisava aprender a ler os edifícios de uma cidade estrangeira como indícios de sua cultura. "Há casas cujas fachadas indicam todo um gênero de vida nos seus mais íntimos pormenores", ele sugeriu (usando, talvez pela primeira vez, uma das idéias centrais de seu trabalho posterior, a idéia de uma história íntima ou de uma história da intimidade). "Todo um tipo de civilização". Ou, mais uma vez generalizando imensamente, ele declarou que "o século XIX criou o 'grand hotel' como o século XI criou a catedral gótica" (ele voltaria à história social do hotel, muito brevemente, em *Ingleses no Brasil*).[20]

A mais famosa ilustração do argumento de que os edifícios eram indícios para as culturas foi, é claro, *Casa-Grande & Senzala*, no qual, levando adiante a sugestão de Spengler, a "casa-grande" foi analisada como sendo uma "representação" do sistema patriarcal do Nordeste e, também, uma adaptação ao ambiente local. Uma de suas exemplificações mais brilhantes do patriarcalismo foi aquela relativa à distribuição dos quartos. "A dormida das meninas e moças reservava-se, nas casas-grandes, à alcova, ou camarinha, bem no centro da casa, rodeada de quartos de pessoas mais velhas". Memoráveis, também, são os comentários de Freyre a respeito do que ele chama de sociologia da rede, "que figura na história social do Brasil como leito, meio de condução ou viagem e de transporte de doentes e cadáveres".[21] Ele comple-

---

[19] Gilles Deleuze, *Proust et les signes* (Paris, 1964).

[20] Gilberto Freyre, "Artigos de Jornal" (Recife, c. 1935), pp. 69-71; Gilberto Freyre, *Tempo de Aprendiz* (2 vols., São Paulo, 1979), pp. 233, 288, 315; Gilberto Freyre, *Ingleses no Brasil* (Rio, 1948), p. 175. Um contraste parecido entre a catedral e o banco pode ser encontrado em seu *Sociologia* (4.ª edição, 1967), p. 380. Sobre a catedral como uma expressão de uma cultura ou de uma visão de mundo, cf. Henry Adams, *Mont Saint-Michel*, (Nova York, 1904).

[21] Gilberto Freyre, *Casa-Grande & Senzala* (1933: 29.ª ed., Rio, 1992), pp. 399, 477.

mentou as provas documentais com visitas a museus tais como o Museu Etnológico ou o Museu Afro-Baiano. Na verdade, ele ajudou a fundar museus desse tipo em Recife e em outros lugares.[22]

*Sobrados e Mucambos* (1936) utilizou uma abordagem similar, como sugere o título, mas dedicou uma atenção consideravelmente maior à cultura material, ao vestuário feminino, às barbas masculinas, e, acima de tudo, às casas (sobrados, cortiços e chácaras), seu planejamento e seu mobiliário.[23] O estudo observa, por exemplo, "a fisionomia um tanto severa dos sobrados"(p. 199), mas se detém na distribuição interna, na organização da sala de visita, ou na dos quartos, vistos como uma expressão de "preconceitos morais", no interior dos quais as moças solteiras ficavam confinadas. Muito antes do surgimento do interesse a respeito da história dos odores, por parte de historiadores como Alain Corbin, Freyre observou o fato de que, no sobrado tradicional, "os quartos de dormir impregnavam-se de um cheiro composto de sexo, de urina, de pé, de sovaco, de barata, de mofo".[24]

Estudos mais breves exploraram aspectos distintos dos mesmos temas. *Mucambos do Nordeste* (1939), por exemplo, ou a sugestão de que fossem estudados os sobrados do Rio Grande do Sul, feita numa palestra realizada em 1940, na qual observa a importância da tradição regional no projeto dessas casas, mas demonstra que seu mobiliário se parece com o do Norte.[25] Sua biografia do aristocrata nordestino Félix Cavalcanti mencionava sua "imensa mobília de jacarandá maciço, guarda-louça e aparadores de ipê-amarelo, camas de conduru, santuário, armário, baús, mesa de jantar para vinte pessoas".[26] As palestras reunidas em *Seis Conferências* incluem uma discussão da história "que se encarna em velhos prédios", tratando dos "espelhos de sala", "as jardineiras com tampo de mármore" e as "mesas de jantar patriarcais".[27]

---

22 *Seis Conferências*, pp. 124-6; cf. Bastos 218.
23 Gilberto Freyre, *Sobrados e Mucambos* (1936: 3ª edição, Rio 1961), 152f, 181f, 190f; esboços de plantas de casa nas pp. 169, 175, 189, 206.
24 Freyre, *Sobrados*, pp. 199, 205, 217, 224-225.
25 Gilberto Freyre, "Sugestões para o estudo histórico social do sobrado no Rio Grande do Sul", in *Problemas de Antropologia*, 2ª edição, 1959, pp. 84-98.
26 Gilberto Freyre, *Perfil*, p. 91.
27 Gilberto Freyre, *Seis Conferências*, pp. 125-6.

A cultura material tem especial importância em *Um engenheiro francês no Brasil* (1940), que inclui não só a tradução do diário de Vauthier, mas também das cartas que ele escreveu na década de 1840, *"Des Maisons d'habitation au Brésil"*. Os comentários de Vauthier a respeito da arquitetura doméstica demonstram que ele foi um visitante que tinha um olhar sociológico quase tão afiado quanto o do próprio Freyre. Ele argumentou que "na arquitetura doméstica, os costumes são o espírito que engendra, a alma que dá forma à matéria", de tal modo que quem visita Pernambuco "lerá nos traços dessa arquitetura que existem ali senhores e escravos". Mais precisamente, "o sobrado significa a aristocracia e a casa térrea a plebe. Habitar um sobrado é o objeto único de certas ambições". Foi essa abordagem que Arbousse-Bastide enfatizou em sua introdução ao livro, observando que, para Freyre, *"les objets matériels...n'ont de sens, ne d'intérêt, que dans la mesure où ils traduisent des réalités immatérielles, des mentalités"*.[28]

*Ingleses no Brasil* faz algumas referências atormentadoramente breves à moda do *"cottage"* e do *"bungalow"*, mas o livro também discute a modernização da chácara mais detalhadamente. O autor está particularmente preocupado com o processo descrito por ele como "o deslocamento...das residências mais nobres de habitantes de cidades, de sobrados situados no centro, para subúrbios que passaram a ser elegantes, tornando-se deselegante para o burguês fino e rico residir no centro comercial".[29] *Ordem e Progresso* (1959) inovou ao apresentar um estudo sobre a moda do chalé no Rio e no Recife, no final do século XIX: "importado da Suíça, e indevidamente situado em ruas até de comércio".[30] Em seu *A Casa Brasileira* (1971), Freyre ainda estava respondendo aos críticos de suas idéias, lendo novos estudos da arquitetura vernácula e argumentando que a casa era "uma das mais significativas expressões da cultura brasileira, uma "expressão coletiva anônima".

Os objetos presentes no interior das casas brasileiras também foram estudados por Freyre, assim como outras fontes da história

---

[28] Gilberto Freyre, *Um engenheiro francês no Brasil* (1940; 2ª ed., 2 vols., Rio 1960), vol. 2, pp. 802-94; as citações das pp. 807, 853; de Arbousse-Bastide, xiv.

[29] Freyre, *Ingleses no Brasil*, p. 184.

[30] Gilberto Freyre, *Ordem e Progresso* (1959), p. 213.

social da época. Em sua seção sobre a infância, por exemplo, *Casa-Grande* abordava os brinquedos, especialmente bonecas, pipas, piões e bolas. *Sobrados e Mucambos* encontrou espaço para breves comentários sobre louças de barro, mosquiteiros e o estilo dos móveis, do princípio do século XIX, "orientalmente pintados de vermelho e branco: ornamentados com pinturas de ramos de flores.[31] Em *Nordeste* (1937), Freyre refletiu sobre a história cultural da rede patriarcal e da cadeira de balanço, tratando-as como símbolos, ou, mais precisamente, como materializações da preguiça voluptuosa que os brasileiros, em geral, ele sugeria, herdaram dos plantadores de Pernambuco. *Ordem e Progresso* tinha algo a dizer sobre o aparecimento da panela de ferro, sobre o *pince-nez*, sobre a bengala e o guarda-chuva, e até sobre a moda, entre as meninas pequenas, das "bonecas louras e de olhos azuis".[32]

Entretanto, é o injustamente negligenciado *Ingleses no Brasil* (1948), aparentemente nunca traduzido, que inclui o estudo mais acabado de Freyre sobre os interiores e seu mobiliário, especialmente, embora não exclusivamente, no segundo ensaio, baseado nas evidências sobre mudanças de estilo na vida doméstica brasileira que podiam ser compiladas a partir dos "Anúncios de Jornal". Freyre estudou a utilização cada vez maior de pianos, móveis, talheres e louças inglesas (incluindo aparelhos de chá). Ele observou o interesse, no Brasil do início do século XVII, pelo estilo de decoração de interiores desenvolvido na Inglaterra por Robert Adam (1728-92) e por seu irmão James, enfatizando que o estilo brasileiro era o de "um Adams já aportuguesado".

De maneira similar, como ele argumentou, as evidências relativas às posses de famílias brasileiras, retiradas dos anúncios do *Jornal do Comércio* e de outros jornais, que relacionavam os futuros leilões de objetos, sugerem que as louças e talheres importadas da Inglaterra haviam sido "domesticados", ou adaptados a seu novo ambiente no Novo Mundo. Em outras palavras, a conhecida preocupação de Freyre com os processos de hibridização ou mestiçagem, e seu interesse naquilo que ele denominava ecologia, se estendiam ao campo da cultura material.

---

[31] Freyre, *Sobrados*, p. 221.
[32] Freyre, *Ordem*, pp. 90, 196, 680, 683.

Atualmente, quando a história social e cultural dos artefatos de todos os tamanhos, de catedrais a garfos, não parece ser mais excêntrica ou surpreendente, e muitos museus são organizados de forma a enfatizar essa questão, é muito fácil esquecer a realização de Freyre, ao colocar a comida, as roupas, os móveis e as casas no mapa da história. Essa é uma realização que ele compartilha com outros estudiosos. Vale a pena mencionar alguns de seus nomes aqui.

O historiador dinamarquês Frederik Troels-Lund, por exemplo, publicou um importante estudo sobre a vida cotidiana na Escandinávia do século XVI, escrito a partir de 1879. *Daily Life in the North*, título com o qual o autor batizou seu livro, tinha algumas observações interessantes a fazer sobre a casa, assim como sobre a comida e as roupas. Mas Freyre não podia conhecer esse livro, que teve apenas um de seus vários volumes traduzido, e só para o alemão. Em seu *Civilising Process*, o sociólogo alemão Norbert Elias estudou alguns objetos materiais, notadamente o garfo e o lenço, considerados como portadores de valores civilizatórios por auxiliarem o autocontrole. O livro foi publicado em 1939, mas permaneceu sem grande influência até os anos 60. Freyre, aparentemente, não o conhecia.[33]

Por outro lado, Freyre estava inteiramente a par das contribuições para a história da cultura material feitas por dois dos mais famosos críticos de arquitetura do século XX, Lewis Mumford e Sigfried Giedion. Lewis Mumford (1895-1990) foi um estudioso americano que se definiu mais como um "generalista" do que como um especialista, um crítico do modernismo em geral (e de Le Corbusier em particular), e foi o autor de *Sticks and Stones* (1924), uma história social da arquitetura americana, e de *Technics and Civilisation* (1934), uma história social da tecnologia. No primeiro desses estudos, Mumford sugeriu que "as construções características de cada período são memoriais às suas mais estimadas instituições", um argumento que Freyre também estava defendendo nos anos 20, em seus artigos para o *Diário de Pernambuco*.[34]

---

[33] Frederik Troels-Lund, *Dagligt Liv in Norden* (14 vols., Copenhague, 1879-1901); Norbert Elias, *The Civilising Process* (1939: tradução inglesa, Oxford, 1981-2).
[34] Lewis Mumford, *Sticks and Stones* (1924: ed. revisada, Nova York, 1955), p. 193.

Quanto a Siegfried Giedion (1888-1968), tratava-se de um suíço, também generalista, e defensor do modernismo (e de seu amigo Le Corbusier) na mesma medida em que Mumford era um opositor de ambos. Talvez sua fama maior advenha de uma outra história social da tecnologia, *Mechanisation takes Command* (1948), na qual ele afirmava que "para o historiador, não há coisas banais", visto que "as ferramentas e os objetos são produtos de atitudes fundamentais em relação ao mundo". Dentre os objetos estudados por ele, nesse sentido, estavam as redes. Ignorando o fosso que separava as duas abordagens, Freyre citou tanto os trabalhos de Mumford quanto os de Giedion imparcialmente. Eles eram espíritos fraternos, que reforçaram as idéias de Freyre em vez de empurrá-lo numa nova direção, e que revelam o interesse da geração que nasceu em torno de 1900 pela história do cotidiano.[35]

Voltando a atenção para os estudiosos mais antigos, Freyre era familiarizado com o trabalho dos irmãos Goncourt, autores de *Histoire de la Societé Française pendant la Révolution* (1854), que foi seguido, um ano mais tarde, por um volume associado sobre o período do Diretório. Freyre referia-se a ambos, em conjunto com outro contemporâneo deles, Marcel Proust, como sendo a inspiração para seu projeto sobre a história da infância no Brasil.[36]

Os irmãos Goncourt eram literatos independentes, mas também eram defensores do que chamavam de *histoire sociale*, num tempo em que esta não tinha grande valor, ou não era levada a sério, tanto na França quanto em outros lugares. Foram eles que cunharam a frase *histoire intime*, que Freyre adotou como se fosse sua. Para exemplificar essa abordagem do passado, o estudo que eles fizeram sobre a Revolução Francesa começava com uma descrição dos *salons* de mulheres aristocráticas e das idéias discutidas neles, e encontrava também espaço para falar da história dos jogos de azar e dos duelos, do pão e dos cafés. Como Freyre, eles expunham sua sabedoria de forma leve, e escreviam para um público amplo, todavia o trabalho deles não era meramente descritivo

---

[35] Sigfried Giedion, *Mechanisation takes Command* (Nova York, 1948), pp. 3, 472-8. Giedion é citado em *Casa-Grande*, de Freyre, pp. 175, 506, e em *Engenheiro*, p. 768; Mumford em *Ingleses no Brasil*, pp. 202, 284.
[36] Gilberto Freyre, *Tempo Morto*, p. 136.

nem passadista. Os irmãos Goncourt conseguiam inserir seus tópicos, das mais diversas formas, na história política da Revolução.[37]

Para citar um exemplo próximo ao tema central desse estudo, basta observar o trecho de sua obra sobre o mobiliário. Eles descreveram a introdução do estilo antigo do mobiliário grego e romano como sendo uma "revolução" dentro da Revolução Francesa, uma reação contra as formas arredondadas (*rondissements*) do estilo rococó, associado ao Velho Regime. O novo estilo, com suas linhas retas (*"lignes raides, droites, mal hospitalières, inexorables"*) estava ligado ao "gosto revolucionário". A mobília tinha um lugar na história das idéias. No livro *Ingleses no Brasil*, Freyre também enfocou o que ele chamou de uma "revolução" no *design* dos móveis, expressão de uma revolução nos costumes: a moda dos móveis ingleses nos estilos Chippendale ou Adams no Brasil do início do século XIX, suas linhas retas tornando-se mais arredondadas no ambiente tropical, "o estilo inglês de móvel arredondando-se no clima brasileiro", em lugar "dessas linhas anglicanamente secas".[38]

Não seria possível uma história da vida cotidiana sem as evidências da cultura material, assim como a história da cultura material seria ininteligível se esta não fosse colocada no contexto da vida social cotidiana. Uma tarefa importante para os historiadores e sociólogos brasileiros é, seguramente, a de tentar levar adiante alguns dos *insights* de Freyre, preocupando-se menos com a descrição de objetos nos textos (como os diários de visitantes estrangeiros ou os anúncios de jornais), e mais com os próprios objetos e suas representações em pinturas, desenhos, gravuras e fotografias. Giedion, por exemplo, ilustrou seu livro sobre a mecanização com mais de 500 imagens, e estudos recentes de interiores domésticos se valem tanto do testemunho das imagens quanto dos documentos ou dos inventários.[39]

Por sua vez, a abordagem de Freyre com relação à cultura material tem gerado alguma influência fora do Brasil, tornando-

---

[37] Edouard e Jules de Goncourt, *Histoire de la Société Française pendant la Révolution* (Paris, 1854); id., *Histoire de la Sociéte Française pendant le Directoire* (Paris, 1855).

[38] Goncourt, *Révolution*, pp. 92-6; Gilberto Freyre, *Ingleses no Brasil*, p. 223.

[39] Peter Thornton, *Seventeenth-Century Interior Decoration in England, France and Holland* (New Haven, 1978).

se ela própria um exemplo de transculturação. Deve ser admitido, é claro, que desde os anos 70 e 80, quando historiadores, sociólogos e antropólogos redescobriram "a vida social das coisas", a influência de Freyre tem se tornado mais difícil de ser percebida. Pierre Bordieu, na "leitura" que fez dos estilos de vida de diferentes grupos sociais, a partir das escolhas em termos de alimentação, vestuário e móveis, apontou, por exemplo, para a inversão de valores que existe quanto aos padrões de consumo da classe trabalhadora e da classe média francesas com relação à comida e às roupas. Ou a etnografia que Béatrix Le Wita fez da burguesia francesa, observando suas próprias roupas, que "não mudam com a moda", e incluem *tailleur* de *tweed* ou de flanela, saia reta ou de prega, *kilt*, blusa, cardigã, suéter de caxemira ou de lã de Shetland, casaco ou jaqueta, mocassins ou sapatos baixos, cachecol e uma pequena bolsa de ombro".[40] Ou a história urbana e a preocupação da "cidade como um artefato". Ou John Brewer e Roy Porter discorrendo sobre a história do "consumo e o mundo dos produtos", ou Daniel Roche sobre as *"choses banales"*.

Deixe-me citar, por exemplo, alguns comentários que foram feitos, provavelmente ignorando a obra de Freyre, mas lidando com o valor simbólico da cultura européia na periferia colonial. Como *Ingleses no Brasil*, de 1948, uma história da Austrália publicada em 1970 discutia a importação de pianos no século XIX como um "símbolo de valores elevados" e como "o inevitável acompanhamento das esperanças e dos desesperos coloniais".[41] Vide o recente filme *O Piano*, ambientado na Nova Zelândia do século XIX, no qual um piano funciona como um símbolo da civilização que a heroína deixou para trás.

Voltando aos anos 60, entretanto, descobrimos que a obra de Freyre serviu como um modelo de forma mais freqüente do que tem sido geralmente reconhecido. Fernand Braudel, que descobriu a obra de Freyre durante sua estada em São Paulo no final dos anos 30, voltou-se para o estudo daquilo que ele descreveu

---

[40] Pierre Bordieu, *Distinction* (1979: tradução inglesa), pp. 77, 200; Arjun Appadurai, ed., *The Social Life of Things* (Cambridge, 1986); Le Witta (1988), pp. 66, 76, etc.
[41] Humphrey McQueen, *A New Britannia* (Harmondsworth, 1970), pp. 117-9.

como sendo a *civilisation matérielle* num volume publicado pela primeira vez em 1963, no qual dedicou um capítulo às casas, camas e cadeiras (de qualquer modo, a única referência no livro de Braudel às obras de Freyre é desfavorável).

O historiador britânico Asa Briggs também fez uma palestra na Inglaterra, por volta de 1963, na qual analisava a história social do cortador de grama, relacionando-a com o declínio de empregados tais como os jardineiros e com o surgimento dos subúrbios com jardins maiores. Vide o seu *Social History of England*, com suas referências à bicicleta, aos *sucrilhos*, às habitações (das favelas aos edifícios públicos), à minissaia, às calças *jeans* e assim por diante.[42] E também *Victorian Things* (1987), no qual trata dos mesmos artefatos que os industriais britânicos exportavam para o Brasil. Não foi por acaso que Briggs tenha sido um dos únicos historiadores britânicos a escrever um ensaio sobre Freyre (classificando-o como um historiador social), assim como a estender-lhe um convite para fazer uma palestra na Universidade de Sussex, e a oferecer-lhe um grau honorário. Estive presente na palestra, em 1965, e tenho o prazer de reconhecer que o encontro com a obra de Freyre influenciou meu próprio desenvolvimento como historiador social e cultural.

Para finalizar, podemos afirmar que Gilberto Freyre encontrou-se na encruzilhada entre duas tradições, tanto da sociologia como da história. De todos os teóricos e historiadores do intercâmbio cultural, ele foi o mais preocupado com a cultura material, uma preocupação que deu à sua obra uma concretude muitas vezes ausente em outras obras. Dos historiadores e sociólogos da cultura material, Freyre foi o mais preocupado com a "interpenetração das culturas", uma preocupação que o impediu de cair no passadismo e permitiu que ele unisse o particular ao geral. A "arqueologia" de Gilberto Freyre, como poderíamos chamá-la, configura uma importante parcela de sua interpretação da sociedade e da cultura brasileira.

---

[42] Asa Briggs, *A Social History of England* (Londres, 1984), pp. 239, 311, 313-4, 319; cf. Id, *Victorian Things* (Londres, 1987).

# A CASA E A MEMÓRIA: GILBERTO FREYRE E A NOÇÃO DE PATRIMÔNIO HISTÓRICO NACIONAL

*Pedro Puntoni*

"Mas o livro de Gilberto Freyre não é simples. Ao mesmo tempo uma história e uma sociologia. Um memorial e uma introspecção [...], um ensaio de um escritor nato, e que obriga o menos sensível dos leitores a perceber seu talento de autor: este dom espantoso de visão e ressurreição, feito de lucidez e de sensualidade. Em suma, o mais belo dos animais para um caçador de idéias, hostil às vãs deduções assim como às sonoridades vazias". Lucien Febvre, 1953.[1]

No prefácio à edição francesa de *Casa-Grande & Senzala*, datado de 1953, Lucien Febvre definia o método de Gilberto Freyre como um enorme panorama do passado, na forma de um ensaio, que era ao mesmo tempo história e sociologia, mas sobretudo um "memorial e uma introspecção". Freyre, com efeito, procurou utilizar-se da técnica do romance, seguindo os ensinamentos de Arnold J. Toynbee, para produzir o efeito exato que desejava na sua reflexão. Em 1949, na "Introdução à segunda edição" de *Sobrados e Mucambos*, o escritor pernambucano remetia o leitor para a idéia que os irmãos Goncourt[2] já faziam da "história íntima", a

---

[1] Lucien Febvre, "Prefácio", in: Gilberto Freyre, *Maîtres et esclaves: la formation de la société brésilienne* (edição francesa de *Casa-Grande & Senzala*). Paris: Gallimard, 1997 (1953), p. 11. Minha tradução.

[2] Edmond Huot de Goncourt (1822-1896) e Jules Huot de Goncourt (1830-1870). Sobre a "influência" da "história íntima" dos Goncourt, veja o artigo de Peter Burke, "Gilberto Freyre e a nova história", *Tempo Social, Revista de Sociologia da USP*. São Paulo,

que se haviam dedicado na França do século XIX "com escrúpulos de miniaturistas". Tratava-se de um projeto de conhecimento que procurava associar "a sensibilidade aos conjuntos significativos". Como nos explicava Freyre, o método que utilizava, inspirado nos irmãos franceses, era o do romance, mas o de um "romance verdadeiro": "*l'histoire intime... ce roman vrai*". Espécie de narrativa descoberta pelo observador, que era "ao mesmo tempo intérprete e participante da história ou da atualidade estudada; e não inventado por ele". Neste sentido, "o método científico objetivo seguido pelo observador" deveria sempre servir "de constante *testing* às aventuras de indução e intuição, de revelação e interpretação, do participante ou do intérprete". Sua proposta procurou unir na mesma atividade do narrador, o observador, o participante e o intérprete, tendo em vista a produção de um conhecimento que superasse o simples esforço autobiográfico. Em outras palavras, este "romance verdadeiro" deve ser entendido mais como uma "extensão, ampliação ou alongamento, por processo vicário e empático, de autobiografia". Ou ainda, "extensão ou ampliação da memória ou da experiência individual na memória ou na experiência de uma família, de um grupo, de uma sociedade de que o participante se tornou também observador e, por fim, intérprete".[3]

Com seu método, Gilberto Freyre busca desenvolver uma "história de um novo tipo", que fosse feita por antropólogos, sociólogos e psicólogos. Ao contrário dos historiadores convencionais — que, de seu ponto de vista, pretenderiam "apresentar sobre este ou aquele período da vida da um povo, verdades únicas e lógicas, requintando-se, com toda razão, em datas certas e

v. 9, n. 2, pp. 1-12, out. 1997. Para este historiador, a proximidade entre o trabalho de Freyre e o da Nova História (francesa) explica-se nos "termos de uma ancestralidade intelectual comum". Mais ainda, "na história global da história social, Freyre merece ser lembrado como um vínculo importante na cadeia viva que une a *new history* com a *nouvelle histoire*. O caminho de Nova York a Paris passou por Recife".

[3] Gilberto Freyre, "Introdução à segunda edição", *Sobrados e Mucambos: decadência do patriarcado rural e desenvolvimento do urbano*. Rio de Janeiro, Editora Nova Aguilar, 2000 (1936), pp. 759-762. Apesar de a segunda edição ser de 1951, a introdução está datada de Apipucos, 1949.

em exatidões como que quimicamente puras sobre os fatos ou os acontecimentos que registram" — Freyre duvida das verdades únicas e lógicas. Seu projeto é o de "reunir, em lugar delas, e um tanto à maneira pirandeliana, verdades diferentes entre si e até contraditórias: diferentes reações, aos mesmos estímulos, de diferentes indivíduos representativos que participaram da vida ou, mais do que isso, da intimidade, de um tempo social". A referência ao escritor e dramaturgo siciliano[4] — cuja obra nega a existência de qualquer realidade objetiva que não tenha sido condicionada por uma perspectiva — é essencial. Para Freyre, é "dessas verdades impuras, diferentes entre si e contraditórias" que seria possível "extrair-se uma verdade composta ou compósita".[5] Isto porque, para ele, a objetividade absoluta, no trato dos fatos sociais, é impossível: "a pesquisa cientificamente social pode às vezes colher *verdades particulares* que outras pesquisas sobre o mesmo assunto não confirmem de todo, mutáveis ou flutuantes como são as situações humanas com que lidam".[6] Como reconheceria anos passados, Freyre tinha este seu livro como "simbólico, na sua raiz, autobiográfico, e, como tal, por vezes até extra-científico". *Casa-Grande & Senzala* "se fez através de um tipo de pesquisa como que existencialista talvez único na elaboração de um livro de sua espécie".[7]

Seu primeiro trabalho, apresentado à Faculdade de Ciência Política da Universidade de Colúmbia (Nova York) em 1923, já estava grávido deste projeto que associava a memorialística à reconstrução histórica. Freyre nota, logo na introdução, que a preparação deste trabalho já havia começado "inconscientemente"

---

[4] Luigi Pirandello (1867-1936).
[5] Gilberto Freyre, "Prefácio à segunda edição", *Ordem e Progresso: processo de desintegração das sociedades patriarcal e semipatriarcal no Brasil sob o regime do trabalho livre*. Rio de Janeiro, Editora Nova Aguilar, 2000 (1959), vol. III, pp. 14-15. O prefácio é datado de Apipucos, 1962.
[6] Gilberto Freyre, "Sugestões em torno da ciência social e da arte da pesquisa social", *Boletim do Instituto Joaquim Nabuco de Pesquisas Sociais*. Recife, 16/17;7-22, 1969.
[7] Gilberto Freyre, *Oh de casa! Em torno da casa brasileira e de sua projeção sobre um tipo nacional de homem*. Recife, Instituto Joaquim Nabuco, 1979, pp. 133-134..

anos atrás, quando ainda era criança e costumava perguntar a sua avó sobre os tempos de antanho.[8] Este ensaio foi apresentado como "uma tentativa para tornar claro para mim mesmo como era o Brasil de meados do século XIX", ou, fazendo uma referência ao escritor inglês Walter Pater,[9] compreender "como as pessoas viviam, o que elas eram, e o que elas pareciam ser". Maria Lúcia Pallares-Burke, em artigo recente, acredita ser plausível supor que a influência de Pater sobre Gilberto Freyre seja determinante para pensarmos "dois aspectos essenciais de sua obra: o gênero ensaio, no qual expressa suas idéias, e a importância da casa na interpretação da cultura brasileira". Com efeito, a autora imagina uma possível relação entre a história de Florian Deleal — personagem do livro *The child in the house* (1910) de Pater — onde é narrado o seu reencontro "com seu passado e sua busca pelos 'pequenos acidentes' que determinaram o homem que ele se tornou". Nesta busca, a sua "velha casa" desempenha um papel fundamental.[10]

Na economia da proposta interpretativa de Gilberto Freyre, a casa tem um papel central. O sistema patriarcal criado pela colonização portuguesa no Brasil está perfeitamente representado no

---

[8] "In a way, the preparation for it was unconsciously begun years ago when, as a child, I used to ask questions of my grandmother about the "good old days". She was then the only one in our family to admit that the old days had been good; the others seemed to be all "futurists" and "post-impressionists" of some kind or other. But in studying, more recently, my grandmother'days, I have approached them neither to praise nor to blame — only to taste the joy of understanding the old social order". Gilberto Freyre. "Social Life In Brazil In The Middle Of The Nineteenth Century". Submitted in partial fulfillment of the requirements for the degree of Master of Arts in the Faculty of Political Science Columbia University. Nova York, 1923.

[9] "how people lived, what they wore and what they looked like", Walter Pater (1839-1894), autor, entre outros, de *Studies in the History of Renaissance*, 1873, *Marius, the Epicurean*, 1885, e *Imaginary Portraits*, 1887. Minha tradução.

[10] "É impossível, no meu entender, não reconhecer no Gilberto Freyre que conhecemos repercussões da estória de Florian e das reflexões sobre a experiência humana que ela contém. Sua decisão de voltar ao Brasil e aí tentar sua sorte literária, bem como a escolha da *casa* como tema norteador de sua interpretação da cultura brasileira foram, muito provavelmente, influenciadas pela leitura do conto de W. Pater". Maria Lúcia Pallares-Burke, "Gilberto Freyre e a Inglaterra: uma história de amor". *Tempo Social. Revista de Sociologia da USP*. São Paulo, v. 9, n. 2, pp. 13-38, out. 1997.

complexo (antes simbiótico que antinômico) casa-grande e sen-zala. Ao mesmo tempo em que exprimia "a imposição imperialis-ta da raça adiantada à atrasada", representava uma "contempori-zação com as novas condições de vida e de ambiente", isto é, uma formalização ao mesmo tempo que uma adaptação. Tal represen-tação pode ser significada na própria materialidade da casa-gran-de, na forma que assume a sua arquitetura (desenho) ou na sua constituição (substância). Em suas palavras:

> "A casa-grande de engenho que o colonizador começou, ainda no século XVI, a levantar no Brasil — grossas paredes de taipa ou de pedra e cal, cobertura de palha ou de telha-vã, alpendre na frente e dos lados, telhados caídos num máximo de proteção contra o sol forte e as chuvas tropicais — não foi nenhuma reprodução das casas portuguesas, mas uma expressão nova, correspondendo ao nosso ambiente físico e a uma fase surpreendente, inesperada, do imperialismo português: sua ativi-dade agrária e sedentária nos trópicos; seu patriarcalismo rural e escra-vocrata".[11]

Para Freyre, quando o português transformou-se em luso-brasileiro, criou, ao mesmo tempo, um "novo tipo de habitação". Este tipo peculiar de casa é, na verdade, a expressão deste modo de vida (o sistema patriarcal) que se cristaliza em uma "nova ra-ça". Apesar de Freyre ter procurado construir uma interpretação da natureza da formação do Brasil que estivesse baseada no "cri-tério de diferenciação fundamental entre raça e cultura",[12] ele não pode prescindir de uma determinada noção de "raça". Como mostrou Ricardo Benzaquen de Araújo, tal utilização dos concei-tos de raça e cultura supõe, em toda sua obra, o emprego da cate-goria de meio físico, capaz de intermediar e compatibilizar estes mesmos conceitos. Segundo Araújo, Gilberto Freyre "trabalha com uma definição fundamentalmente neolamarckiana de raça, isto é, uma definição que se baseando na ilimitada aptidão dos

---

[11] Gilberto Freyre, "Prefácio à primeira edição", Casa-Grande & Senzala: introdução à his-tória da sociedade patriarcal no Brasil. Rio de Janeiro, Editora Nova Aguilar, 2000 (1933), vol. II, p. 212.
[12] Gilberto Freyre, Casa-Grande & Senzala. Rio de Janeiro, 2000 (1933), vol. II, p. 209.

seres humanos para se adapatar às mais diferentes condições ambientais, enfatiza acima de tudo a sua capacidade de incorporar, transmitir e herdar as características adquiridas".[13] Neste sentido é que podemos entender a afirmação de Gilberto Freyre de que, tendo o brasileiro se distanciado do reinol "por um século apenas de vida patriarcal e de atividade agrária nos trópicos, já é quase outra raça, exprimindo-se noutro tipo de casa".[14] Esta formulação, como se pode logo perceber, foi influenciada pela leitura que fez de Oswald Spengler e Gustav Schmoller. Para Freyre, Spengler considerava que o tipo de habitação tinha "valor histórico-social superior ao da raça". Neste sentido, "à energia do sangue que imprime traços idênticos através da sucessão dos séculos deve-se acrescentar a força 'cósmica, misteriosa, que enlaça num mesmo ritmo os que convivem estreitamente unidos'. Esta força, na formação brasileira, agiu do alto das casas-grandes, que foram centros de coesão patriarcal e religiosa: os pontos de apoio para a organização nacional".[15] Schmoller acreditava que a "arquitetura criara nos homens, costumes, métodos de trabalho, hábitos de conforto". Do que estipula o historiador que "a casa é, na verdade, o centro mais importante de adaptação do homem ao meio":

> "O brasileiro pela sua profunda formação patriarcal e pela semipatriarcal, que ainda continua a atuar sobre ele em várias regiões menos asfaltadas, é um tipo social em que a influência da casa se acusa ecológica e economicamente em traços da maior significação. Gosta da rua, mas a sombra da casa o acompanha. Gosta de mudar de casa, mas ao pobre nada preocupa mais que comprar seu mucambo; e o rico, logo que faz fortuna, levanta palacete bem à vista da rua. O fenômeno de preferência pelo hotel, pela pensão, pela casa de apartamento — que aliás ainda é casa — limita-se, por ora, ao Rio de Janeiro e a São Paulo. No resto do Brasil ainda se prefere / *a minha casa, a minha casinha, / não há casa como a minha*".[16]

---

[13] Ricardo Benzaquen de Araújo, *Guerra e Paz: Casa-Grande & Senzala e a obra de Gilberto Freyre nos anos 30*. São Paulo, Editora 34 Letras, 1994, p. 39.
[14] Gilberto Freyre, *Casa-Grande & Senzala*. Rio de Janeiro, 2000 (1933), vol. II, p. 212.
[15] Idem.
[16] Gilberto Freyre, *Sobrados e Mucambos*. Rio de Janeiro, 2000 (1936), vol. II, p. 746.

Mas, se "a história social da casa-grande é a história íntima de quase todo brasileiro", ela supõe ao mesmo tempo uma investigação memorialística que é, por definição, individual. Em outros termos, "o estudo da história íntima de um povo tem alguma cousa de introspecção proustiana; os Goncourt já o chamavam *ce roman vrai*".[17] Como o leitor pode notar, Freyre confunde nesta passagem dois caminhos distintos: a busca das reminiscências pessoais e a formulação de uma narrativa que supõe uma memória coletiva. Percebe-se, então, um claro movimento de projeção da experiência pessoal que é, ao mesmo tempo, de uma determinada situação social: de "sua vida de menino", mas de menino da casa-grande, isto é, "de *quase* todo brasileiro". Segundo Freyre, "nas casas-grandes foi até hoje onde melhor se exprimiu o caráter brasileiro; a nossa continuidade social".[18] Trata-se de estender a experiência pessoal (e coletiva) de nossa elite para o que ele chama de "um caráter brasileiro", ou o próprio "ser brasileiro". Com efeito, em outro livro que gira "em torno da casa brasileira e de sua projeção sobre um tipo nacional de homem", reunião de ensaios dispersos, Freyre iniciava pela afirmação categórica (ainda que imprecisa): "o complexo 'casa' está à base do supercomplexo biossocial que constitui o ser brasileiro".[19] Partindo de uma instropecção individual, a operação freyriana busca a formulação de uma memória coletiva — tendo por base a memória individual (agora expandida) — que se constituirá como uma possível memória nacional, ou, melhor dizendo, uma ideologia da identidade nacional.[20] Não é de outra maneira que se pode entender essa passagem tão esclarecedora do seu ensaio de 1933:

---

[17] Gilberto Freyre, *Casa-Grande & Senzala*. Rio de Janeiro, 2000 (1933), vol. II, pp. 219-220.

[18] Idem.

[19] Gilberto Freyre, *Oh de casa!*. Recife, 1979, p. 13.

[20] Sobre as distinções entre essas categorias, memória individual, coletiva e nacional, veja o excelente artigo de Ulpiano T. Bezerra de Meneses, "A história, cativa da memória? Para um mapeamento da memória no campo das ciências sociais", *Revista do Instituto de Estudos Brasileiros*. São Paulo, 34; 9-24, 1992.

"No estudo da sua história íntima despreza-se tudo o que a história política e militar nos oferece de empolgante por uma quase rotina de vida: mas dentro dessa rotina é que melhor se sente o caráter de um povo. Estudando a vida doméstica dos antepassados sentimo-nos aos poucos nos completar: é outro meio de procurar-se o 'tempo perdido'. Outro meio de nos sentirmos nos outros — nos que viveram antes de nós; e em cuja vida se antecipou a nossa. É um passado que se estuda tocando em nervos; um passado que emenda com a vida de cada um; uma aventura de sensibilidade, não apenas um esforço de pesquisa pelos arquivos".[21]

Por outro lado, tal ponto de vista "quase proustiano, de estudo e interpretação da casa em suas relações mais íntimas com as pessoas", havia obrigado o autor a fundar sua pesquisa em novas fontes, novos documentos, como que antecipando a revolução documental pela qual passaria a historiografia contemporânea. Seu livro baseia-se sobretudo nesse "material quase esquecido" dos historiadores de então:

"[...] arquivos de família, livros de assento, atas de Câmaras, livros de ordens régias e de correspondência da corte, teses médicas, relatórios, coleções de jornais, de figurinos, de revistas, estatutos de colégios e recolhimentos, almanaques, álbuns de retratos, daguerreótipos, gravuras. Sem desprezar, é claro, diários e livros de viajantes estrangeiros".[22]

Para Gilberto Freyre, a busca do "tempo perdido", que é tentativa de estruturar sua própria psique num mundo que se desagrega — porque o tempo foge irreparável (*fugit irreparabile tempus*) —, torna-se a busca de um espírito nacional, que se define não pelo que permite o reconhecimento da história pessoal, mas pela sensa-

---

[21] Gilberto Freyre, *Casa-Grande & Senzala*, Rio de Janeiro, 2000 (1933), vol. II, pp. 219-220.
[22] Gilberto Freyre, *Sobrados e Mucambos*, Rio de Janeiro, 2000 (1936), vol. II, p. 748. A expressão "revolução documental" é de J. Glénisson, citada por Jacques Le Goff, "Documento/Monumento", *Enciclopédia Einaudi*, Lisboa, Casa da Moeda, 1984, vol.1, p. 99. Desde a primeira metade de nosso século, temos assistido à chamada "revolução documental", isto é, um alargamento da noção de documento, tomado atualmente em um sentido mais amplo, como documento escrito, iconográfico, sonoro, digital ou qualquer outra forma de transmissão de informações.

ção de pertencimento a uma comunidade imaginada — sensação que não pode prescindir da presença do outro que é, em última instância, o habitante das senzalas, dos mocambos. Como se vê, mais do que "inventar tradições",[23] o que Freyre procura é dar sentido ao pertencimento a que se destinou como brasileiro: espécie de identidade construída e desejada do intelectual, deste membro da elite ocupante que, investindo nessa constante sensação de continuidade, como que busca abafar o seu *transoceanismo* (essa "natural desafeição pela terra" de que nos falava Capistrano de Abreu).

Parece claro que a sugestão de que a escrita desta história íntima do brasileiro era, acima de tudo, uma introspecção proustiana vem da leitura que Gilberto Freyre fez de um artigo do jovem arquiteto Lúcio Costa, publicado em 1929 em edição especial de *O Jornal*.[24] Ainda no prefácio da primeira edição de *Casa-Grande & Senzala*, Freyre transcreve a impressão que o arquiteto teve "diante das casas velhas de Sabará, São João del-Rei, Ouro Preto, Mariana, das velhas casas-grandes de Minas": "a gente como que se encontra... e se lembra de cousas que a gente nunca soube, mas que estavam lá dentro de nós; não sei — Proust devia explicar isso direito".[25] Este trabalho, sobre Aleijadinho e a "arquitetura tradicional", fora composto a pedido de Manuel Bandeira, segundo explicação do Lúcio Costa. Nele, são considerados aspectos da arquitetura de Minas Gerais, tendo por base a própria experiência e observação do arquiteto, que lá havia estado alguns anos antes. Em 1922, comissionado pela Sociedade Brasileira de Belas Artes, Lúcio Costa empreendeu uma viagem pelas cidades históricas de Minas para fazer um estudo da arquitetura de seus edifícios públi-

---

[23] "Por 'tradição inventada' entende-se um conjunto de práticas, normalmente reguladas por regras tácita ou abertamente aceitas; tais práticas, de natureza ritual ou simbólica, visam inculcar certos valores e normas de comportamento através da repetição, o que implica, automaticamente, uma continuidade em relação ao passado". Eric Hobsbawm, "Introdução" in: Idem e Terence Ranger (orgs.), *A Invenção das tradições*. Rio de Janeiro, Paz e Terra, 1997 (1983), p. 9.

[24] Lúcio Costa, "O Aleijadinho e a arquitetura tradicional", *O Jornal*, Edição especial, 1929. Republicado em *Sobre Arquitetura*. Porto Alegre, Centro dos Estudantes Universitários, 1962, pp. 12-16.

[25] Gilberto Freyre, *Casa-Grande & Senzala*. Rio de Janeiro, 2000 (1933), vol. II, p. 220.

cos e particulares. Suas impressões foram decisivas. Depois de trinta e tantas horas de trem, o estudante chegou a Diamantina. Uma vez lá, caiu "em cheio no passado no seu sentido mais despojado, mais puro; um passado de verdade, que eu ignorava, um passado que era novo em folha para mim. Foi uma revelação".[26]

Procurando olhar os trabalhos de Aleijadinho "do ponto de vista puramente de arquitetura", Lúcio Costa entendia sua especificidade ao valorar o mediano no "período colonial". Isto é, para Lúcio Costa, a arquitetura colonial brasileira "é robusta, forte, maciça", ao contrário de tudo o que foi feito pelo mestre mineiro: "magro, delicado, fino, quase medalha". Em suas palavras, "a nossa arquitetura é de linhas calmas, tranqüilas, e tudo o que ele deixou é tortuoso e nervoso. Tudo nela é estável, severo, simples, nada pernóstico. Nele, tudo é instável, rico, complicado, e um pouco precioso". Desta maneira, para Lúcio Costa, "toda a sua obra como que desafina de um certo modo com o resto da nossa arquitetura. É uma nota aguda numa melodia grave. Daí a dificuldade de adaptá-la, amoldá-la ao resto. Ela foge, escapa, é ela mesma. Ele mesmo". Tal entendimento o levou a considerar (ao menos neste primeiro momento) que a excepcionalidade de Aleijadinho não era algo assim "tão indispensável", ao contrário, o essencial estaria em outra parte, "essa outra parte alheia à sua obra, e onde a gente sente o verdadeiro espírito de nossa gente".[27] Essa idéia é o que de fato o leva a valorar a arquitetura colonial como o suporte que nos permite alcançar o "verdadeiro espírito" do brasileiro, compreendido como a definição genérica do que é o nacional. Nesse suporte, que é material, se depositam vestígios que evocam um sentimento, uma sensação que é, ao mesmo tempo, o único real. Por isso mesmo, o verdadeiro. Essa sensação é que revela o caráter coletivo de um pertencimento. É neste exato sentido, de pertencimento, que Lúcio Costa entende que é esse espírito que "formou essa espécie de nacionalidade que é a nossa". Se tal prospecção da memória faz com que ele alcance o

---

[26] *Lúcio Costa: Registro de uma vivência*. São Paulo, Empresa das Artes, 1995, p. 27.
[27] Lúcio Costa, "O Aleijadinho e a arquitetura tradicional", p. 15.

que seria o espírito dessa comunidade nacional, ela é sobretudo uma experiência única e individual. Uma anamnese. A revelação que ele teve em Diamantina, no ano de 1922, tinha dois sentidos: de uma tristeza pela perda iminente e de uma alegria pelo reconhecimento deste pertencimento.

> "Quem viaja pelo interior de Minas percorrendo suas velhas cidades, Sabará, Ouro Preto, São João del-Rei, Mariana e tantas mais, não pode deixar de ter a impressão triste que tive, a pena infinita que sente vendo completamente esquecidos aqueles vestígios tão expressivos do passado, de um caráter tão marcado, tão nosso. Vendo aquelas casas, aquelas igrejas, de surpresa em surpresa, a gente como que se encontra, fica contente, feliz, e se lembra de cousas que a gente nunca soube, mas que estavam lá dentro de nós; não sei — Proust devia explicar isso direito".[28]

Como o leitor pode notar, quando Freyre se referiu ao texto de Lúcio Costa, omitiu propositadamente a expressão "fica contente, feliz" — talvez em prol de uma maior sobriedade, e cientificidade, de seu próprio discurso. Contudo, a idéia de uma experiência "quase proustiana" de encontro com uma realidade possível é central na formulação de seu método. O real presente surge como uma fantasmagoria. A única forma de ter acesso a uma sensação de realidade é a introspecção, a busca das reminiscências pessoais. Pois, para Proust, o real só existe na vivência do passado, na forma como emana das memórias. Falando dos caminhos e passeios que fazia pelos lados de Méséglise ou de Guermantes, o narrador lembra dos tempos de sua infância e contrasta a falsa aparência do presente com a comoção, ou contentamento da lembrança.

> "E exatamente porque eu acreditava nas coisas, nos seres, quando eu percorria aqueles caminhos, é que as coisas e os seres que eles me deram a conhecer são os únicos que ainda tomo a sério e ainda me proporcionam alegria. Ou porque a fé que cria se haja estancado em mim, ou porque a realidade só se forme na memória, as flores que hoje me mostram pela primeira vez não me parecem flores de verdade".[29]

---

[28] Idem.
[29] Marcel Proust, *No caminho de Swann*. São Paulo, tradução de Mário Quintana, Globo, 1995 (1913), p. 181.

Em seu *Guia de Ouro Preto*, publicado em 1938, Manuel Bandeira partilha desse sentimento que era comum a todo o seu grupo-geração, e desse entusiasmo pelo "colonial legítimo", cuja arquitetura era expressão — nas suas palavras — de "tranqüila dignidade". Segundo o poeta, "para nós brasileiros, o que tem força de nos comover são justamente esses sobradões pesados, essas frontarias barrocas, onde alguma coisa de nosso começou a se fixar. A desgraça foi que esse fio de tradição se tivesse partido".[30] A expedição de Lúcio Costa para Minas era já parte de uma experiência comum ao grupo que formulará a política do patrimônio. Com efeito, em 1916, Rodrigo M. F. de Andrade e Alceu Amoroso Lima viajam pelas cidades mineiras.[31] Na verdade, segundo Otto Maria Carpeaux, "a redescoberta de Ouro Preto é um dos grandes feitos dos modernistas". Para o crítico, Ouro Preto havia sido descoberta três vezes: "em 1698 pelos bandeirantes; em 1893 pelos intelectuais boêmios do Rio de Janeiro; e por volta de 1925, de 1929, pelos modernistas de São Paulo".[32] A histórica viagem a Minas de 1924, quando um grupo de modernistas (Mário de Andrade, Oswald de Andrade, Tarsila do Amaral, acompanhados de d. Olívia Guedes Penteado, René Thiollier e Gofredo da Silva Telles) levou o poeta francês Blaise Cendrars para conhecer as cidades históricas, constitui um marco. Segundo Aracy Amaral, são os desdobramentos da viagem de Cendrars ao Brasil que dão início ao processo de "redescoberta do Brasil pelos modernistas". Tarsila do Amaral diria, anos depois, que encontrara, "em Minas,

---

[30] Manuel Bandeira, *Guia de Ouro Preto*. Rio de Janeiro, Editora da Casa do Estudante do Brasil, 1957 (1938), pp. 43-45. O *Guia* de Manuel Bandeira inclui-se na série de roteiros de cidades históricas publicados nos anos 30, dos quais se destacam sobretudo os dois de Gilberto Freyre. Em 1934, o sociólogo publica o *Guia prático, histórico e sentimental da cidade de Recife*, com ilustrações de Luís Jardim; e, em 1939, *Olinda — 2º. guia prático, histórico e sentimental de cidade brasileira*, com ilustrações de (outro) M. Bandeira.

[31] No mesmo ano, Alceu Amoroso Lima publica suas impressões: "Pelo Passado Nacional", *Revista do Brasil*, 1916. Em 1920, Mário de Andrade também publica textos sobre o assunto na mesma revista.

[32] *Correio da Manhã*, 08/07/1961, apud: José Reginaldo Gonçalves, "Autenticidade, memória e ideologias nacionais: o problema dos patrimônios culturais", *Estudos Históricos*, 2; 274, 1988.

as cores que adorava em criança".[33] Lourival Gomes Machado defendia a idéia de que, "depois do primeiro movimento de rebeldia, os modernistas põem um olho na tradição colonial e outro no movimento parisiense. A redescoberta viaja o duplo roteiro dos navios que levam ao Havre e dos trens que conduzem a Ouro Preto".[34] O fato de nossos modernistas irem mostrar ao homem da vanguarda francesa nossas velhas cidades, com seus casarões e igrejas carcomidos pelo tempo, não passa de aparente paradoxo. Antes de tudo, revela muito da necessidade de construção de uma identidade no bojo do movimento de atualização estética

A solução de Brito Broca, não obstante, é para nós mais eloqüente. Em um artigo de 1952, concluía que tal paradoxo era apenas um aparente contra-senso, porque "havia uma lógica interior no caso". Esta "lógica" tinha a ver com *o divórcio da realidade brasileira*, em que a maior parte de nossos escritores sempre viveu", e que fazia "com que a paisagem da Minas barroca surgisse aos olhos dos modernistas como qualquer coisa de novo e original, dentro, portanto, do quadro de novidade e originalidade que eles procuravam". A superação deste "divórcio" era resultado da vontade de pertencimento a uma comunidade nacional (tal como será sentida por Freyre) que se associava à certeza de que no passado colonial era possível erguer uma tradição, isto é, uma linha de continuidade que confirmava nossa originalidade, nosso caráter. Ainda segundo Brito Broca, não haviam os modernistas falado, "desde a primeira hora, numa volta às raízes da nacionalidade, na procura do filão que conduzisse a uma arte genuinamente brasileira? Pois lá, nas ruínas mineiras, haviam de encontrar, certamente, as sugestões desta arte".[35]

---

[33] Depoimento na *Revista do III Salão de Maio de São Paulo*, 1939, apud Aracy Amaral, *Blaise Cendrars no Brasil e os modernistas*. São Paulo, Editora 34, 1997, p. 71.

[34] Lourival Gomes Machado, "Sobre a influência francesa na arte brasileira", *Revista Acadêmica*, Rio de Janeiro, 1946, p. 104, apud Aracy Amaral, *Blaise Cendrars no Brasil e os modernistas*. São Paulo, 1997, p. 16. Para a viagem dos modernistas de 1924, recomendo a leitura do capítulo 7 deste livro de Amaral, pp. 57-87.

[35] Brito Broca, "Blaise Cendrars no Brasil, em 1924", *A Manhã*, Rio de Janeiro, 04/05/1952, apud Aracy Amaral, *Blaise Cendrars no Brasil e os modernistas*. São Paulo, 1997, p. 59.

Também para Freyre, a viagem tornou-se parte do método de pesquisa. Como dizia no prefácio a *Sobrados e Mucambos*, não devíamos nos "esquecer da excursão a Minas Gerais — a visita a algumas de suas casas-grandes mais típicas, a alguns dos seus sobrados mais característicos, o contato, embora rápido, com alguns dos seus arquivos". Mas não apenas Minas, pois seu estudo não prescindiu "das excursões pelo interior do estado do Rio, pelos estados de São Paulo, Paraná, Santa Catarina, Rio Grande do Sul, Bahia, Alagoas, Sergipe".[36] O convívio, as conversas, as entrevistas, as sensações, são igualmente material de reflexão para a escrita de seus ensaios. Com efeito, essa sensação de encontrar o "verdadeiro" Brasil nessas pequenas cidades, perdidas no tempo, autênticas na forma como transmitem a impressão de continuidade é algo que ainda hoje emociona. Um belo exemplo disso é a carta que Manuel Bandeira envia para Freyre, em março de 1935, de Cambuquira, em Minas Gerais. Depois de ir visitar, ali perto, a (então) perdida cidade de Campanha, confessa ao amigo "a delícia que são aquelas ruas tão simples, tão modestas, com os seus casarões quadrados, todos com bicos de telhados com forma de asas de pombo. Há lá uma rua direita (hoje com nome de gente) que é um encanto: *tão genuinamente brasileira*, tão boa, dando vontade de morrer nela".[37]

Em 1937, retomando a idéia de Gilberto Freyre de que a arquitetura vernacular traduzia a verdade sobre a qualidade da raça peculiar, Lúcio Costa escreve um pequeno estudo no número inaugural da *Revista do Serviço do Patrimônio Histórico e Artístico Nacional* no qual defende o estudo de "nossa antiga arquitetura". Para ele, é nas aldeias portuguesas, "no aspecto viril das suas construções rurais a um tempo rudes e acolhedoras, que as qualidades da raça se mostram melhor". Isto porque esta arquitetura mostra-se "sem o ar afetado e por vezes pedante", desenvolvendo-se neste meio (popular) "naturalmente, adivinhando-se na

---

[36] Gilberto Freyre, *Sobrados e Mucambos*. Rio de Janeiro, 2000 (1936), vol. II, p. 748.
[37] Carta de Manuel Bandeira para Gilberto Freyre, Cambuquira, 23/03/1935, Arquivo da Fundação Gilberto Freyre, Recife. O grifo é meu.

justeza das proporções e na ausência de *make-up,* uma saúde plástica perfeita — se é que podemos dizer assim". Esta saúde plástica perfeita era resultado evidente da evolução peculiar da arquitetura vernacular no meio físico e social da colônia, o que produziu um tipo puro, essencial, de expressão do "homem brasileiro". Tais soluções, como dizíamos, derivam da (e implicam a) leitura dos ensaios de Gilberto Freyre. O próprio arquiteto esclarece:

> Sem dúvida, neste particular *também se observa o 'amolecimento' notado por Gilberto Freyre,* perdendo-se, nos compromissos de adaptação ao meio, um pouco daquela *carrure* [força, envergadura] tipicamente portuguesa; mas, em compensação, devido aos costumes mais simples e à largueza maior da vida colonial, e por influência também, talvez, da própria grandiosidade do cenário americano — certos maneirismos preciosos e um tanto arrebitados que lá se encontram, jamais se viram aqui".[38]

O primeiro estudo sobre a arquitetura vernacular brasileira publicado pelo Serviço do Patrimônio Histórico e Artístico Nacional (SPHAN), em 1937, foi justamente escrito por Gilberto Freyre. Desenvolvendo a abordagem feita na segunda parte de sua *Introdução à história da família patriarcal no Brasil,* tratava-se aqui de apresentar um estudo tipológico da forma "mais primitiva" de casa popular no Nordeste: o mocambo. Rodrigo Mello Franco de Andrade, na introdução, faz referência ao texto de Lúcio Costa para concluir com ele que, no caso dos mocambos, "o critério de economia [...] dá a esses tipos de habitação aquela 'saúde plástica' a que aludia o sr. Lúcio Costa. E, por vezes, as mesmas contingências econômicas impelem o engenho popular a invenções que aparentam algumas dessas construções rudimentares às lídimas expressões da melhor arquitetura". Para o diretor do Serviço, "ninguém haveria mais indicado para se incumbir de um trabalho

---

[38] Lúcio Costa, "Documentação necessária", *Revista do SPHAN.* Rio de Janeiro, 1; 31-40, 1937. Republicado na coleção *Textos Escolhidos da Revista do IPHAN: arquitetura civil II.* São Paulo, FAUUSP / IPHAN, 1975, pp. 89-98. Os grifos são meus. No mesmo número inaugural da *Revista,* Freyre publicou um pequeno estudo com "Sugestões para o estudo da arte brasileira em relação com a de Portugal e das Colônias", pp. 41-44.

sério sobre os mocambos do Nordeste que o professor Gilberto Freyre, para quem a casa, a habitação, tem constituído o centro de interesse para o estudo dos antagonismos e das acomodações cujo processo presidiu a formação de nosso meio social".[39]

Lúcio Costa, neste seu texto de 1937, considerava que o século XIX e o XX assistiriam ao "abandono de tão boas normas", que estaria na origem da "dessarumação" atual dos padrões estéticos de nossa arquitetura. Uma visão do oitocentos completamente afinada com o esquema evolutivo do sistema patriarcal em Freyre. De fato, para o sociólogo, o século XIX testemunhou uma "espécie nova, mas igualmente violenta, de revolução francesa", esse "furor neófilo" que atingiu em cheio o país e punha a perder tudo que havia de original nos métodos e sistemas construtivos, nos estilos e gostos da habitação, em suma, nos próprios hábitos da vida doméstica brasileira.[40] Em um estudo sobre o sobrado no Rio Grande do Sul, Freyre fala sobre a tendência de democratização e socialização da casa patriarcal no Brasil, no final do século XIX: "a abolição da escravidão seria a morte do sobrado como fortaleza sociológica e psicológica [da 'raça' branca] na paisagem brasileira". Exigiu sua readaptação completa, o que não se fez "com bons resultados higiênicos e estéticos; pois a um tipo de arquitetura que já se harmonizara, em mais de um traço essencial, com a paisagem regional, vão substituindo tipos de arquitetura intrusa e cosmopolita".[41] Segun-

---

[39] Tal trabalho principiava uma série de publicações sobre o patrimônio que deveria limitar-se a "estudos sérios e trabalhos honestos e bem documentados", evitando-se a "literatura enfática ou sentimental", visando uma elevação do conhecimento sobre o assunto. "Introdução" in: Gilberto Freyre, *Mucambos no Nordeste: algumas notas sobre o tipo de casa popular mais primitivo do Nordeste do Brasil*. Rio de Janeiro, MES (Publicações do SPHAN, n.º 1), 1937. O segundo volume seria justamente o *Guia de Ouro Preto*, publicado em 1938, de Manuel Bandeira.

[40] Gilberto Freyre, "Casas de residência no Brasil", introdução à edição das cartas de L. L. Vauthier sobre arquitetura doméstica no Brasil, *Revista do SPHAN*. Rio de Janeiro, 2; pp. 99-127, 1943. Republicado na coleção *Textos Escolhidos da Revista do IPHAN: arquitetura civil I*. São Paulo, FAUUSP / IPHAN, 1975, pp. 1-94.

[41] Gilberto Freyre, "Sugestões para o estudo histórico-social do sobrado no Rio Grande do Sul" in: idem, *Problemas brasileiros de antropologia*. Rio de Janeiro, José Olympio, (1943), 1962, p. 96. Trata-se de um trabalho escrito para o III Congresso Sul-Rio-Grandense de História e Geografia, realizado em Porto Alegre em 1940.

do Carlos Lemos, foi Alceu Amoroso Lima que deu tom "oficial" a essa aversão pela arquitetura oitocentista. Na homenagem feita a Rodrigo M. F. de Andrade, em 1968, ele louvava o amigo como sendo o "maior defensor de nosso passado estético [...], símbolo da resistência ao furor iconoclástico que o século XIX legou ao século XX". Afinal, neste "século do mau gosto", "nada, quase nada se fez, ao menos arquitetonicamente, senão repetir academicamente o passado remoto, pelo estilo 'gótico' ou 'neo-clássico', e pouco se tentou fazer de novo".[42]

A reação aos "estilos importados" originara-se, contudo, do movimento tradicionalista, e não das hostes modernistas. O movimento neocolonial, a que se filiou inicialmente Lúcio Costa, visava exatamente reagir aos modismos dos estilos importados, das soluções impostas pelo novo contexto técnico e pela difusão cultural. A política do movimento neocolonial definiu-se inicialmente da atitude de alguns arquitetos paulistas e fluminenses, logo nos anos iniciais da década de 1910. Quando esteve em Minas Gerais, no ano de 1922, Lúcio Costa era então um jovem estudante de arquitetura (diplomar-se-ia apenas em 1924) e se comprometia com o projeto estético do retorno às formas autênticas do colonial, como maneira de apoiar a criação estética em soluções que fossem tipicamente nacionais. Em 1914, em uma conferência na Sociedade de Cultura Artística, o arquiteto Ricardo Severo defendeu o programa de uma "nova arte que seja nossa e do nosso tempo". A arte brasileira seria o resultado do estudo e da valorização das dimensões tradicionais do fazer artístico, o que implicava, em última instância, a reinterpretação das origens portuguesas da Nação. Como mostrou Hugo Segawa, Severo defendia que o estudo da arte colonial deveria servir como orientação para a "perfeita cristalização da nacionalidade". Mas seria o proselitismo de José Mariano Filho, no Rio de Janeiro, que levaria ao sucesso da corrente, agora batizada de "neocolonial". Não apenas o reconhecimento oficial, que resultou na construção de

---

42 Apud Carlos Lemos, "À procura da memória nacional", *Memória*, 17, 1993, pp. 17-24.

importantes edifícios públicos, mas a vulgarização do estilo que difundiu-se na arquitetura vernacular.[43]

Paradoxalmente, a evolução da arquitetura moderna brasileira passou pela superação destes marcos iniciais propostos pelo tradicionalismo. Lúcio Costa, que havia viajado por comissão de José Mariano, agora romperia com estes preceitos propondo uma solução que aliava o desejo de inventar uma tradição — forjando uma memória nacional que se assentava no passado colonial, nas formas da arquitetura vernacular portuguesa — com as soluções contemporâneas e atualizadas do modernismo europeu dos CIAMs (Congressos Internacionais de Arquitetura Moderna). Em 1930, o arquiteto seria nomeado para diretor da Escola de Belas Artes. O amigo Manuel Bandeira, que o aproximara do chefe de gabinete de Francisco Campos, o mineiro Rodrigo Mello Franco de Andrade, foi quem lhe conseguiu o posto. Curiosamente, quando relata o ocorrido a Gilberto Freyre, que já estava no exílio em Lisboa, Manuel Bandeira refere-se a Lúcio Costa como um "arquiteto pernambucano [sic] muito moço".[44] Nesta altura, a ruptura de Lúcio Costa com o movimento de José Mariano já era evidente. Em uma entrevista concedida em dezembro, o novo diretor da ENBA dizia que era "indispensável que nossos arquitetos deixem a escola conhecendo profundamente nossa arquitetura colonial — não com o intuito da transposição ridícula dos seus motivos, não de mandar fazer falsos móveis de jacarandá — mas de aprender as boas lições que ela nos dá de simplicidade, perfeita adaptação ao meio e à função, e conseqüente beleza".[45] Em 1934, num clima de "guerra santa", Lúcio Costa preparou um programa para o curso de pós-graduação do Instituto de Artes no Rio de Janeiro (do qual participava também Gilberto Freyre). Intitulado de "Razões da

---

43 Hugo Segawa, *Arquiteturas no Brasil, 1900-1990*. São Paulo, Edusp, 1998, pp. 35-39.
44 Carta de Manuel Bandeira para Gilberto Freyre, Rio de Janeiro, 25/12/1930, Arquivo da Fundação Gilberto Freyre, Recife. Veja também o pronunciamento de 19/09/1931 acerca do convite do ministro Francisco Campos transcrito em *Sobre Arquitetura*. Porto Alegre, 1962, p. 41.
45 Lúcio Costa, "ENBA 1930-31: situação do ensino da Escola de Belas Artes", *Lúcio Costa: Registro de uma vivência*. São Paulo, Empresa das Artes, 1995, p. 68.

nova arquitetura", seu programa visava sobretudo a defesa desta nova postura moderna, a crítica ao academicismo. A denúncia da ornamentação, do "enfeite", como um vestígio bárbaro, acompanha, naturalmente, a defesa da aproximação das novas tecnologias às soluções estéticas, pautadas pela transparência, da proximidade entre a forma e a função. O ornato foi sempre um produto manual. No contexto industrial, dos séculos XIX e XX, desapareceu a sua razão de ser, "despindo-o de maior interesse como documento humano". No pós-escrito da nova edição de seu programa para uma "nova arquitetura", datado de 1991, o arquiteto assim define a arquitetura moderna: "Depois de uma coisa, vem *outra*; ser moderno é — conhecendo a fundo o passado — ser atual e prospectivo". Distinguindo entre o que é "moderno" e o que é "modernista", Lúcio Costa entende que a

> "arquitetura dita moderna, tanto aqui como alhures, resultou de um processo com raízes profundas, legítimas e, portanto, nada tem a ver com certas obras de feição afetada e equívoca — estas sim 'modernistas'. Ao contrário do que ocorreu na maioria dos outros países, no Brasil foram justamente aqueles poucos que lutaram pela abertura para o mundo moderno, os que mergulharam no país à procura das suas raízes, da sua tradição, tanto em São Paulo, nos anos 20, como no Rio, em Minas, Sul e Nordeste nos anos 30, propugnando pela defesa e preservação de nosso passado válido (SPHAN)".[46]

---

[46] Lúcio Costa, "Razões da Nova Arquitetura" (1934), programa para um curso de pós-graduação do Instituto de Arte da Universidade do Distrito Federal, *Lúcio Costa: Registro de uma vivência*. São Paulo, 1995, p. 116. O texto já havia sido publicado na Revista da Diretoria de Engenharia da Prefeitura do Distrito Federal (Rio de Janeiro, vol. 3, janeiro de 1936) e republicado em *Sobre Arquitetura*, Porto Alegre, 1962, pp.17-41. Neste livro, aparece datado como de 1930. Depois da malograda experiência na ENBA, Lúcio Costa trabalhou conjuntamente com o arquiteto modernista Gregori Warchavchik em uma série de projetos. Desde 1936, o engajamento de Lúcio Costa na política do patrimônio seria intenso. Contratado como consultor técnico do SPHAN, ficou neste posto até 1946, quando da reformulação do serviço. Passou, então, a dirigir o Setor de Estudos e Tombamentos, onde ficou até a sua aposentadoria em 1972. A proximidade com o grupo de Capanema lhe valeria, inclusive, o convite para liderar a equipe que fez o novo projeto da sede do Ministério. Já a Seção de História era dirigida pelo poeta Carlos Drummond de Andrade. A citação é do *post scriptum* de 1991.

Como mostrou Maria Cecília Fonseca, Lúcio Costa fez "um movimento inverso ao dos modernistas do início dos anos vinte", mas acabou chegando ao mesmo lugar: "integrar modernidade e tradição".[47] Apesar de curta, sua gestão na ENBA serviu para pensar uma reforma no ensino e aproximá-lo, sobretudo, do grupo que se reunia agora em torno do novo ministro da Educação e Saúde, Gustavo Capanema, nomeado em 1934.[48] Rodrigo M. F. de Andrade teria um papel fundamental na definição e implantação de um sistema de invenção e defesa do patrimônio histórico e artístico nacional. Em 1936, o advogado mineiro foi nomeado diretor do recém-criado Serviço do Patrimônio Histórico e Artístico Nacional — situação que manteve até a sua aposentadoria em 1967. A pedido do ministro da Educação e Saúde, Mário de Andrade redigiu um Anteprojeto de Criação do Serviço do Patrimônio Artístico Nacional que, alterado por Rodrigo M. F. de Andrade, seria a base do decreto nº 25, de 30 de novembro de 1937. Em sua proposta, Mário de Andrade definiu o Patrimônio Artístico Nacional de maneira genérica, como sendo formado por "todas as obras de arte pura ou de arte aplicada, popular ou erudita, nacional ou estrangeira, pertencentes aos poderes públicos, a organismos sociais e a particulares nacionais, a particulares estrangeiros, residentes no Brasil". Comissões Estaduais de Tombamento deveriam ser criadas para justamente encaminhar os bens cabíveis de serem inscritos nos livros de tombo. Sua sugestão para representante do Nordeste não poderia ser mais evidente: "em Pernambuco, Gilberto Freyre se impõe".[49] O decreto de

---

[47] Maria Cecília Londres Fonseca, *O patrimônio em processo: trajetória da política federal de preservação no Brasil*. Rio de Janeiro, Editora da UFRJ / MinC-IPHAN, 1997, p. 98.

[48] Sobre Gustavo Capanema e sua ação cultural veja o estudo de Simon Schwartzman, Helena M. B. Bomeny e Vanda M. R. Costa, *Tempos de Capanema*. São Paulo / Rio de Janeiro, Edusp / Paz e Terra, 1984, pp. 79-105; veja também a recente biografia de Capanema feita por Murilo Badaró, *Gustavo Capanema: a revolução na cultura*. Rio de Janeiro, Nova Fronteira, 2000.

[49] O "Anteprojeto de criação do SPHAN" de Mário de Andrade está publicado em *Mário de Andrade: cartas de trabalho / correspondência com Rodrigo M. F. de Andrade (1936-1945)*. Brasília, SPHAN, 1981, pp. 39-54. Veja também a coletânea de artigos, entrevistas, e correspondência de Rodrigo M. F. de Andrade, *Rodrigo e o SPHAN: coletânea de textos sobre*

1937, apesar das diversas mudanças, mantém, contudo, o espírito do projeto do intelectual paulista. Incluindo-se a necessidade de preservação dos marcos da história pátria, entende-se o patrimônio histórico e artístico nacional como "o conjunto dos bens móveis e imóveis existentes no País e cuja conservação seja de interesse público, quer por sua vinculação a fatos memoráveis da história do Brasil, quer por seu excepcional valor arqueológico ou etnográfico, bibliográfico ou artístico". O artigo 5º é o mais importante, porque define que a inscrição dos bens nos livros de tombo "se fará de ofício por ordem do Diretor do SPHAN".[50] Isto é, por iniciativa exclusiva do Serviço, que, portanto, tinha (e tem) autonomia absoluta para decidir o que é o patrimônio nacional.[51]

Ainda em 1930, quando o único serviço de proteção do patrimônio se estruturava no Museu Histórico Nacional, sob a direção de Gustavo Barroso, Rodrigo M. F. de Andrade pensara em nomear Gilberto Freyre para a função.[52] O que lhe impediu foi a situação política do sociólogo, que se via, então, no exílio em Lisboa. Em uma carta, assinada com o pseudônimo "Flag", enviada para Gilberto Freyre no natal de 1930, Manuel Bandeira revela que o nomeado para o Museu Nacional, Rodolfo Garcia, era a terceira opção do mineiro: "R. só fazia dizer: O Gilberto é que servia".[53]

---

o patrimônio cultural. Rio de Janeiro: MinC/Fundação Nacional Pró-Memória, 1987. Sobre o anteprojeto, veja a análise de Carlos Lemos, "À procura da memória nacional", *Memória*, 17, 1993, p. 17-24.

[50] Decreto-lei nº 25 de 30 de novembro de 1937 / Organiza a proteção do patrimônio histórico e artístico nacional.

[51] A respeito da criação do SPHAN, veja, entre outros, o excelente estudo de Maria Cecília Londres Fonseca, *O patrimônio em processo*. Rio de Janeiro, 1997; Murilo Badaró, *Gustavo Capanema: a revolução na cultura*. Rio de Janeiro, 2000, pp. 273-281; Joaquim Arruda Falcão, "Política cultural e democracia: a preservação do patrimônio histórico e artístico nacional" in: Sérgio Miceli (org.), *Estado e cultura no Brasil*. São Paulo, Difel, 1984, pp. 21-39; e Mariza Veloso Motta Santos, "Nasce a academia SPHAN", *Revista do Patrimônio Histórico e Artístico Nacional*. Rio de Janeiro, 24; 77-95, 1996.

[52] Sobre o assunto e a criação da Inspetoria de Monumentos em 1934, no âmbito da reforma da estrutura do Museu, veja o artigo de Lauro Cavalcanti, "O cidadão moderno", *Revista do Patrimônio Histórico e Artístico Nacional*. Rio de Janeiro, 24;111-113, 1996.

[53] "Não sei se você sabe que ele [Rodrigo M. F. de Andrade] é o chefe de gabinete do Ministério da Educação [de Francisco Campos]. Por influência dele, o Lúcio Costa, arqui-

Segundo Lauro Cavalcanti, quando o SPHAN foi finalmente criado, ter-se-ia cogitado a nomeação do sociólogo para diretor (regional?), o que foi vetado por Agamenon Magalhães. Em uma carta de 14 de janeiro de 1938 endereçada a Capanema, o interventor refutou a indicação por esse "haver participado do movimento comunista de 1935" [sic] e se recusado, em 1937, "a fazer uma preleção anti-comunista, ordenada pelo reitor".[54] Freyre ficará apenas como correspondente, mas sempre próximo do Serviço.

O sistema do patrimônio histórico nacional, agora implantado e institucionalizado, devia muito a essa visão peculiar de nosso passado colonial, ao entendimento que a formação original da sociedade brasileira e, portanto, do que define o caráter do que é nacional, ali se forjara. A idéia de que podíamos pensar em uma civilização material brasileira,[55] que surgira e se consolidara nos séculos que antecedem a independência política, foi determinante para a definição dos critérios de constituição e, conseqüentemente, defesa e proteção do patrimônio. A necessidade de inventar uma continuidade social, nos termos de Gilberto Freyre, implicava a valoração de um passado "autêntico", contra o passado mais recente, desfigurado seja pelas influências estrangeiras, seja pela desagregação do sistema patriarcal. Segundo Silvana Rubino, o grupo ligado ao SPHAN "elegeu um Brasil antepassado que exclui alguns atores contemporâneos", ao delimitar nossa descendência. Evitando os conflitos e os contrastes, tratava-se de "estabelecer uma continuidade, ainda que na direção de um tem-

---

teto pernambucano muito moço, foi nomeado diretor da E. de B. Artes e o Gallet do I. de Música. Imagine que me quis fazer dir. do Museu Hist. Ficou espantado que eu recusasse mas como o Campos quis pregar-lhe a mesma peça, também tirou o corpo. Então se lembrou do Tobias que recusou e indicou o Rod. Garcia que aceitou. Está ótimo, não acha? R. só fazia dizer: O Gilberto é que servia". Carta de Manuel Bandeira para Gilberto Freyre, Rio de Janeiro, 25/12/1930, Arquivo da Fundação Gilberto Freyre, Recife.
[54] Lauro Cavalcanti, "O cidadão moderno", *Revista do Patrimônio Histórico e Artístico Nacional*. Rio de Janeiro, 24; p.114, 1996.
[55] Tema aliás de uma série de conferências preparadas para os funcionários do SPHAN, em 1941, por Afonso Arinos de Mello Franco, nas quais procurava possibilitar "uma leitura dos bens e conjuntos tombados a partir de sua relação com o processo histórico de ocupação das diferentes regiões brasileiras". Publicadas três anos depois, com o título de *Desenvolvimento da Civilização Material no Brasil*. Rio de Janeiro, SPHAN, 1944.

po que já passou". Os bens inscritos de 1936 até 1967, na fase "heróica" do Serviço, demonstram isso cabalmente: dos 689 tombamentos efetivados, 529 são referentes ao período colonial.[56] Podemos perceber que a idéia de patrimônio histórico e artístico nacional foi embasada na constituição e circulação de uma noção de memória nacional, por sua vez forjada no encontro da leitura modernizante e compromissada de uma tradição inventada. Neste quadro, a interpretação de nosso processo formativo nacional feita por Gilberto Freyre teve um papel fundamental. Se nossa tradição historiográfica oitocentista forjou a noção de que o chamado *período colonial* era o momento formativo da verdadeira identidade nacional, Freyre empreendeu uma releitura capaz de redimensionar o valor de uma civilização material brasileira que seria entendida, por sua vez, como depositária privilegiada do espaço social da memória coletiva em construção. Às soluções de Gilberto Freyre agregavam-se os desejos e experiências dos nossos intelectuais modernistas, preocupados com o redescobrimento de um país (o que passava pela circulação ampliada da cultura popular), e as ideologias do Estado Novo, em busca da afirmação de uma comunidade política nacional (nos termos da superação do Estado liberal).

---

[56] Silvana Rubino, "O mapa do Brasil passado", *Revista do Patrimônio Histórico e Artístico Nacional*. Rio de Janeiro, 24; 103, 1996.

# GILBERTO FREYRE E A CRÍTICA LITERÁRIA

*Antonio Dimas*

Não me ocorre nenhum texto de Gilberto Freyre sobre a função do crítico literário.

Em compensação, ocorrem-me, sim, inúmeros outros onde Gilberto vai espalhando suas opiniões sobre o papel do crítico diante da poesia ou do romance. De preferência, vamos encontrá-las em obras episódicas, aquelas que não foram meditadas e planejadas de antemão e que, por isso mesmo, revelam uma reflexão continuada e sistêmica. Continuada, porque dão conta do trabalho cotidiano e extenso de um leitor diversificado; sistêmica, porque deixam entrever um procedimento crítico que, pouco a pouco, vai ganhando corpo e se consolida.

Uma pesquisa cronológica dos textos ocasionais desse intelectual pernambucano, destinados, em sua grande maioria, ao jornalismo efêmero ou a conferências acadêmicas, conduz o seu leitor por um universo literário heterogêneo, constituído por saliências e reentrâncias que comprovam degustação contínua da poesia, do romance, de jornais e de revistas. Com 16 anos, confessa ele, já lera quase todo o Eça e se encantara com *Os Maias*. *Livro denso*, a seu ver.[1] Tolstoi, Victor Hugo, Baudelaire, Antero, Schopenhauer, Renan, Dickens entraram-lhe pela vida antes dos

---

[1] G. Freyre, *Tempo morto e outros tempos.* Rio de Janeiro: J. Olympio, 1975, pp. 9 e 146.

20 anos, ao lado de leituras menos imponentes como Carlos Dias Fernandes, *O Malho* e o *Tico-Tico*, lê-se em suas memórias.

Neto de dono de engenho decadente e de comissário de açúcar, mas *dado a boas leituras*,[2] e filho de professor da Escola de Direito do Recife, *latinista severo*,[3] Gilberto gabava-se de sua incapacidade infantil de aprendizagem, que o fez preferir o desenho à alfabetização tardia. Por causa dessa preferência pela expressão gráfica, desinteressou-se da figura de Gilberto Amado, que, um dia, seu pai quis apresentar-lhe no prédio de um jornal recifense: *Perguntei a meu Pai se ele, sendo Gilberto, também desenhava: minha paixão aos sete anos. Meu Pai disse que não: que escrevia. O que me fez perder o interesse pelo xará. Escrever, meu irmão escrevia muito melhor do que eu, que aos oito anos apenas garatujaria minhas primeiras letras e meus primeiros números sem que esse garatujar me desse a alegria que me dava o desenhar. A alegria imensa que me dava desenhar: gente, bichos, casas, árvores, bandeiras, navios, trens.*[4] Talvez derive desse gosto inicial pelas formas e pelos volumes, mesmo que toscos, seu pendor acentuado para a escrita sensorial, que tanta celeuma causou quando do aparecimento de *Casa-Grande & Senzala*, em 1933, e que não o abandona nem mesmo quando depõe sobre suas leituras literárias.

Se retrocedermos para os tempos de estudante nos Estados Unidos, entre 1918 e 1922, vamos encontrar naquela fase de formação acadêmica uma das primeiras manifestações da crítica literária de Gilberto Freyre, ocupando-se de *Senhora do Engenho*, romance de Mário Sette, publicado em 1921. Nesse artigo para o *Diário de Pernambuco*, datado de outubro de 1921 e hoje recolhido em *Tempo de aprendiz*, Gilberto pratica uma divisão nítida entre a paisagem física e o aglomerado humano, observando que Mário Sette tinha sido muito mais feliz na composição do cenário do que no tratamento das personagens; na descrição do ambiente do que no cuidado com a expressão oral de sua gente. Acatando Mário Sette como *paisagista*,[5] Gilberto anota que não faltam

---

2 Id. Ib., p. 5.
3 Id. Ib., p. 18
4 Id. Ib., p. 15.
5 G. Freyre, *Tempo de aprendiz*. SP: IBRASA; Brasília: INL, 1979. Vol. 1, p. 150.

relevo nem colorido ao seu romance, quando se trata de ação externa que requer detalhismo pictórico e referências concretas a minúcias ambientais, como a de uma parede sem reboco, um bueiro escancarado, uma árvore com flores de cor determinada, o ruído de um foguete de festa ou de um sino em repique, ou ainda o cheiro de um feixe de cana. Mas, argumenta o ainda estudante em Colúmbia, convém lembrar que *uma novela, porém, raramente se passa toda ao ar livre. É preciso, para variar, haver recinto fechado.*[6] E nesse *recinto fechado* Mário Sette perece, porque cria sertanejos empolados, que falam difícil, que colocam *admiravelmente bem os pronomes,* que pronunciam *admiravelmente bem as palavras* e que falam *com uma pompa que contraria o seu caráter simples ou simplório.*[7]

Antecipatório demais e generoso demais é pretender que essa preferência pelo tratamento do recinto aberto seja tomada como uma das raízes do futuro regionalismo gilbertiano. Não cabe. Não cabe porque se trata de avaliação meramente crítica com base no requisito de verossimilhança e de plausibilidade narrativa, como forte tendência para o encontro do realismo ficcional. Mas, por outro lado, não me parece antecipatório nem generoso demais quando se equipara a rejeição do artificialismo verbal desses personagens com a recusa do próprio Gilberto a um discurso já superado e surrado, em vias de ser suplantado pela modernização cultural e literária que haveria de tomar conta deste país nos anos 20 e que teria em Gilberto um de seus motores.

Ao condenar de forma irremediável *a pompa que contraria o caráter simples ou simplório*[8] daqueles personagens de *Senhora do Engenho*, com pronomes meticulosamente colocados ou palavras com pronúncia impecável, Gilberto está antecipando um de seus motes favoritos e reivindicando um despojamento lingüístico que valoriza a oralidade em vez do formalismo congelado da escrita herdada; que atenta para a fala corrente e cotidiana, em vez do

---

[6] Id. Ib., p. 151.
[7] Id. Ib., p. 151.
[8] Id. Ib., p. 151.

discurso tribunício e distante; que dá ouvidos à mistura e ao híbrido, em vez de cultivar a suposta pureza vernacular, expediente
que até hoje afasta e distingue seus falantes da grande massa
informe; que registra, em suma, uma variante lingüística que não
se modela de modo rígido pelo padrão lusitano e que se eleva, portanto, como alternativa ao português europeu. Insinua-se, pois,
nessa restrição à linguagem dos personagens não apenas a questão
da adequação entre expressão oral e posição social, como também
a preservação de um valor lingüístico, cuja feição específica exige
respeito. Em germe, nessa rápida anotação crítica, enxerga-se a
defesa de uma circunstância social própria da qual não se dissocia
a oralidade, tão presente em sua obra posterior.

Anos depois dessa incursão pela literatura brasileira, aparentemente a primeira, o sociólogo do casarão de Apipucos dedi-
ca um artigo aos 25 anos de *Urupês* de Monteiro Lobato, publicado em 1918.

Nesse momento, Gilberto reconhece a valorização regionalista representada por *Urupês*, mas ultrapassa esse dado e acres-
centa-lhe um outro, de caráter rigorosamente utilitário, marca
essencial de sua crítica. Para Gilberto, mais que a simples recuperação do regional, *Urupês* valeu por ter sacudido o liberalismo
jurídico brasileiro, concentrado na figura de Rui Barbosa. Para a
enorme repercussão do livro de Lobato, afirma Gilberto, *concorreu
poderosamente o velho Rui, quando, em discurso célebre, destacou a significação social do Jeca Tatu. [...] a essa altura, Lobato conseguira o milagre de despertar o velho Rui da indiferença, tão dos nossos doutores e
bacharéis de quase todos os tempos, pelos problemas brasileiros de solução
mais difícil que a jurídica ou a política. Indiferença em que se extremou
uma geração inteira de intelectuais brasileiros: a dos primeiros decênios
da República.*[9]

Do ponto de vista do crítico, em *Urupês* ecoam algumas
vozes anteriores, como a de Euclides, de Eduardo Prado, de
Aluísio Azevedo ou de Gilberto Amado, que pouca ou nenhuma

[9] G. Freyre, *Pessoas, coisas & animais*, 1ª série. Org. por Edson Nery da Fonseca, 2ª ed.
Porto Alegre: Globo, 1981, p. 159.

impressão causaram sobre a sensibilidade política e social do país, satisfeita com o bacharelismo enroscado na ornamentação retórica. *Foi a voz de Lobato*, garante Gilberto, *que conseguiu esta vitória inesperada: fazer com que Rui Barbosa enxergasse problemas extrajurídicos como o de Jeca Tatu. Nem questão de limites interestaduais, nem de anistia, nem de abuso do Poder Executivo, por caudilhos de casaca ou de farda, mas o problema cru de doenças, de degradação humana, de deterioração social em suas formas extremas. E essas doenças, essa degradação, essa deterioração nas próprias fontes da vida, da economia e do caráter brasileiros.*[10]

Em artigo distante que dedicou à crítica literária de Gilberto Freyre, Antonio Candido aponta nela traços essenciais que a constituem e a caracterizam. Segundo o autor da *Formação da literatura brasileira*, a atividade crítica de Gilberto demonstra *fecunda diversidade* em *seu pluralismo*; não esconde um nacionalismo de tendência romântica; empenha-se na *procura incessante de 'conteúdos', para poder avaliar [...] a densidade humana e o significado social da obra*; combina, de modo permanente, a análise com a intuição; faz uso intenso de imagens e preocupa-se mais com os autores que com os livros.[11]

A um desses dados, se me permitem, eu daria ênfase: a utilidade social da crítica de Gilberto, que não se limita a avaliar a obra, nem se contenta com a linguagem pasteurizada e impessoal que tomou conta da produção acadêmica destes últimos tempos, sobretudo depois do uso abusivo da crítica formalista e de modelos teóricos nos quais deve caber, à força, qualquer texto. Muito longe dessa homogeneização crítica, que se espoja no jargão valetudinário, pronto a acolher não importa qual poema ou romance, a crítica de Gilberto ensina a especificidade cultural da obra escolhida, atribuindo-lhe nicho próprio e contextualizando-a com pertinência no processo cultural brasileiro. Diante do texto de

---

[10] Id. Ib., p. 160.
[11] A. Candido, "Gilberto Freyre crítico literário". In: *Gilberto Freyre: sua ciência, sua filosofia, sua arte*. Ensaios sobre o autor de *Casa-Grande & Senzala* e sua influência na moderna cultura do Brasil. Comemorativos do 25º aniversário da publicação desse seu livro. RJ: J. Olympio, 1962, pp. 120-124.

que se ocupa, com duas ou três menções certeiras, Gilberto Freyre configura o autor, suas idiossincrasias, suas tendências pessoais, suas preferências culturais, os hábitos sociais da sua época, oferecendo-nos um quadro o mais próximo da abrangência, sem nunca perder de vista a imperiosa condição estética da poesia, nem a *personalidade humana e os aspectos chamados subjetivos da vida e da cultura*.[12] Com rara perícia lastreada na subjetividade, sua crítica mistura o pessoal com o textual para que um encaminhe e ilustre a compreensão do outro, em forte reciprocidade. Reciprocidade que é construída, de preferência, sobre o discurso analógico e metafórico, carregado de componentes sensoriais e de sensualidade manifesta.

Para explicar melhor a obra de Euclides, por exemplo, Gilberto argumenta que ao narrador de Canudos *repugnava na vegetação tropical e na paisagem dominada pelo engenho de açúcar o gordo, o arredondado, o farto, o satisfeito, o mole das formas; seus macios como que de carne; o pegajento da terra, a doçura do massapê. Atraía-o o anguloso, o ossudo, o hirto dos relevos ascéticos ou, quando muito, secamente masculinos do 'agreste' e dos 'sertões'*.[13] Quando retoma Alencar, Gilberto contrasta o romancista de *Iracema* com o autor de *Dom Casmurro* e demonstra a inclinação narrativa de cada um, como que funcionando em termos de complementaridade e não de oposição necessária. Se Alencar se mostra como *retratista de interiores suburbana ou ruralmente patriarcais com janelas abertas e portas escancaradas para jardins, pomares, terreiros, senzalas e raramente para ruas, praças ou mercados*, Machado, por sua vez, mostra-se *esquivo* ao *pisar na terra sempre que descia de casa à rua ou da sala ao quintal, com cautelas de gato a atravessar chão molhado ou enlameado pela chuva do Trópico*.[14]

Nesse mesmo ensaio magnífico, em que reinterpreta José de Alencar, Gilberto isola com carinho as duas principais figuras

---

[12] G. Freyre, *Prefácios desgarrados. 50 anos de prefácios (1927-1977)*. Org., introd. e notas de Edson Nery da Fonseca. Rio de Janeiro: Cátedra; Brasília-INL, 1978, p. 707, vol. II.
[13] G. Freyre, *Perfil de Euclides e outros perfis*. Rio de Janeiro: J. Olympio, 1944, p. 30.
[14] G. Freyre, *Vida, forma e cor*. Pref. de Renato Carneiro Campos. Rio de Janeiro; J. Olympio, 1962, p. 129.

femininas d'*O tronco do Ipê* e por meio delas ilustra um outro recurso crítico que lhe é muito caro: o do significado simbólico concreto e preciso de situações e de personagens ficcionais. Nesse romance, segundo o crítico, Adélia tipifica o comportamento europeizado; Alice, o mais brasileiro. Implícito nessa diferença, assim a lemos nós, está o comportamento formal e urbanizado de Adélia em oposição à espontaneidade e naturalidade ruralizada de Alice. Ou, se quiserem de modo mais claro e ainda mais mais fundo, a oposição entre o campo e a cidade, a Europa e a América. Alice vive solta e muito mais *em harmonia com a paisagem brasileira*; Adélia é *sinhazinha de sobrado, de casa atapetada, de salão afrancesado de corte.*[15]

Mais que simplesmente literária, portanto, a crítica de Gilberto se alarga, se expande e se converte em aula de uma matéria difícil, cada vez mais difícil, chamada Brasil.

---

[15] G. Freyre, *Vida, forma e cor*. Pref. de Renato Carneiro Campos. Rio de Janeiro; J. Olympio, 1962, p. 124.

# GILBERTO FREYRE E A HISTÓRIA COLONIAL: UMA VISÃO OTIMISTA DO BRASIL

*Stuart Schwartz*

Desejo fazer uma confissão. Por muitos anos, Gilberto Freyre não foi um santo da minha devoção. Reconhecia seu gênio, apreciava sua versatilidade e seu domínio de vários campos do saber, mas na verdade considerava seu "lusotropicalismo" uma conceitualização equivocada e cientificamente duvidosa. Como muitas pessoas da minha geração, achei sua defesa do colonialismo português mal pensada e, de uma certa maneira, um "achaque de sua velhice". E eu, como historiador que lida com as questões do açúcar e da escravidão, constatei não apenas as virtudes de sua obra, mas também as falhas e omissões. Formado nos anos 60 e 70, eu, como outros da minha geração, encontrei em Gilberto um defensor e até mesmo um elaborador de uma visão "doce" da escravidão, que se tornou objeto principal de uma crítica materialista feroz e às vezes até exagerada, mas correta em seus pontos principais. Quando comecei a escrever um livro sobre o açúcar e a escravidão, meu propósito original era provar que Gilberto Freyre estava equivocado. Durante a redação desse livro, abandonei tal postura por achá-la estéril e errônea. Pouco a pouco, cheguei à conclusão de que, apesar de suas deficiências, *Casa-Grande & Senzala* era uma obra profunda que eu, como estrangeiro que nunca pisou no massapê, não poderia superar, nem mesmo igualar.

Minha relação — e a da minha geração — com *Casa-Grande & Senzala* lembra um pouco minha relação com meu pai. Quando eu tinha 18 anos, meu pai me parecia confuso, atrasado, e às vezes até mesmo ignorante. Mas quando cheguei aos 40, ele tornou-se magicamente mais sábio — uma pessoa inteligente e que entendia bem o mundo. Acho que, assim como ocorreu em relação ao meu apreço por meu pai, minha apreciação de *Casa-Grande & Senzala* cresceu com os anos. Trata-se de um livro sobre a mentalidade brasileira que, embora possa ser criticado por sua metodologia e pelos dados utilizados para comprovar sua tese, contém aspectos essenciais sobre a formação da sociedade colonial que compensam, em muito, suas falhas.

Hoje desejo voltar a Gilberto como analista da época colonial, para entender sua contribuição singular para a historiografia brasileira. Espero mostrar que, em vários aspectos, sua visão histórica foi muito precoce, e que somente agora conseguimos captar o projeto histórico que ele traçou. E, finalmente, que seu otimismo em relação ao Brasil e aos brasileiros foi uma característica essencial da sua obra, e que esse otimismo orientava tanto sua pesquisa quanto a sua interpretação do passado, bem como suas esperanças em relação ao futuro do país.

Vamos começar colocando Gilberto dentro do contexto historiográfico de seu tempo. Temos que lembrar que os brasileiros e os norte-americanos, na primeira metade do século XX, viam seu passado colonial através de uma perspectiva de nação moderna. Eles procuravam explicar as condições nacionais contemporâneas, a partir do entendimento de suas origens coloniais, da natureza de sua colonização, de seu tecido social — em especial seus componentes raciais —, de suas tradições políticas e religiosas e da base econômica de suas histórias. Os norte-americanos, inquietos e confiando em sua própria energia e no seu futuro, organizavam seu passado colonial com base nos elementos que promoviam a estabilidade social, a coerência e o consenso para estabelecer os fundamentos da democracia e as origens de seu êxito econômico e de sua argúcia. Os brasileiros, deparando-se com a corrupção política da República Velha, com a inquietação social e a dependência econômica, visualizavam seu passado de forma mais lúgubre, e procuravam explicar sua herança com base numa história de irresponsabilidades individuais, obscurantismo religioso, licenciosidade sexual, insucesso político e, acima de tudo, na escravidão e na exploração colonial (metrópole-colônia). Os pontos comuns de ambas as histórias são obscurecidos pelos resultados distintos. Na perspectiva de Viana Moog em seu livro *Bandeirantes and Pioneers*, os bandeirantes não eram páreo para os pioneiros.

Desde os anos 30, e durante aproximadamente meio século, um paradigma dominou a história interpretativa do Brasil colonial, e tornou-se quase que universalmente aceito por pessoas com os mais variados posicionamentos políticos e metodologias históricas. Eles viam o Brasil a partir do contexto da expansão européia e do desenvolvimento precoce do capital comercial português. O Brasil era percebido como um grande empreendimento colonial, baseado na escravidão africana e na exploração dos recursos naturais e de sua população, que foram usados em benefício exclusivo da metrópole portuguesa.

A percepção do Brasil colonial como uma economia escravocrata voltada para a exportação teve um longo período de gestação. Traços dessa noção já estavam presentes nos historiadores do século XIX e do início do século XX. Mas esse conceito foi inteiramente construído, ou, mais exatamente, codificado, por quatro intelectuais brasileiros da primeira metade do século XX. Aqueles da turma de 1933-37, cujas idéias dominaram o subseqüente pensamento histórico e influenciaram os pensadores que a eles se seguiram. Trata-se dos modernistas, que produziram uma interpretação ainda vigente na historiografia brasileira. Dentre eles encontravam-se analistas da cultura e da economia. O livro primordial, *Casa-Grande & Senzala*, de Gilberto Freyre (1933), exteriorizava o interior da casa-grande do engenho e transformava as relações entre os brancos — senhores do engenho —, com os índios subalternos e, em especial, com os escravos africanos, num elemento chave para a compreensão da dinâmica de raça, família e hierarquia social no Brasil. A ênfase que Gilberto Freyre colocava nas relações sociais patriarcais fazia eco com a interpretação "feudal" do passado brasileiro, que ele compartilhava com Oliveira Vianna. Mas Gilberto, embora influenciado pelo darwinismo social, não caiu na armadilha do determinismo racial. Apesar disso, o feudalismo e as estruturas econômicas não eram o que mais interessava a Gilberto. *Casa-Grande* é um livro sobre a sociedade, não sobre a economia. Assim, Gilberto preocupou-se menos com as condições econômicas contemporâneas e não foi tão pessimista quanto à influência da colônia sobre o presente (de sua época) do Brasil. Talvez sua visão também tenha sido resultado de sua experiência norte-americana, não somente no sentido geralmente citado de seus estudos com Boas e com a geração de Herskovits e Ruth Benedict, mas também pela influência do otimismo norte-americano em relação ao futuro e ao desejo de encontrar as raízes históricas de suas esperanças. Ele compartilhava esse desejo com Sérgio Buarque de Holanda, outra figura da mesma geração, cujo ensaio *Raízes do Brasil* (1937) também buscava os fundamentos culturais do país, mas foi muito influenciado pelo livro *Retrato do Brasil* (1928), de Paulo Prado, que pintou um quadro negativo do passado brasileiro. Sérgio lamentou que, no Brasil, os colonizadores quisessem "colher a fruta sem plantar a árvore".

Paralelamente a essas considerações, a geração produziu análises econômicas importantes. Uma avaliação econômica deste período foi feita detalhadamente em livros extraordinários de Roberto Simonsen e Caio Prado Júnior, autores provenientes de pólos ideológicos divergentes que, entretanto, compartilhavam uma visão comum do Brasil como um produto da monocultura de exportação. O industrial paulista Roberto Simonsen, em sua *História econômica do Brasil* (1937), criou uma imagem da economia brasileira que enfatizava sua natureza comercial, sua orientação para a exportação e para a dependência dos mercados internacionais, na qual a escravidão foi um "imperativo econômico inescapável". Essa síntese compreensiva logo foi seguida por um livro que chegou a conclusões similares sobre a economia colonial, mas que as explicou diferentemente, e com uma visão bem mais pessimista. Caio Prado Júnior já havia publicado *A evolução política do Brasil*, uma das primeiras tentativas sérias de aplicar uma concepção marxista à história do Brasil, em 1933, mas foi com a publicação de seu *Formação do Brasil contemporâneo* (1942), que ele se valeu da era colonial para identificar e explicar a complexidade do passado brasileiro, ou o que ele chamou, no clássico capítulo de abertura, de "o sentido da colonização". Nesse fabuloso livro, o autor colocou a vida material, e em especial a grande lavoura, como fulcro do que entendeu ser a condição da colônia, e o sistema de comércio português como sendo o princípio fundamental de sua organização social da colônia. Em suas palavras:

> "Esse aglomerado heterogêneo de raças que a colonização reuniu aqui ao acaso, sem objetivo de realizar uma vasta empresa comercial, e para a qual contribuíram conforme as circunstâncias e as exigências daquela empresa. Três raças e culturas largamente díspares, das quais duas, semi-bárbaras em seu estado nativo, e cujas aptidões culturais originárias ainda foram sufocadas, forneceram o contingente maior; raças arrebanhadas pela força e incorporadas pela violência na colonização, sem que para isto se lhes dispensasse o menor preparo e educação para o convívio em uma sociedade tão estranha para elas; cuja única escola foi quase sempre o eito e a senzala". (Caio Prado, 1ª edição, p. 340)

Para Caio Prado Júnior, o empreendimento colonial produziu uma patologia social: "incoerência e instabilidade no povoamento; pobreza e miséria na economia; dissolução nos costumes; inépcia e corrupção nos dirigentes leigos e eclesiásticos. Neste verdadeiro descalabro, ruína em que chafurdava a colônia e sua variegada população, o que encontramos de vitalidade, de capacidade renovadora ?" (*Ibid*, p. 355).

Encontrava-se, aí, uma leitura do passado colonial que orientava a historiografia brasileira rumo aos caminhos do pessimismo, muito diferentes dos caminhos da luz e do otimismo que guiavam os pensadores da América do Norte.

O poder desta visão do passado brasileiro ganhou uma ampla aceitação historiográfica. Seu impacto pode ser sentido em uma série de livros subseqüentes sobre o Brasil, como é o caso de Celso Furtado e seu *Formação econômica do Brasil* (1959), assim como outros livros mais genéricos sobre os aspectos estruturais da América Latina, como *Capitalism and Underdevelopment in Latin*

*America* (1967), de Andre Gunder Frank. Esses livros dos anos 60 exerceram grande influência nos pensadores e no pensamento de diversos intelectuais brasileiros e latino-americanos desta geração. Mesmo divergindo de forma saliente e significativamente entre si, esses autores elaboraram uma interpretação estruturalista da história colonial, na qual os estados poderosos e precocemente centralizados, servindo aos interesses de certos grupos metropolitanos ou camadas sociais, criaram as condições político-jurídicas que tornaram a exploração colonial possível. Os estados mercantilistas ibéricos forjaram, na maior parte das vezes, uma aliança com os latifundiários locais e com as autocracias de mineradores, para extrair o superávit colonial, por meio de estratégias de trabalho arcaicas, quando não "feudais". Essa interpretação encaixa-se com outras visões globalizantes das esferas pré-coloniais da Ásia e da África, e ela eventualmente contribuiu para a formulação de uma teoria generalizante da dependência. No Brasil, essas interpretações para definir o antigo sistema colonial foram aperfeiçoadas e alcançaram sua expressão mais coerente em um ensaio clássico de Fernando Novais, sendo subseqüentemente encorpadas por uma série de outros estudos sobre a estrutura comercial da colônia no século XVIII.

A interpretação estruturalista da dependência apresenta grandes vantagens. Ao enfatizar realidades econômicas, esta contornou as limitações impostas por cronologias políticas, e permitiu novas periodizações e conceitualizações. Sobretudo porque o paradigma estruturalista da dependência limita uma visão ampla, ao harmonizar uma vasta gama de informações, explicando conexões entre a política e os fenômenos sociais, enfatizando o papel do comércio, e ao colocar as relações entre classes no centro da análise.

Mas a proximidade com o tema da dependência tem um preço. Em primeiro lugar, esta transforma o comércio atlântico em um tema central (e quase único) da história colonial, deslocando, assim, o foco e o papel de agente para os políticos e para os líderes da política imperial, distanciando-se dos atores coloniais e dos seus interesses. A teoria da dependência claramente enfatizou a história européia, alienando grandes segmentos das populações latino-americanas, que foram excluídas da história de sua região. Portanto, mesmo colocada sob um ponto de vista marxista, a ênfase no comércio e no mercado atraiu críticas daqueles que acreditavam que os modos de produção e as relações sociais decorrentes destes precisavam ser colocados no âmago da análise, enfatizando-se a produção, em vez da circulação de mercadorias.

Foi exatamente o que a interpretação estruturalista não soube fazer direito o centro das preocupações de Gilberto e Sérgio, quando as tendências historiográficas culturais e econômicas tomaram rumos distintos, nos anos 30. A ênfase que eles davam aos aspectos culturais, às mentalidades, aos comportamentos e às práticas sociais, era freqüentemente vista como uma atenção desorientada, voltada para o efêmero, por aqueles que procuravam a base material da história. Mas Gilberto e Sérgio Buarque estavam, na verdade, dando continuidade à grande tradição dos ensaios culturais históricos, da qual Capistrano de Abreu tinha sido o padrinho. Capistrano, um jornalista, boêmio, pesquisador e brilhante ensaísta histórico, havia estabelecido uma trajetória alternativa da história brasileira em seu *Capítulos da História Colonial*, uma série de importantes estudos que mudavam o foco e a ênfase, em direção ao interior do país.[1] Seu herdeiro intelectual mais direto foi Sérgio Buarque de Holanda (1902-1982), que compartilhava com Gilberto o desejo daquela geração modernista de explicar a situação difícil do Brasil, relacionando-a com suas origens. Mas Sérgio Buarque, assim como Capistrano, tendia a ter uma visão negativa sobre o passado colonial e queria desbravar a história do vasto interior. Como Gilberto, ele se voltou cada vez mais na direção da paisagem intelectual do passado; mas ao contrário de Gilberto seu interesse era pelo sertão e por sua

---

[1] José Honório Rodrigues, "Capistrano de Abreu e a historiografia brasileira", *RIHGB*, 221 (1953), 120-138; traduzido para o inglês como "Capistrano de Abreu and Brazillian Historiography", *in* E. Bradford Burns, ed., *Perspectives on Brazilian Historiography* (Nova York: Colúmbia, 1967), pp. 156-180.

sociedade. Seu livro subseqüente, *Monções* (1945), foi escrito com a intenção de superar *Casa-Grande*, apresentando um "Brasil em movimento, dinâmico, que se orientava para o seu interior ao invés de para o Atlântico".[2] Um de seus livros posteriores, *Visão do Paraíso* (1959), um estudo da visão edênica do Brasil visto pelos olhos dos europeus, foi concebido como uma introdução ao estudo do barroco no pensamento luso-brasileiro.[3] Este livro e *Casa-Grande* são, provavelmente, os dois trabalhos que lastreiam o avanço de uma abordagem da história das mentalidades, que se tornou muito importante na historiografia brasileira recente. Enquanto a história da *vida privada* e da cultura parecem ser a última moda entre os historiadores, na verdade, o Brasil não fica devendo quase nada à França, aos EUA ou a qualquer outra tradição no que diz respeito a essa questão. Os historiadores brasileiros estiveram entre os pioneiros mundiais. A inclusão que Gilberto fez da sexualidade, da indumentária, da dança, da comida e de tantos outros temas mundanos como tópicos a serem levados a sério, o transformaram, junto com Sérgio, em um dos padrinhos da mais nova geração de historiadores brasileiros.

Mas, dentro dessa tradição culturalista, foi Gilberto Freyre quem assumiu a tarefa maior de descrever e analisar o Brasil do litoral, voltando-se para os temas centrais do início da colônia, para o coração do Brasil das *plantations*. Coube a *Casa-Grande & Senzala* a tarefa de unir o açúcar, a escravidão, o patriarcalismo, o sexo, a raça e a colonização numa busca pela essência do Brasil. E é no que diz respeito a esses temas que o livro pode ser melhor avaliado — e de forma mais justa.

---

[2] Richard Graham, "An Interview with Sérgio Buarque de Holanda, *HAHR*, 62:1 (fev, 1982), 3-17. Ver também as diversas apreciações de seu trabalho em *Revista do Brasil* 3:6 (1987), "Número especial dedicado a Sérgio Buarque de Holanda". Sérgio Buarque de Holanda, *Caminhos e Fronteiras* (Rio de Janeiro: José Olympio, 1957), lida com as entradas rumo ao interior e as técnicas da vida rural. Tem muito em comum com João Capistrano de Abreu, *Caminhos antigos e povoamento do Brasil*, 2ª ed. (Rio de Janeiro: Briguiet, 1960).

[3] Sérgio Buarque de Holanda, *Visão do Paraíso. Os motivos edênicos no descobrimento e colonização do Brasil* (Rio de Janeiro: José Olympio, 1959).

*Casa-Grande* é, acima de tudo, entendido como um livro sobre "o mundo que os engenhos criaram". Trata-se de uma descrição e de uma análise da sociedade açucareira-escravocrata. Ao mesmo tempo em que capturava a essência da mentalidade dos senhores de engenho, aqueles que dominavam essa sociedade, ele cometia muitas omissões, e de certa forma criava algumas falsas impressões. Mas foi, de diversas maneiras, um livro de seu tempo, que refletia o que era conhecido ou presumido em 1933. A pesquisa nos últimos cinqüenta anos mudou consideravelmente nosso entendimento sobre aquele mundo. Sabemos agora, por exemplo, a partir dos escritos de Evaldo Cabral, que a "nobreza da terra" do Nordeste era bem menos "nobre" do que eles alegavam ser. Que muitos deles tinham origens mercantis, plebéias ou eram cristãos-novos. Também sabemos que havia uma grande rotatividade entre os senhores de engenho. Para cada família quatrocentista havia dezenas de famílias cujas fortunas eram efêmeras e que passavam rapidamente do *status* de senhores de engenho para aquele de roceiros pobres. Também sabemos agora que os índios tiveram um papel muito maior no mundo do açúcar até meados do século XVII, e que a transição para os africanos foi lenta. *Casa-Grande* criou uma dicotomia entre senhores e escravos, mas pesquisas recentes têm enfatizado os importantes grupos intermediários que viviam neste mundo: lavradores de cana, moradores, oficiais mecânicos, tacheiros, caldereiros e outros. Não acredito que o termo lavrador de cana esteja presente em *Casa-Grande*. Sua ausência simboliza uma complexidade social que o livro deixou de apreender.

Pesquisas recentes têm questionado outros aspectos da visão de Gilberto. Estudos quantitativos a respeito da alforria têm mostrado que, mais do que uma simples extensão do patriarcalismo, a libertação dos escravos teve diversos motivos. Muitos escravos compraram sua própria liberdade. Com muita freqüência, razões patriarcais e vantagens econômicas se misturavam no processo da alforria. E talvez o aspecto mais interessante sobre o processo não é o que os senhores pensavam, mas como os escravos manipulavam a instituição. Estudos do compadrio entre escravos têm demonstrado que os senhores quase nunca serviam como padrinhos ou madrinhas de seus próprios escravos, e que muitos escravos dependiam uns dos outros, e não de seus senhores, para esse e para outros contatos sociais.

Gilberto deu pouca importância às mudanças demográficas ou econômicas e, por isso, algumas de suas ênfases foram mal orientadas. A grande maioria dos escravos no mundo do açúcar, talvez 90%, era de escravos de campo ou de escravos de enxada e foice, e não de escravos domésticos, que têm um lugar de destaque em *Casa-Grande*. A maioria dos escravos era formada por africanos, e não por crioulos ou mulatos, e seu maior contingente era formado por homens, visto que nos engenhos o coeficiente dos trabalhadores era dominado pelo sexo masculino. Mas Gilberto, ao enfatizar a sexualidade doméstica, dirigia seu foco para as minorias, para o pequeno número de criados domésticos, as lavadeiras, mucamas e cozinheiras, mulheres ao invés de homens, mulatas ao invés de africanas. Portanto, os relacionamentos que ele descreve não eram os relacionamentos predominantes entre o feitor e o boçal no canavial, mas antes aquele entre a sinhazinha e a sua mucama, ou o senhor e a sua concubina.

Mas, apesar de todos esses lapsos e omissões, e de tudo que nós atualmente sabemos e que Gilberto não sabia então, *Casa-Grande* continua a ser um ponto decisivo na cultura brasileira devido ao modo como trata os temas da escravidão e da raça. Comecemos com o tema da escravidão.

O centenário da abolição em 1988 marcou um ponto alto na historiografia da escravidão no Brasil e no estrangeiro. As várias comemorações e anticomemorações, a publicação de mais de cem livros sobre a escravidão ou sobre as relações raciais, e os debates estimulados (e estimulantes) realmente marcaram o fim de uma época: o meio século que teve início em 1933, com a publicação de *Casa-Grande & Senzala*, livro que há mais de 60 anos tem lançado sua sombra sobre o tema. Antes, outros autores haviam escrito sobre a escravidão; depois, muitos questionaram as interpretações de Freyre; mas, em sua obra, a escravidão e o negro tornaram-se os assuntos principais, os *leitmotifs* da historiografia brasileira.

Os livros *Casa-Grande & Senzala* e *O mundo que o português criou* (1940), com sua preocupação com a miscigenação, com as adaptações culturais e com o convívio entre senhores e escravos (ou melhor, escravas), e com a sensibilidade do autor aos códigos não falados da vida diária no Brasil, facilitaram uma enorme expansão das idéias de Freyre no mundo acadêmico e na consciência popular. Algo que foi igualmente facilitado pela utilidade política das suas interpretações e da sua louvação da cultura brasileira, como tem ressaltado Carlos Guilherme Mota. As idéias de Gilberto serviram a diversos interesses políticos e sociais.

Lembro-me muito bem da minha primeira visita ao Brasil, em 1966, quando um grupo de meninas de 15 ou 16 anos disse-me que nunca existiu racismo no Brasil, e que Gilberto Freyre tinha provado isso muitos anos antes, apesar de nenhuma delas conhecer pessoalmente um indivíduo "de cor". Durante essa mesma visita, um engenheiro baiano explicou-me que o Brasil atual seria um grande país, não fosse por dois erros históricos: o fim do Império e a abolição da escravidão. A dissonância era chocante. Num Brasil onde o racismo não deveria existir, uma pessoa argumentava contra a abolição.

A interpretação "cultural" de Freyre realmente o colocou como descendente (ou ao menos herdeiro) de uma antiga tradição da antropologia e do folclore, que reunia pensadores como Nina Rodrigues, Artur Ramos, Manoel Querino e outros autores que buscavam nas características culturais e físicas (positivas ou negativas) uma explicação para o Brasil e para seu povo. Assim, a *escravidão* tornou-se uma realidade determinante da história.

Mas desde os anos 30, como já ressaltei, uma outra tendência vinha se desenvolvendo no Brasil: uma corrente de pensadores econômicos, ora orientada por um viés capitalista (Roberto Simonsen), ora pelo marxista (Caio Prado). Esta corrente também colocou o trabalho servil no centro da questão, mas o interesse desses autores não era o impacto cultural da *escravidão*, muito menos a vida dos escravos em si, mas sobretudo a influência negativa do *escravismo* como sistema econômico, no tocante à forma e ao desenvolvimento da economia brasileira. Sem tentar assim caracterizar toda a produção subseqüente, ou integrar, à força, todos os autores nestes moldes, proponho o seguinte esquema:

Vejo o trabalho da escola "paulista" de sociologia (Fernando Henrique, Octavio Ianni, Florestan Fernandes e de certa forma a historiadora Emília Viotti), a síntese de Celso Furtado, o livro de Fernando Novais e a síntese de Jacob Gorender como uma continuação da linha do escravismo — a busca histórica e às vezes teórica de uma explicação para a presente situação econômica do Brasil.

Como estrangeiro, noto uma tendência predominante nas pessoas nascidas ou radicadas no Sul, ou possuindo uma visão sulista (com algumas exceções), para a linha do *escravismo* — enquanto que Freyre, Nina Rodrigues e Tales de Azevedo eram do Nordeste, onde a "cultura africana" encontrava-se muito presente na vida diária. *Casa-Grande* fala muito sobre a cultura africana, mas, para Gilberto, o africano ou o crioulo só importavam na medida de sua influência sobre a sociedade patriarcal. A família escrava não existe no livro; só o papel do negro na vida doméstica e sexual dos senhores.

Essa visão mais cultural transformou-se durante os anos 60 e 70, com a nova escola baiana de Pierre Verger, K. Mattoso, João Reis, Maria Cortes de Oliveira, Maria José Sousa Andrade e outros, para os quais a etnia e a cultura dos escravos desempenham um papel central. No entanto, eu os considero como continuadores da linha de Gilberto — obviamente não pela sua interpretação da natureza da escravidão, mas pela ênfase que dão aos aspectos culturais. Creio que seria um erro de interpretação o fato de pensarmos que qualquer reconhecimento da importância da vida interna e cultural dos escravos serviria como justificativa para desculpar a escravidão. A escola baiana e os novos estudos nessa linhagem descendem de Gilberto, mas não o reproduzem integralmente.

Essas duas tendências, do escravismo e da escravidão, começaram a convergir durante os anos 70, com o reconhecimento de que a economia brasileira não foi resultado apenas da escravidão, e que a própria escravidão foi resultado das condições econômicas mundiais. Aqui podemos pensar na contribuição de vários historiadores cariocas, como Ciro Cardoso, Hebe de Mattos, Manolo

Florentino, João Fragoso, José Roberto Góes e Flávio Santos Gomes. Durante os anos 80 e 90, uma nova geração de historiadores começou a colocar o escravo no centro da história, buscando, nos detalhes da sua vida, uma chave para o passado. Não importa qual seja o tema — sexo, criminalidade, família, escravidão urbana, resistência —, atualmente é raro encontrar um livro sobre o tema que não inclua tanto o contexto econômico amplo quanto a vida dos escravos em si.

Esses estudos, desde os anos 60 até o presente, incorporam também uma outra ótica: aquela referente ao desenvolvimento dos novos enfoques e técnicas da história social. Refiro-me à história quantitativa, à família, à geografia, à cliométrica e às mentalidades; e, sobretudo, ao novo enfoque comparativo. Aqui também a influência de Gilberto é grande.

Desde a publicação do pequeno livro *Escravo e Cidadão* (1946), de Frank Tannenbaum, os estudos sobre a escravidão na América do Norte e no Caribe têm refletido sobre a historiografia brasileira, em alguns casos utilizando um enfoque conscientemente comparativo. Este processo deu início a um diálogo curioso e complicado que iluminou, mas por vezes também deformou, a percepção da escravidão. É difícil apontar como fluíram as influências: Freyre utilizou a obra de Herskovitz, Tannenbaum utilizou a de Freyre, e assim por diante.

Esta primeira leva de estudos comparativos apresentou uma forte tendência a enfatizar diferenças. Freyre, Tannenbaum, Elkins e Klein mostraram um contraste chocante entre o sistema escravista da América protestante e o da América Latina católica, onde a legislação, a Igreja e a mentalidade pré-capitalista teriam suavizado os rigores da escravidão.

Surgiram, então, as contestações de Davis, Boxer, da escola paulista e até do antropólogo Marvin Harris. Eles consideravam a escravidão igual, na prática, na América do Norte e na América do Sul — uma instituição lamentável —, e não tinham paciência com aquelas interpretações. Os debates eram quentes. Harris chegou ao extremo de fazer uma proposta irônica: ofereceu-se para arrumar duas pessoas com motivações distintas para chicotear (castigar) Tannenbaum; em primeiro lugar, alguém que o visse como um ser humano; em segundo, alguém que o visse como uma coisa. Tudo isso para ver se Tannenbaum conseguiria distinguir, na pele, entre as duas motivações. Estes críticos, e não só eles como também alguns outros como, por exemplo, a escola paulista, que criticou a distinção entre lei e realidade no Brasil, saíram-se melhor no debate.

Entretanto, permaneceu a questão: como explicar a diferença entre a presente situação racial no Brasil e nos Estados Unidos? Ainda que a historiografia recente muitas vezes não favoreça a interpretação cultural de Freyre e de Tannenbaum, rejeitando-a em favor de explicações demográficas ou econômicas, o fato é que muitos elementos da obra de Gilberto e de Tannenbaum penetraram em outros estudos comparativos. É bom lembrar, por exemplo, que Eugene Genovese, sempre considerado um historiador marxista, foi aluno de Tannenbaum; e que a sua visão do sul dos EUA como uma sociedade patriarcal deve-se tanto a Freyre quanto a seu orientador. Genovese apresenta uma interpretação de base cultural. O estudo comparativo da escravidão, mesmo quando a comparação é apenas implícita, é a contribuição mais duradoura de Tannenbaum que, na verdade, deve muito a *Casa-Grande*. Considero que a historiografia da escravidão ainda seja escrita implicitamente, por vezes, dialogando com Gilberto.

Além de sua importância para o estudo da escravidão, Gilberto deu uma contribuição ainda maior para a avaliação dos resultados da miscigenação. Contida na violência e na exploração da escravidão (às quais nunca refutou), ele via, na miscigenação entre brancos e negros, o nascimento de um povo novo e vigoroso, e de uma cultura nova e dinâmica. Em contraposição a Capistrano, que havia dito que "...a vida social não existia, porque não havia sociedade", Gilberto via a família patriarcal e a privatização da vida social, mesmo com todos os seus defeitos, como o berço de uma civilização peculiar e de um possível sistema de interação entre culturas e povos.

Foi Gilberto quem convocou o Brasil para celebrar este passado, para apreciar as partes que o compunham, e para voltar-se contra o pessimismo em relação à raça que permeava o seu país. Pouco importava que sua visão "edulcorada" da escravidão no Brasil pudesse ser considerada errônea, a lição que ele ensinava continha uma questão maior sobre a identidade e as potencialidades humanas. Para ele, a tolerância cultural e a miscigenação não eram fenômenos a serem condenados, mas um aspecto da vida brasileira a ser celebrado. Nisto ele foi o grande otimista de sua geração histórica. O risco decorrente de sua visão é o de se acreditar que o potencial para a integração cultural e racial que ele via no passado — e a respeito do qual ele tinha esperanças no presente — tenha se tornado uma realidade efetiva no presente. Todas as estatísticas que nós temos sobre o Brasil atualmente demonstram que isso não é verdade. A cor da pele continua a influenciar as tristes estatísticas da pobreza, do analfabetismo e da desigualdade social. *Casa-Grande* não conseguiu ultrapassar o legado da raça, mas simplesmente imaginou um Brasil no qual cada uma das culturas trazia algo positivo. A história não havia condenado o Brasil a nada. Não, ela havia apenas criado um povo com uma enorme potencialidade de confrontar o desafio da história.

Gostaria de terminar, aqui, com duas obervações sobre Gilberto como historiador. Eu sempre achei notável a maneira como o Brasil procura reivindicar Gilberto como seu gênio natural, uma realidade telúrica (ele teria gostado desta palavra), ao mesmo tempo em que certas disciplinas no Brasil sempre viram Gilberto como um intérprete um pouco embaraçoso. Os historiadores reconhecem o valor de *Casa-Grande* ou de *Ordem e Progresso*, mas não perdem tempo em apontar que o método de pesquisa foi inconsistente e anedótico; que as distinções cronológicas freqüentemente eram deixadas de lado; que os viajantes do século XIX são freqüentemente utilizados para dar suporte às generalizações sobre o século XVI; e que outras violações do cânone histórico são cometidas com freqüência. Mas Gilberto, eles dizem, era, afinal de contas, um antropólogo, não um historiador. Os antropólogos, curiosamente, levantam objeções parecidas. O verdadeiro Gilberto foi treinado como antropólogo, mas ele sempre teve uma inclinação mais forte para a história. Para um campo no qual o estruturalismo foi, durante vários anos, visto como um paradigma dominante, as histórias que estabeleciam as evidências de Gilberto eram consideradas irrelevantes. Havia um livro popular sobre a região amazônica chamado *A tribo que se esconde do homem*. Em muitos aspectos, durante o domínio estruturalista, os antropólogos haviam se tornado *A tribo que se esconde da história*. Um pesquisador com raízes ligadas à história, como Gilberto, parecia ter pouco a contribuir para sua própria disciplina. Comentários similares podem ser feitos a respeito dele como sociólogo, ou como folclorista, ou como contista. Ele nunca efetivamente se encaixou no padrão, ele sempre ficou fora do quadro de referência. Tenho a impressão de que ele apreciava sua capacidade de iludir qualquer classificação.

Finalmente, todos conhecem a experiência norte-americana de Gilberto nos anos 20 e a influência que esta teve na sua vida e no seu trabalho. Deixe-me finalizar com uma palavra sobre o contato pessoal que tive com ele. Em 1965, Gilberto passou um semestre na Universidade de Colúmbia como convidado do Centro para Estudos Latino-Americanos. Ele havia sido convidado pelo historiador Lewis Hanke e por Charles Wagley, um antropólogo que mantinha laços estreitos com o Brasil. Gilberto não dava aulas, mas ele se encontrava à disposição dos alunos para conversar e para dar conselhos. A turma de alunos da época incluía Ralph della Cava, autor de *Milagre em Juazeiro*, o lastimado Peter Eisenberg, que acabou escrevendo sobre o ciclo do açúcar em Pernambuco, Michael Hall, atualmente professor em Campinas, que trabalhou a questão da imigração no Brasil, Joseph Love, autor de livros sobre a República Velha no Rio Grande do Sul e em São Paulo, Kenneth Ericson, que trabalhou a questão do movimento trabalhista no Brasil, Alfred Stepan, estudioso dos militares brasileiros, eu, e outros jovens "brasilianistas". Lembro-me do meu encontro com Gilberto em sua sala. Recordo-me de sua cordialidade e de sua bondade, de seu incrível domínio sobre a bibliografia. Também me lembro do deslumbramento que eu sentia apenas por estar em sua presença. Todos nós, alunos, havíamos lido *Casa-Grande* e havíamos aprendido a criticá-lo, mas isso foi nos anos 60, quando o movimento pelos direitos civis e a luta dos negros americanos estavam nas ruas e em nossas mentes, e nós, como americanos que estudavam o Brasil, estávamos buscando conciliar nossos interesses intelectuais com nossas esperanças sociais. E foi assim que o trabalho de Gilberto Freyre forneceu um ponto de partida para que nós imaginássemos um resultado diferente daquele forjado pelo colonialismo e pela escravidão, um caminho alternativo pelo qual brancos e negros pudessem interagir e viver juntos. Talvez fosse um exagero, talvez a visão dele fosse demasiadamente otimista, talvez ela dependesse demasiadamente da caracterização e das essências, mas naquele momento ela nos deu um ponto de partida de comparação, e nos deu esperança. Gilberto estava errado em relação a muitas coisas; gerações de estudiosos têm mostrado isso repetidamente. Mas ele estava certo a respeito das questões que postulou, tendo apreendido uma realidade essencial sobre seu país. Todos nós, admiradores e detratores, continuamos a viver sob sua sombra. Mesmo que apenas por essa razão, ele merece não apenas ser celebrado, mas estudado, criticado e repensado.

PARTE 2

# GILBERTO FREYRE
# E SÃO PAULO

# CRONOLOGIA DOS CONFLITOS E CONSENSOS

*Edson Nery da Fonseca*

## 1920-1929

• Apresentado em carta de Oliveira Lima a Monteiro Lobato, G.F., então estudante na Universidade de Colúmbia, em Nova York, inicia, em agosto de 1922, sua colaboração na *Revista do Brasil* com o artigo 'A História da Civilização' do Sr. Oliveira Lima".[1]

• De 1923 a 1926 a *Revista do Brasil*, então ainda em sua primeira fase, dirigida por Monteiro Lobato, continua publicando artigos de G.F. e reproduzindo alguns de seus artigos do *Diário de Pernambuco*.[2]

• Em 1926 G.F. viaja pela primeira vez ao Rio de Janeiro e a São Paulo. E anota em seu diário: "Gente com quem me entendo

---

[1] Freyre, Gilberto, "A 'História da Civilização' do Sr. Oliveira Lima". *Revista do Brasil* (São Paulo) n? 80, pp. 363-371, agosto 1922.

[2] Freyre, Gilberto, "Notas a lápis sobre um pintor diferente". *RB* n? 87, pp. 236-238, março 1923; "O livro de [Isaac] Goldberg", *RB* n? 89, pp. 43-49, maio 1923; "Ludum pueris dare", *RB* n? 91, pp. 263-265, julho 1923; "Tendências atuais na literatura americana", *RB* n? 96, pp. 301-306, dezembro 1923; "60", *RB* n? 103, pp. 257-258, julho 1924 (da *série* de artigos numerados publicados pelo *Diário de Pernambuco*); "74", *RB* n? 106, pp. 178-179, outubro 1924 (idem); "Um crítico português" [Fidelino de Figueiredo], *RB* n? 111, pp. 279-282, março 1925; "92", *RB* n? 111, pp. 271-275, março 1925; "Education and the good life" [recensão do livro de Bertrand Russell], *RB* (2ª fase) n? 2, pp. 40-41, setembro 1926.

bem, a paulista, isto é, a paulista velha como os Prado. Ótimo, Paulo Prado. Talvez Oliveira Lima tenha razão: a vir fixar-me no Brasil, eu deveria arranchar-me em São Paulo [...] Cidade feia mas simpática, São Paulo. Talvez se pudesse dizer com exatidão da capital paulista: feia e forte. Como o Recife, metrópole regional. Sente-se que domina uma região e não apenas um estado. Breve dominará o Brasil".[3]

• Em artigo publicado pelo *Diário de Pernambuco* de 21 de outubro de 1926 ele escreve: "E agora, nestes meus dias em São Paulo, em contato atual com a realidade paulista, cada experiência nova, cada observação nova, vem me dizer que tenho estado certo: que o separatismo de São Paulo é uma conversa [...] A verdade é que São Paulo — o São Paulo que eu estou a sentir em vivo contato — é profundamente brasileiro. Brasileiro no seu sentimento. Brasileiro no seu gosto. Brasileiríssimas as preocupações de sua inteligência: sobretudo de sua inteligência jovem".[4]

• Em 1927 G.F. conhece Mário de Andrade no Recife e proporciona-lhe um passeio de lancha pelo rio Capibaribe. Mas anota em seu diário: "Má impressão pessoal de M. de A. Sei que sua obra é das mais importantes que um intelectual já realizou no Brasil. Que entende de música como um técnico e não apenas como um artista intuitivo. Que une muita erudição à intuição poética. Mas me parece artificial e postiço em muita coisa. E sua pessoa é o que acentua: o lado artificioso de sua obra de renovador das artes e das letras no Brasil. Seu modo de falar, de tão artificioso, chega a parecer — sem ser — delicado em excesso. Alguns dos seus gestos também me parecem precários. Mesmo assim, um grande, um enorme homem-orquestra, que está sendo para o Brasil uma espécie de Walt Whitman. Um semi-Walt Whitman".[5]

[3] Freyre, Gilberto, *Tempo morto e outros tempos*. Rio de Janeiro: José Olympio, 1975, p. 192.
[4] Freyre, Gilberto, "São Paulo separatista?". *Diário de Pernambuco*, 21 de outubro de 1926. Artigo reproduzido no livro *Tempo de aprendiz*. São Paulo: IBRASA, 1978, v. II, pp. 339-340.
[5] Freyre, Gilberto, *Tempo morto e outros tempos*, op. cit., p. 207.

• No prefácio à primeira edição de *Casa-Grande & Senzala* (1933) G.F. agradece aos que o auxiliaram no decorrer das pesquisas e no preparo do manuscrito, indicando, entre outras pessoas: "Sérgio Buarque [de Holanda] traduziu-me do alemão quase o trabalho inteiro de [Hermann] Wätjen" e: "Meus agradecimentos a Paulo Prado, que me proporcionou tão interessante excursão pela antiga zona escravocrata que se estende do estado do Rio a São Paulo, hospedando-me depois, ele e Luís Prado, na fazenda de café de São Martinho. Agradeço-lhe também o conselho de regressar de São Paulo ao Rio por mar, em vapor pequeno, parando nos velhos portos coloniais, conselho que lhe costumava dar Capistrano de Abreu. O autor do *Retrato do Brasil*, desconfiado e comodista, nunca pôs em prática, é verdade, o conselho do velho caboclo — talvez antevendo os horrores a que se sujeita, no afã de conhecer trecho tão expressivo da fisionomia brasileira, os ingênuos que se entregam a vapores da marca do *Irati*".[6]

• Ainda no prefácio à primeira edição de *Casa-Grande & Senzala* G. F. escreve em nota n°. 5: "[...]Já depois de escrito este ensaio, apareceu o trabalho de Caio Prado Júnior, *Evolução Política do Brasil (Ensaio de Interpretação Materialista da História Brasileira)*, São Paulo, 1933, com o qual me encontro de acordo em vários pontos. [...]".[7]

• Em 1935 o Centro XI de Agosto convida G.F. para proferir conferência na Faculdade de Direito de São Paulo. Um resumo na conferência aparece na revista *Universidade*, do Diretório Acadêmico da Faculdade de Direito do Recife, com o título "Menos doutrina, mais análise".[8]

---

[6] Freyre, Gilberto, *Casa-Grande & Senzala*. Rio de Janeiro: Maia & Schmidt, 1933, p. XLI.

[7] Freyre, Gilberto, *Casa-Grande & Senzala*, op. cit., p. XLII.

[8] Freyre, Gilberto, "Menos doutrina, mais análise". Conferência reproduzida no livro póstumo *Novas conferências em busca de leitores*. Recife: Fundação de Cultura Cidade do Recife e Imprensa Universitária da UFPE, 1995, pp. 31-33. O texto integral aparecerá no livro póstumo a sair, *Antecipações*.

• Em 1936 publicam-se no Rio de Janeiro os livros de Flávio de Carvalho, *Os ossos do mundo* (Ariel), e de Sérgio Buarque de Holanda, *Raízes do Brasil*, prefaciados por G.F., o segundo como volume 1 da Coleção Documentos Brasileiros, então dirigida por G.F. na Livraria José Olympio Editora.

• Em agosto de 1936 a Companhia Editora Nacional publica, como volume 64 de sua coleção Brasiliana, então dirigida por Fernando de Azevedo, o livro de G.F. *Sobrados e Mucambos*.

*1940-1949*

• O *Correio da Manhã* do Rio de Janeiro publica em 25 de outubro de 1941 o artigo de G.F. "Um grupo novo", elogiando a revista *Clima*, que o reproduz em seu n? 6, de novembro de 1941, páginas 100-101.

• O *Jornal* do Rio de Janeiro publica, em setembro de 1943, o artigo de G.F. "Vinte e cinco anos depois", sobre Monteiro Lobato, reproduzido pela *Revista do Brasil*, 3ª fase, em seu volume 6, n? 55, de setembro de 1943, páginas 136-137.

• A Casa do Estudante do Brasil edita no Rio de Janeiro, em 1943, o livro de G.F. *Problemas Brasileiros de Antropologia*, que inclui o ensaio "A propósito de Paulistas": ensaio no qual, comentando as cartas do médico irlandês radicado em São Paulo Ricardo Gumbleton Daunt, interpreta a antropologia do bandeirante ou do paulista velho "a quem o Brasil deve uma obra de autocolonização que iguala, se não excede, a do colonizador português".

• Convidado pelo Centro Acadêmico XI de Agosto, G.F. profere na Faculdade de Direito de São Paulo, em 22 de junho de 1946, a conferência *Modernidade e modernismo na arte política*, publicada em opúsculo pelo Centro no mesmo ano.[9]

---

9 Freyre, Gilberto, "Modernidade e modernismo na arte política", incluída no livro *6 conferências em busca de um leitor*. Rio de Janeiro: José Olympio, 1965, pp. 3-21.

Oswald de Andrade estava presente e disse a G.F. que deixara de ser comunista depois de ouvi-lo: confissão confirmada em artigo de 23 de novembro de 1946, publicado pelo *Correio da Manhã* do Rio de Janeiro, no qual manifesta seu apoio ao movimento pela candidatura de G.F. ao prêmio Nobel de literatura.[10]

## 1950-1959

• A editora Gallimard publica em 1952 a primeira edição francesa de *Casa-Grande & Senzala* — *Maîtres et Esclaves* — traduzida por Roger Bastide quando professor da Universidade de São Paulo, com a colaboração de sua assistente Maria Isaura Pereira de Queiroz.

• A Livraria José Olympio Editora publica em 1953, como volume 80 de sua Coleção Documentos Brasileiros, o livro de Ernani da Silva Bruno, *História e tradições da cidade de São Paulo*, prefaciado por G.F.

• Em sua edição de janeiro/fevereiro de 1954, a revista francesa *Cuadernos* publica o artigo de G.F. "El IV centenário de São Paulo" (nº 4, pp. 78-82).

• A Livraria Martins Editora publica em 1956 o livro de Luís Martins, *O patriarca e o bacharel*, prefaciado por G.F.

• Convidado pelo Fórum "Roberto Simonsen", G.F. profere na Federação das Indústrias do Estado de São Paulo, em 14 de agosto de 1958, a conferência (editada no mesmo ano pelo Fórum) *Sugestões em torno de uma nova orientação para as relações intranacionais no Brasil*. Em suas palavras iniciais ele disse de São Paulo: ".. cidade que não hesito em chamar de minha cidade de São Paulo pois é aquela, no Brasil, que mais lê os meus pobres livros; aquela cujos moços preocupados com problemas nacionais de

---

[10] Andrade, Oswald, "Por Gilberto", em seu livro *Telefonema*. Rio de Janeiro: Civilização Brasileira, 1974, pp. 140-141 (Obras completas, X).

cultura mais me escrevem cartas; aquela cujos estudantes mais me consideram um companheiro mais velho de estudos".

## 1960-1969

• A Editora Fulgor publica em São Paulo, em 1960, o livro de Tufik Mattar, *Brasil preso político*, prefaciado por G.F.

• Convidado pelo Instituto Hans Staden, G.F. lê na Academia Paulista de Letras, em 27 de outubro de 1961, conferência intitulada "Como e porque sou sociólogo", incluída em seu livro *Como e porque sou e não sou sociólogo*, publicado em 1968 pela Editora Universidade de Brasília.

• G. F. profere no Museu de Arte de São Paulo uma série de conferências reunidas no livro, editado em 1962 pela Livraria Martins Editora, *Arte, ciência e trópico*.[11]

• A Livraria José Olympio Editora publica no Rio de Janeiro, em 1962, a obra coletiva *Gilberto Freyre: sua ciência, sua filosofia, sua arte* com contribuições dos seguintes autores de São Paulo, aqui indicados na ordem alfabética dos sobrenomes: Aroldo de Azevedo, Fernando de Azevedo, Antonio Candido, J. Cruz Costa, Luís Roberto Salinas Fortes, Wilson Martins, Henrique E. Mindlin e Miguel Reale.

• A Livraria José Olympio Editora publica no Rio de Janeiro, em 1965, o livro de G. F. *6 conferências em busca de um leitor,* com prefácio de Gilberto de Mello Kujawski intitulado "Gilberto Freyre e o humanismo hispânico".

• A Companhia Antarctica Paulista publica em 1966 o álbum *Antarctica ontem, hoje e sempre*, apresentado por G.F.

• A Editora Cultrix publica em São Paulo, em 1967, o álbum *Lula Cardoso Ayres apresentado por Gilberto Freyre*.

---

[11] Freyre, Gilberto, *Arte, ciência e trópico*. São Paulo: Martins, 1962. 2ª ed. São Paulo: Difel, 1980.

• Aparece no Rio de Janeiro, em agosto de 1969, o número especial da revista *Rumo*, comemorativo do 40º aniversário da Casa do Estudante do Brasil, com o artigo de G.F., "José Bonifácio, estudante no Brasil".

• Aparece em São Paulo um número da revista *Convivium* com o artigo de G.F., "Em torno do possível futuro de uma constante cultura: a hispânica" (v. 12, nº 5, pp. 343-354, setembro/outubro 1969).

## 1970-1979

• Aparece em São Paulo, impresso pelas Artes Gráficas Bradesco, em 1971, o livro de Noêmia Mourão, *Arte plumária e máscaras de dança dos índios brasileiros*, prefaciado por G.F.

• G.F. lê no Instituto Joaquim Nabuco de Pesquisas Sociais, em 14 de junho de 1972, a conferência *A propósito de José Bonifácio*, publicada no mesmo ano pelo IJNPS.

• A Livraria Pioneira Editora publica em São Paulo, em 1974, a obra coletiva organizada por José Vicente Freitas Marcondes, *Contribuição paulista à Tropicologia*, que reúne trabalhos apresentados ao Seminário de Tropicologia por autores de São Paulo.

• G.F. lê no Clube Atlético Paulistano, em 10 de outubro de 1975, a conferência, publicada no mesmo ano pelo Clube, *O Brasil como nação hispano-tropical: suas constantes e suas projeções transnacionais*.

• Aparece no Rio de Janeiro, publicado pela Nova Fronteira em 1976, o livro de Yolanda Penteado, *Tudo em cor-de-rosa*, prefaciado por G.F.

• O *Boletim do Conselho Federal de Cultura* publica o artigo de G.F. "Importância de Flávio de Carvalho" (v. 3, nº 10, pp. 36-38, abril/junho 1973.

• A revista paulista *Exame* publica o artigo de G.F., "O Pudor do Lucro" (nº 70, pp. 226-228, junho 1973)

• A editora Ática publica em São Paulo, em 1977, o livro de Carlos Guilherme Mota, *Ideologia da cultura brasileira (1933-1974)*, contendo restrições ideológicas à obra de G.F.

• Aparece em São Paulo, impresso pela Cia. Brasileira de Impressão e Propaganda e pela Cia. Lithographica Ypiranga, em 1979, o livro de Jorge Boaventura, *Ocidente traído*, prefaciado por G.F.

• Aparece em São Paulo, editado pela Ibrasa, o livro de Ilie Gilbert, *Conviviologia*, prefaciado por G.F.

• A revista *Ciência e Cultura* da SBPC publica o artigo de G.F., "Um PhD nada típico", sobre o antropólogo pernambucano Roberto Mota (v. 30, n? 11, pp. 1.315-1.316, novembro 1978.

## 1980-1989

• A revista *Ciência e Cultura* da SBPC publica o artigo de G.F., "Em torno do atual Phdeísmo: algumas reflexões talvez oportunas" (v. 32, n? 3, pp. 307-314, março 1980).

• A revista *Ciência & Trópico* da Fundação Joaquim Nabuco publica o artigo de G.F., "Monteiro Lobato revisitado" (v. 9, n? 2, pp. 155-167, 1981.

• Convidado pelo Conselho da Comunidade Portuguesa do Estado de São Paulo, G.F. lê no Clube Atlético Paulistano, em 8 de junho de 1984 — Dia de Portugal — a conferência, editada no mesmo ano pelo referido Conselho, *Camões: vocação de antropólogo moderno?*

• Em 1986 a professora Elide Rugai Bastos defende, na Pontifícia Universidade Católica de São Paulo, a tese de doutorado *Gilberto Freyre e a formação da sociedade brasileira*, tendo como orientador o professor Octavio Ianni.

• Publicam-se em São Paulo, em 1986, dois livros de Pietro Maria Bardi prefaciados por G.F.: *Ex-votos de Mário Cravo* (Áries Editora) e *40 anos de MASP* (Crefisul).

• A revista *Ciência e Cultura* da SBPC publica o necrológio de G.F. intitulado "Um homem no meio de um século: Gilberto Freyre, 1900-1987", texto solicitado a Edson Nery da Fonseca por Maria Isaura Pereira de Queiroz (v. 39, n? 9, pp. 801-806, setembro 1987).

## 1990-2000

• A revista *Novos Estudos CEBRAP* publica longo artigo de Luiz Antonio de Castro Santos contra G.F., intitulado "O espírito da aldeia" (n? 27, julho de 1990), recusando-se a publicar a resposta enviada por Edson Nery da Fonseca, que a fez aparecer na revista *Ciência & Trópico* (v. 20, n? 2, julho/dezembro 1990).

• No centenário do nascimento de G.F. a revista *Novos Estudos CEBRAP* publica a matéria "Leituras de Gilberto Freyre", com apresentação de Ricardo Benzaquen de Araújo e reprodução dos prefácios de Fernand Braudel (à edição italiana de *Casa-Grande & Senzala*), Lucien Febvre (à edição francesa), António Sérgio (a *O mundo que o português criou*) e Frank Tannenbaum (à edição norte-americana de *Sobrados e Mucambos*) (n? 56, pp. 9-42, março 2000)

• A edição de 12 de março de 2000 do caderno *Mais!* número 422 da *Folha de S. Paulo* é dedicada ao tema "Céu & inferno de Gilberto Freyre", com apresentação de Mário César Carvalho, entrevista de Fernando Henrique Cardoso e artigos de Evaldo Cabral de Mello, Peter Burke, Roberto Ventura, Elide Rugai Bastos, Hermano Vianna, Omar Ribeiro Thomaz, Enrique Larreta, José Mario Pereira e Gilberto Vasconcellos.

• Por iniciativa do Colégio Brasil e com a participação especial da Academia Brasileira de Letras, a Fundação Roberto Marinho, aliada à UniverCidade, ao Instituto de Estudos Avançados da USP, ao jornal *Folha de S. Paulo* e à Secretaria de Cultura de Pernambuco, registra o centenário do nascimento de G.F. com o seminário *Gilberto Freyre, patrimônio brasileiro*, realizado em 14 e 15 de agosto de 2000 no Rio de Janeiro (ABL e UniverCidade) e em São Paulo em 16 e 17 de agosto de 2000 (*Folha de S. Paulo* e USP).

# A LUTA PELO TRONO:
## GILBERTO FREYRE *VERSUS* USP*

*Joaquim Falcão*

## 1. *O problema*

As relações entre Gilberto Freyre e os professores de sociologia e ciência política da USP foram e são ainda de competição. Não se trata, porém, como à primeira vista parece ser, de competição menor, fruto de paixões políticas ou de temperamentos fortes, embora muitas vezes assim tenha sido. Nem muito menos competição de conseqüências restritas aos competidores. Ao contrário, estas relações afetaram, como afetam ainda, todo o Brasil. Fazem parte da competição maior, permanente e inerente a qualquer cultura e a qualquer nação. Desta competição, Gilberto participou. Sua obra travou luta digna, como trava ainda, com as obras dos intelectuais de formação, influência e militância marxista.

Quem teria formulado a única e verdadeira interpretação da formação social do Brasil? Quem foi capaz de nos dizer o que somos? Quem melhor apreendeu nosso significado estruturador? Nosso "ethos"? Disputa-se, logo se percebe, o trono de intérprete do Brasil. Sem esta interpretação, dificilmente podemos entender nosso passado e construir o futuro. As relações entre Gilberto e a USP se estabeleceram e podem ser entendidas como disputa teórica sobre esta questão fundamental — quem somos nós?, sobre

---

*Agradeço a Bruno Magrani que participou da pesquisa e correção do texto.

nossa própria identidade enquanto nação. O que não é pouco. A importância é grande, logo se vê. Não há pois que diminuí-la.

A começar pelo próprio Gilberto, que não deixava de reconhecer a importância de seus competidores: "O marxismo chamado científico e, por alguns dos seus apologistas, identificado com a sociologia científica ou com a história objetiva...é atualmente representado com inteligência e brilho, no Brasil, no campo dos estudos sociológicos, pelos professores Caio Prado Jr., Gláucio Veiga e Florestan Fernandes; e pelo discípulo do professor Fernandes — porventura mais lúcido do que o mestre — Fernando Henrique Cardoso, e com menor inteligência e maior ânimo faccioso pelos professores Octavio Ianni e Nelson Werneck Sodré".[1] Estão todos aí, com inteligência e brilho, os competidores paulistas principais: Caio Prado Jr., Florestan Fernandes, Octavio Ianni e Fernando Henrique. Falta apenas Antonio Candido. Foi com eles, algumas vezes mais do que contra eles, a batalha maior.

Quem começou a competição foi, involuntariamente, o próprio Gilberto ao escrever *Casa-Grande & Senzala*. Digo involuntariamente de propósito. Não acredito que, ao escrever seu principal livro, Gilberto tenha se dado como problema: ser ou não marxista, concordar ou não com a interpretação do materialismo histórico sobre a formação social do Brasil. O que começara a ser pauta indispensável para qualquer pensador social. Gilberto não tinha a intenção de se posicionar sobre a centralidade das lutas de classe para explicar o Brasil. Esta preocupação inexistiu nele, ainda que sua trilogia tratasse também de dominação e de classes sociais. Não há evidência histórica documentada, nem Gilberto era humilde o suficiente para se filiar a qualquer corrente de pensamento, para depender teoricamente de quem quer que fosse. Ao contrário, declarava-se escritor, buscando se fosse preciso a áspera independência: "Tende o escritor a ser por vezes asperamente individual para ser independente. Mas precisa por outro lado de não se

---

[1] Freyre, Gilberto, *Como e porque sou e não sou sociólogo*, ed. Universidade de Brasília, Brasília, l968, p. 32.

fazer, precisa de não se desenvolver adstrito a uma classe ou a uma raça ou a um sistema ideológico fechado exclusivo".[2]

O fato é que, em 1933, tudo coincidentemente começou. Ao mesmo tempo em que surge *Casa-Grande*, surge também a primeira grande interpretação marxista sobre a formação social do Brasil: *Evolução política do Brasil*, de Caio Prado Jr. (bacharel em direito e livre docente pela USP), seguida oito anos mais tarde pela *Formação do Brasil contemporâneo*. Pela importância deste duplo aparecimento, disse Antonio Candido sobre Caio Prado: "Em 1933 a minha geração havia sofrido o primeiro impacto da sua influência pelo livro *Evolução política do Brasil*, que abriu a fase dos estudos marxistas na visão panorâmica do país". Disse também sobre Gilberto: "Esse foi o Gilberto Freyre de nossa mocidade, cujo grande livro (*Casa-Grande & Senzala*) sacudiu uma geração inteira, provocando nela um deslumbramento como deve ter havido poucos na história mental do Brasil".[3] O jogo, que ainda não era luta, começara. A partir de 1933, na trajetória de nossas ciências sociais, vão se opor permanentemente a visão panorâmica de fundo marxista e a visão gilbertiana, uma redescoberta do Brasil, como a denominava Álvaro Lins.

Não se trata pois, como muitos procuram limitar, de disputa pessoal ou regionalista, de interpretação nordestina *versus* interpretação paulista. O que ocorreu algumas vezes, como conseqüência, mais do que causa. Antes, tratou-se de saudável competição teórica, balizada pelos padrões de uma nova ciência social — a sociologia científica ou a história objetiva — como reconhecia Gilberto, que os competidores, cada um a seu modo, procuravam forjar.

Mais tarde — sobretudo a partir de 1964 — a competição teórica se agravou diante de posições político-partidárias diametralmente opostas. A interpretação de cada um sobre o Brasil se confunde com a militância política dos próprios autores. Esta, ao se impor àquela, a circunstancializa, diminui o significado e reduz

2 Freyre, Gilberto, *Como e porque sou e não sou sociólogo*, ed. Universidade de Brasília, Brasília, 1968, p. 165.
3 Candido, Antonio, *Recortes*, ed. Companhia das Letras, São Paulo, 1993, p. 82.

sua influência. Confere a ambas destino importante, mas menor. Faces da mesma moeda: a radicalização da política. Enfatiza-se divergências. Obscurece-se convergências. A animosidade partidária, às vezes de vida e morte, forjou teorias sociais irreconciliáveis. Contaminaram-se. Reduziu-se momentaneamente a importância da competição para a história das idéias no Brasil. A trajetória ficou poluída. Até hoje. Até quando? É preciso reencontrar esta importância.

O fato é que Gilberto, quase sozinho, egocêntrico que era (para muitos, e para ele próprio, com razão...), munido com a trilogia *Casa-Grande & Senzala, Sobrados e Mucambos* e *Ordem e Progresso*, competiu com os mais importantes professores e pesquisadores da escola sociológica paulista, basicamente a sociologia crítica de formação ou influência marxista. Munidos de obras também fundamentais como *Evolução política do Brasil, Formação econômica, Revolução burguesa*, e tantas outras.

Quem afinal ganhou? Quem foi para o trono? Quem formulou a verdadeira, única e exclusiva interpretação do Brasil sobre o Brasil? Quem nos disse por definitivo quem somos nós? Deste problema, tratamos neste texto.

## 2. As regras da competição

O epicentro de tudo foi o ano de 1933. Naquele momento, o Brasil começava a produzir e institucionalizar um novo saber social, enquanto conhecimento de si mesmo. Desde a década de 20, surgiam novas faculdades, novos institutos, e novos profissionais: os sociólogos, os antropólogos, os cientistas sociais enfim. A missão não era somente formar profissionais, era também possibilitar uma explicação sobre a formação social do Brasil, que fosse objetiva e científica. E não apenas metafísica e subjetiva como antes fizeram sobretudo as faculdades de direito e seus bacharéis. Agora, a sociologia voltava-se contra o direito. Os sociólogos, arautos da modernidade, contra os bacharéis, sócios do passado. Na Faculdade de Direito da USP, Gilberto Freyre pregava: "Mais análise e menos doutrina".[4] No Recife os estudantes de direito revidavam, chamando-o de meteco. A disputa era por explicar o Brasil, os juristas cediam o terreno. A Faculdade de Direito do Recife, que antes produzira Tobias Barreto, Sílvio Romero, Clóvis Bevilácqua, está "tão pobre de grandes professores, tão vazia de estudantes verdadeiramente estudantes, tão estéril de produção intelectual, tão decadente em tudo, que o palácio atual, todo cheio de dourado, se assemelha aos olhos dos pessimistas a um caixão de morto glorioso".[5]

Quem somos nós? O que nos iguala e o que nos distingue de outros países, de outras formações sociais? Somos iguais aos europeus? Ou os trópicos nos fizeram diferentes, como advogava Gilberto? Havia um vácuo epistemológico. Responder a estas perguntas era a missão maior, institucional e profissional. A ambição de todos.

No entanto, para que a nova explicação, ou, como se dizia, a nova interpretação ou a visão panorâmica, do Brasil sobre o Brasil, assim se merecesse, teria de preencher alguns pré-requisitos. Quem quisesse competir teria que respeitá-los. Teria, por exemplo, de passar no teste espacial: formular uma interpretação que fosse válida para todo o território brasileiro, e não apenas para uma região, ou uma comunidade. Não poderia ser fragmentada e setorial. Não mais estudos regionais. A ambição agora é nacional.

Teria também de passar no teste temporal, isto é, ser permanentemente válida: de 1500 até os dias de então, os dias de hoje e os dias de amanhã também. Não poderia ser transitória ou conjuntural. Pois a ciência, acreditava-se atemporal. Não mais apenas as datadas querelas do Brasil Colonial ou do Brasil Império. A ambição agora é também trans-histórica.

Finalmente, teria de abranger a diversidade das classes sociais, das raças e das culturas formativas de nosso país. Não

---

4 Falcão, Joaquim, "Mais análise e menos doutrina", *Folha de S. Paulo* — Caderno Folhetim, 24 de agosto de l987, p. B10.
5 In Fonseca, Edson Nery da, *Gilberto Freyre e o Recife dos anos 30 e 40*, ed. Academia Brasileira de Letras, p. 41.

mais apenas a unilateral história de nossa elite branca, católica e européia. Era preciso ampliar socialmente o Brasil, reduzido pelo elitismo interpretativo da maioria dos bacharéis. Ser inclusivo. A ambição agora é transocial também.

Em suma, a interpretação que o Brasil queria do Brasil teria de obedecer a no mínimo três pré-requisitos básicos: ter ambição espacial, explicar todo o Brasil; ter ambição temporal, explicá-lo permanentemente; e ter ambição social, explicá-lo sem exclusões de classes.

Tripla ambição, muita ambição, regras preliminares a moldar o novo jogo da criação intelectual e científica. Gilberto e a USP concordavam com elas, nisto estavam unidos. A partir daí, porém, divergiam e competiam. Pois, sabemos todos, é impossível competir sem primeiro estabelecer regras e objetivos comuns. O acordo prévio viabiliza o desacordo posterior. Sendo o trono o objetivo comum. O trono onde se encontram o desempenho profissional e o poder das idéias coroando a vida dos competidores. O indicador definitivo do sucesso maior: a influência intelectual capaz de explicar o passado e moldar o futuro. O que mais pode um intelectual desejar para si e para seu país? Quem produziria o conhecimento irrefutável, de tal modo abrangente e permanente, acima dos subjetivismos, capaz de revelar para sempre a natureza de nossa formação social? Quem seria o Imperador das Idéias sobre o Brasil?

Sobre o conteúdo do trono, o poder das idéias, a capacidade de influenciar o país, diria Octavio Ianni: "...a sociologia se estrutura como uma forma de pensar a realidade social, a sociedade vista no presente e em perspectiva histórica. O saber racional, científico, é mobilizado, em escala crescente, dentro e fora da universidade, nas esferas do poder econômico e político, nos partidos políticos, movimentos sociais e outros círculos, para fundamentar "decisões de significação vital para a coletividades", ou setores dela".[6] Eis aí o poder maior: fundamentar decisões de significação vital para as coletividades. Pensar o Brasil, para fazer o Brasil.

---

6 Ianni, Octavio, *Sociologia da Sociologia*, Editora Ática, 3ª ed., São Paulo, 1989, p. 89.

Na medida em que este novo saber social se opunha ao saber produzido pelas faculdades de direito, havia outra importante regra a ser respeitada, talvez a regra de ouro do conhecimento científico de então. Que regra foi essa?

Para sociólogos, antropólogos, historiadores e mais tarde cientistas políticos, o teste da realidade tornara-se indispensável. O compromisso com o real, com o socialmente concreto, era uma reação à visão excessivamente idealizadora, metafísica ou formal do Brasil, que então prevalecia. Fruto com certeza da influência do juridicismo de fundo jusnaturalista, e portanto católico, dos bacharéis. O positivismo, que então começava a prevalecer, exigia a confirmação científica das teorias. Procurava-se, pesquisava-se o que estava posto, positivado, e não o que era idealizado. As ciências sociais se aproximavam dos padrões metodologicamente mais rigorosos das ciências exatas. O real se opunha ao ideal. O verificável se impunha ao invisível, mesmo ao invisível divino. O concreto, ao abstrato. O objetivo, ao subjetivo. A razão, à emoção. A história, ao romance. A ciência, à ideologia.

Daí a quase obsessão de Gilberto por toda a evidência concreta, inventando, recolhendo, ou melhor, identificando novas fontes de pesquisa, dos anúncios de jornais, as cartas, receitas de comida, vestuário, diários íntimos e testamentos. Daí, por exemplo, o interesse de Caio Prado Jr. pela geografia, que Antonio Candido no sugestivo título "A força do concreto" descrevia: "... partiu do substrato físico... para chegar ao universo das instituições. Ao universo das instituições que moldaram nossa formação social".[7] Caminhos diferentes da mesma tendência metodológica: menos Platão e mais Aristóteles.

Sobre este período, e sobre ambos, Gilberto e Caio, diria Florestan Fernandes: "A análise histórico-sociológica da sociedade brasileira se transforma em investigação positiva. Este acontecimento marca, no plano intelectual, a primeira transição importante, no desenvolvimento da sociologia no Brasil, para padrões

---

[7] D'Incao, Maria Angela (organizadora), *História e Ideal — Ensaios sobre Caio Prado Jr.*, ed. Braziliense / Unesp, São Paulo, 1989, p. 23.

de interpretação propriamente científicos. O processo se inicia com as obras de F. J. Oliveira Vianna... Mas só se torna completo nas contribuições de Gilberto Freyre, considerado por muitos como o primeiro especialista brasileiro com formação científica, e de Caio Prado Jr.".[8]

O compromisso empírico-científico era com dados quase que exclusivamente físicos, como se o social, agora verificável, pudesse ser tocado e apalpado, visto com as mãos. A conseqüência decisiva do novo método era nítida: só uma interpretação seria verdadeira, a outra seria falsa. Pois a realidade social, postulava-se, é somente uma. Donde, só uma interpretação da formação social do Brasil sobreviveria. Só um seria o Imperador das Idéias: aquele cuja interpretação fosse verificada pela comprovação metodológica. O resto não era ciência. A condição número um é a implantação da ciência no Brasil, defendia Florestan.[9]

O resto era ideologia. Ou doutrina, como diziam antigamente os bacharéis. Aliás, doutrina, como o nome diz, é a opinião dos doutos, opinião de sujeitos doutos. A nova ciência dispensava o sujeito, era quase só objeto. O materialismo histórico enquanto método dispensava o autor. O método assegurava a neutralidade. O resto era quase literatura, como os paulistas de quando em vez acusavam Gilberto. Carlos Guilherme Mota, professor da USP, chega mesmo a comparar as reflexões de *Casa-Grande* com as do romance italiano *O Leopardo*, de Lampedusa. "Não estariam situados no mesmo eixo?", pergunta.[10] *O Leopardo* e *Casa-Grande* entretêm, mas não explicam.

Eis aí, sucintamente, as regras da competição. Uma mesma pauta: produzir uma explicação nacional, trans-histórica e transsocial do Brasil. Uma mesma regra de validade: passar na comprovação científica, fonte de toda racionalidade e verdade. O que

---

[8] Fernandes, Florestan in Octavio Ianni, *Sociologia da Sociologia*, Editora Ática, 3ª ed., São Paulo, p. 90.
[9] Mota, Carlos Guilherme, *Ideologia da cultura brasileira 1933-1974*, ed. Ática, São Paulo, 1977, p. 187.
[10] Mota, Carlos Guilherme, *Ideologia da cultura brasileira 1933-1974*, ed. Ática, São Paulo, 1977, p. 63.

não era fácil. Para muitos era impossível. Como lembra Florestan, "o sociólogo não possui um laboratório. Por isso ele enfrenta muitas dificuldades que não existem (ou aparecem com intensidade desprezível) nas ciências nas quais é possível pôr em prática a investigação experimental. A maior dessas dificuldades surge de um fato simples: o sociólogo elabora as normas e os critérios experimentais do saber científico, mas ele não dispõe dos meios e das faculdades experimentais de descoberta e de verificação da verdades".[11]

Como fazer então? Como verificar a verdade sem os meios experimentais? Como combater o adversário, provando que a verdade estava de seu lado, e não do outro? A tarefa não era fácil. Os competidores enfrentavam graves, e talvez insuperáveis, dificuldades. Para suplantá-las, uma das táticas utilizadas foi fundamental. É preciso focalizá-la. Ela nos permite entrever a natureza, os limites, os erros e os acertos, a evolução enfim desta luta pelo trono. Vejamos.

## 3. A construção do adversário

A tática comum era a seguinte: combater o adversário era ao mesmo tempo construir o adversário. Era indispensável definir-lhe os contornos, os conceitos e preconceitos, e sobretudo filiá-lo aos paradigmas teóricos preexistentes, como estava em plena moda: ou dialético ou sistêmico, ou estruturalista ou funcionalista, ou marxista ou weberiano, e por aí íamos dicotomicamente. Era preciso fornecer-lhe um documento de identidade teórica. Ou seja, os professores da USP para combater Gilberto tinham antes de ler, e dizer o que Gilberto disse, ou seja, interpretar Gilberto. Vinculá-lo a um paradigma. Só então se poderia combatê-lo. Ao fazê-lo, paradoxalmente, combatia-se sua própria interpretação! E vice-versa. Gilberto tinha que precisar o cerne do

---

[11] Fernandes, Florestan, *A sociologia no Brasil*, ed. Vozes, Petrópolis, 1977, p. 179.

pensamento marxista da USP, ao ler, interpretar seus competidores, para só então, e depois, deles discordar. Em suma, os competidores não eram dados, eram construídos, durante a própria competição, pelo adversário.

Assim, ler e descrever o outro era ao mesmo tempo interpretá-lo. A tarefa era dupla: ao atirar, construir o alvo. O que por si só causava grande confusão, imensa polêmica. Como saber se a interpretação de um sobre o outro era descrição fiel? Como separar descrever de interpretar? A leitura produzida era assepticamente a descrição do outro, ou a contaminada interpretação contra o outro? Este é o problema fundamental das ciências sem laboratório. Roberto Mangabeira Unger, anos mais tarde, enfrentando o mesmo problema em outra área, a política, vai defender o método da interpretação descritiva.

Delinear a corrente marxista, enquadrar teoricamente os paulistas era tarefa aparentemente fácil. Eles próprios se autodescobriam marxistas, orgulhavam-se da filiação ao materialismo histórico, maneira de participar da vanguarda intelectual de origem européia. Diria Florestan: "...deixei explícita a minha própria via, endossando o materialismo histórico...".[12] Diria Antonio Candido em nome de todos: "Ao evocar esses impactos intelectuais sobre os moços entre 1933 e 1942, talvez eu esteja focalizando de modo restritivo os que adotavam posições de esquerda, como eu próprio: comunistas e socialistas coerentemente militantes ou participando apenas pelas idéias".[13] Sobre Caio Prado Jr., diria Heitor Ferreira Lima "Esta a origem, estas as atividades e este o perfil de Caio Prado Jr.: ainda um Prado, mas de postura ideológica e política diferente da de seus antepassados — uma postura atualizada, fundada no marxismo como método e na sociedade sem classes como objetivo".[14]

---

[12] Fernandes, Florestan, *A sociologia no Brasil*, ed. Vozes, Petrópolis, 1977, p. 181.

[13] Candido, Antonio, "O significado de *Raízes do Brasil*", prefácio a *Raízes do Brasil* de Sérgio Buarque de Holanda, Rio de Janeiro, Livraria José Olympio Editora, 1971, p. XIII.

[14] D'Incao, Maria Angela (organizadora), *História e Ideal — Ensaios sobre Caio Prado Jr.*, ed. Brasiliense / Unesp, São Paulo, 1989, p. 21.

Já enquadrar teoricamente Gilberto Freyre era árdua tarefa. Como e onde classificar a sua redescoberta do Brasil? Como e onde classificar um autor que se autodefinia não como marxista, nem como anti-marxista, mas simplesmente como pós-marxista? Para confundir mais ainda, alguns críticos, como Nilo Odália, achavam justamente o contrário. O próprio Gilberto teria adotado uma perspectiva marxista em *Casa-Grande*, por exemplo, no capítulo sobre os negros. E pior, negava-se weberiano: "Não admito ter sido influenciado senão indiretamente pela teoria de Max Weber, na minha concepção da história da formação social brasileira...".[15]

Como classificar um autor que não se cansava de revelar suas influências, sobretudo norte-americanas e européias, mas ao mesmo tempo pretendia não ter sido por elas delimitado? Pretendia ter ido mais além. Um autor que se confessava anárquico, um tanto personalista, um tanto impuro, um tanto contraditório, um tanto desordenado. Um competidor sem paradigma e ao mesmo tempo sem profissão definida. Quando tentavam enquadrá-lo como sociólogo ou antropólogo, ou mesmo historiador social, ele se reivindicava apenas escritor. Pretendia-se gênero, e não espécie.

Enquanto indivíduo, por exemplo, tanto quanto intelectual, quanto mais contraditória e paradoxal era sua personalidade, mais realizado parecia estar. A ponto de, sendo heterossexual, revelar-se em experiência homossexual. Além de ser provinciano, se dizia e era cosmopolita. Adepto da rotina, tanto quanto da aventura. Defensor da tradição mas adorando antecipações. Um pensador que se definia como acatólico e inacadêmico. Regionalista e internacional. Capaz de defender com igual ímpeto convergências e divergências. Um autor que se dizia e se orgulhava de ser, até o fim, incompleto como anotara em seu livro *Tempo morto e outros tempos*. "Se depender de mim, nunca ficarei plenamente maduro nem nas idéias nem no estilo, mas sempre verde, incompleto, experimental."

---

[15] Freyre, Gilberto, *Como e porque sou e não sou sociólogo*, ed. Universidade de Brasília, Brasília, 1968, p. 146.

Dizia-se de si mesmo, com bonomia: "Não sei definir-me. Sei que sou muito consciente de si próprio. Mas esse eu não é um só. Esse eu é um conjunto de eus. Uns que se harmonizam, outros que se contradizem. Por exemplo, eu sou numas coisas muito conservador, e noutras muito revolucionário. Eu sou um sensual e sou um místico. Eu sou um indivíduo muito voltado para o passado, muito interessado no presente, e muito preocupado com o futuro. Não sei qual dessas preocupações é a maior... Sou sedentário, e ao mesmo tempo nômade. Gosto da rotina e gosto da aventura. Gosto de meus chinelos e gosto de viajar. Meu nome é Gilberto Freyre".[16]

Por tudo isto, a primeira tarefa paulista — enquadrar Gilberto Freyre num paradigma teórico preexistente — construir o adversário, indispensável para refutar suas teses e vencê-lo, era quase impossível. Ou se concordava com as ambigüidades, contradições e incompletudes defendidas a ferro e fogo pelo próprio Gilberto, construindo-o como alvo movente, e aí o ataque era difícil. Havia sempre a possibilidade de uma inesperada posição nova. Ou se fixava formalmente o adversário, com dose talvez excessiva de escolhas arbitrárias, selecionando-o, recortando-o. Neste caso, o adversário podia sempre questionar a arbitrariedade ideológica das seleções. Parodiando, questionava-se o corte epistemológico. Para Gilberto, o Gilberto da USP não era ele. Era apenas um preconceito paulista.

Carlos Guilherme Mota muito bem explicita as dificuldades para enquadrar a obra de Gilberto num paradigma teórico politicamente pré-definido: "Freyre desenvolveu uma série de mecanismos e artifícios para não ser facilmente localizável. Em certo sentido coloca-se como sociólogo; em outro sentido não. É um liberal, mas critica os liberais (o liberal não resolve nada porque foge das soluções); e também um "revolucionário", porém, um revolucionário conservador. Freqüentes vezes diz fazer uma quase ciência. Quando sua localização começa a ser feita, no terreno das linha-

---

[16] In Quintas, Fátima, *Tristes Trópicos ou Alegres Trópicos? O lusotropicalismo em Gilberto Freyre*, ed. Ciência e Trópico, Recife, v. 28, n. 1, 2000, pp. 21-44.

gens antropológicas, transforma-se em simples escritor. Antonio Candido, aliás, já chegou a apontar o sentido profundamente dialético na sua teima de se considerar escritor: uma dialética, vale complementar, que serve apenas para indefinir, mais do que para definir suas reais coordenadas. Que esconde esta postura?"[17]

Não importam as dificuldades, para a história das idéias sociais: naquele momento era indispensável construir o adversário, fixar determinada leitura da obra, com duplo objetivo. Primeiro, ser aceita como representativa do pensamento de Gilberto. Gozar de razoável aceitação na comunidade dos cientistas sociais. Segundo, ser capaz de vinculá-la, como já anotamos, a um paradigma científico e, na sua ausência, a uma ideologia política preexistente. De preferência, a ambos.

Tarefa de isenção quase impossível. O leitor selecionador era o cientista competidor. Juiz e jogador ao mesmo tempo. O resultado da leitura não estaria definido aprioristicamente, ou pelo menos fortemente influenciado, pelos interesses competitivos de leitor? De Florestan sobre Gilberto? E de Gilberto sobre Florestan? O fato porém é que, para a história das idéias sociais no Brasil, diante da competição que a molda, Gilberto Freyre foi a leitura que a USP fazia de Gilberto Freyre. E vice-versa.

Não raramente, Gilberto exagerava na dependência teórica marxista dos seus competidores. Como se fossem importadores, muito mais do que criadores de teorias sociais. O que não quer dizer que tenham sido necessariamente leituras falsas e deturpadas. Nem uma, nem outra. Mas foram com certeza metodologicamente contaminadas pelas táticas e estratégias, ênfases, nuances, relevâncias e obscurecimentos, devido ao lugar que cada um ocupava na disputa pelo trono.

Não é difícil, pois, perceber as dificuldades desta nova sociologia, ciência sem laboratório, em atingir o ideal da objetividade. *Casa-Grande & Senzala*, por exemplo, comporta milhares de leituras possíveis e plausíveis. Como qualquer obra, aliás. Sobretudo

---

[17] Mota, Carlos Guilherme, *Ideologia da cultura brasileira 1933-1974*, ed. Ática, São Paulo, 1977, p. 64.

se a reconhecemos como obra altamente complexa, incompleta e contraditória que é, e sempre quis ser. "Mas não haverá nos livros incompletos, nos escritores incompletos, nas criações inacabadas, um encontro, um mistério, uma provocação que falta às obras completas, às criações de todo realizadas, aos escritores que de sugestivos passam triunfalmente a exaustivos?", dizia Gilberto.[18] A partir daí o desafio é identificar os fatores que contaminam o leitor e moldam a leitura. São inúmeros, são contaminações de ordem pessoal e institucional também.

Fernando Henrique, já presidente da República, disse certa feita que a então oposição a Freyre deveria ser entendida em perspectiva à pretensão da USP de criar uma universidade onde não se produzisse ideologia. Se assim foi, é fácil entender. A percepção teórica que os paulistas tinham de Gilberto era influenciada por uma sincera, saudável e legítima pretensão institucional uspiana. Uma pretensão que o próprio Gilberto já reconhecera: produzir sociologia científica ou história objetiva. Mas, por mais legítima e sincera que fosse, a conseqüência principal sem a qual não haveria sobrevivência institucional era óbvia: a USP produz ciência. A ciência sou eu! Quem de mim discorda produz ideologia, como o mestre de Apipucos. Esta leitura, ou como cautelosamente coloca Fernando Henrique, esta percepção fruto de uma pretensão, ou classificou *Casa-Grande & Senzala* como um olhar benevolente no modo de tratar os escravos.

A leitura da USP porém não era nem é a única leitura possível. Longe disto. Hermano Vianna e milhares de outros leitores, ao lerem *Casa-Grande* questionam, discordam mesmo, desta benevolência: "Como dizer que *Casa-Grande & Senzala* criou uma imagem idílica da sociedade brasileira se, logo no prefácio de sua primeira edição, aprendemos que os senhores mandavam "queimar vivas, em fornalhas de engenho, escravas prenhes, as crianças estourando ao calor das chamas", ou ouvimos a história de um senhor que, na tentativa de dar longevidade às paredes de sua

---

[18] Freyre, Gilberto, *Retalhos de jornais velhos*, ed. José Olympio, 1964, Rio de Janeiro, pp. 107-109.

casa-grande, "mandou matar dois escravos e enterrá-los nos alicerces? Que país é esse? Que paraíso tropical é esse?".[19] De nenhum modo a leitura da benevolência feita pela USP, em nome da ciência, foi exclusiva e permanente. Ao contrário, com o correr dos tempos irá sendo revista e nuanceada, como hoje.

Por mais que a USP e Gilberto se filiassem ao positivismo científico, ainda que em correntes antagônicas, ambos eram incapazes de aferir, comprovar ou refutar, empiricamente, a totalidade da verdade ou das falsidades do adversário. Por mais que se pretendessem e fossem influenciadas pela metodologia das ciências ditas exatas, as interpretações sobre o Brasil não cabiam dentro de uma sociologia científica. Inexistiam métodos, padrões, evidência comum, meios experimentais, como diria Florestan, que permitissem a um derrotar o outro. O rico debate acadêmico que se travava era inconclusivo. Ambas as posições eram positivamente irrefutáveis. A luta pelo trono limitava-se muitas vezes a escaramuças fragmentadas, capazes de causar danos setoriais, mas não irreversíveis. Nada mais. Os paulistas chamavam Gilberto de ensaísta, e não de cientista. Pesquisador regional e não nacional, idealizador e não explicador da formação social brasileira. No fundo, ser científico para o materialismo histórico era crer na centralidade da luta de classes como a categoria explicativa exclusiva e fundamental. Gilberto no entanto olhava para o Brasil, via a vida íntima dos dominantes e dos dominados e ali não encontrava apenas luta. Encontrando-a, não reconhecia sua centralidade. Não concordava com este dogma.

Para todos, o risco era o debate se transformar em debate de bacharéis, sobre o invisível, sobre uma realidade social não verificável. Para evitá-lo era necessário terminá-lo, encerrar a competição, ter um vencedor. Mas como? De que maneira?

---

19 Vianna, Hermano, "Equilíbrio de Antagonismos", *Folha de S. Paulo*, Caderno Mais, 12 de março de 2000, pp. 20 a 22.

## 4. A infrutífera busca do árbitro imparcial

Gilberto e a USP partiram então em busca de um árbitro impessoal capaz de dizer o final, e coroar o Imperador das Idéias. Foram buscar o árbitro- autoridade, o que em retórica se denomina de o "argumento de autoridade", de terceiros, estranhos aos competidores, a quem reconheciam legitimidade. Argumentos que acatamos menos pelo que é dito e mais por quem o diz. No fundo, troca-se a verificação da verdade pela legitimidade do árbitro. A aceitação do resultado está muito mais na crença na autoridade do que no conteúdo da sentença. A aceitação é mais um ato de fé política do que uma evidência experimental.

A luta teórica se desenvolve então como uma incessante busca de adesões político-científicas. Todos saem à procura de uma autoridade decisora, por caminhos diferentes. Mas, assim como não houvera consenso sobre a interpretação do Brasil, nem sobre o conceito de ciência, não vai haver também sobre quem seria a autoridade, o árbitro imparcial. O resultado é óbvio: Gilberto e a USP elegeram cada um sua própria autoridade, árbitros diferentes. Quais?

Gilberto estava sob dois ataques cerrados. A USP o estigmatizava como racionalizador da política colonial portuguesa e o desqualificava como cientista social, tratando-o como um romanceador, o Lampedusa da realidade brasileira. Para se defender, elege dois árbitros. Um, permanente, que lhe acompanhará a vida toda, desde a publicação de *Casa-Grande*: o reconhecimento científico internacional. Outro, já no fim da vida, naquele momento o mais reconditamente preferido: os próprios intelectuais marxistas.

Mil vezes invocava, por exemplo, o reconhecimento norte-americano e sobretudo europeu, como árbitro capaz de coroá-lo Imperador das Idéias. Ali sim, no além-mar, a leitura era isenta. Europa e Estados Unidos não eram como São Paulo, onde interesses pessoais e institucionais contaminavam qualquer leitura. Lá estavam as autoridades desinteressadas, pois, estando fora da competição, eram juízes, e não jogadores. Gilberto não se cansa de citar e de apregoar depoimentos estrangeiros sobre a excelência, a inovação, a objetividade e cientificidade de sua obra. Reconhecimento que começava por sua própria formação sócio-antropológica com os líderes da nova profissão como Franz Boas. Centenas de intelectuais, filósofos e cientistas sociais estrangeiros se sucedem no tempo. Atestam a originalidade e cientificidade de sua obra. Sua metodologia, ou, como gostava de dizer, sua transmetodologia inovadora para apreender a vida privada dos cidadãos será mundialmente utilizada. A lista é quase interminável. Intelectuais de várias profissões, de várias nacionalidades, e de várias correntes ideológicas. Nomes como Ortega y Gasset, Frank Tannenbaum, Lucien Febvre, Roland Barthes, Jean Duvignaud, Fernand Braudel, Alfonso Reyes, Roger Bastide, e muitos outros.

Ao encontrar no estrangeiro o que lhe negavam no sul do país, a personalidade auto-centrada de Gilberto é aprisionada por um insistente auto-elogio. A ponto do ferino crítico Agripino Grieco afirmar que era desnecessário os críticos elogiarem Gilberto Freyre. Por simples razão: o próprio Gilberto já o fazia suficientemente! No fundo, porém, independentemente das conotações narcisísticas que esta atitude sugere, ela foi basicamente uma tática de sobrevivência na disputa pelo trono.

Mesmo com apoio de dois ex-fundadores da sociologia e história uspianas — Roger Bastide e Fernand Braudel — o reconhecimento internacional não foi suficiente para convencer os paulistas da USP. Carlos Guilherme Mota por exemplo cunhou duas explicações para tanto reconhecimento, no fundo explicações desqualificadoras. Uma, explicação sociológica: quando a República Velha perdeu o poder, Gilberto, membro deste estamento, teria perdido o apoio que o legitimava. Precisou obter outros. Outra, explicação psicológica: tudo não passaria de volúpia e exasperação, sintoma de crise...[20] Assim, os títulos de doutor *honoris causa* em importantes universidades estrangeiras eram apenas símbolos feudais internacionais; Fernand Braudel, ao afirmar que Gilberto era, de todos os ensaístas, o mais lúcido, o fez

---

[20] Mota, Carlos Guilherme, *Ideologia da cultura brasileira 1933-1974*, ed. Ática, São Paulo, 1977, p. 64.

por que estaria ofuscado pelo próprio Gilberto; já Roland Barthes o teria elogiado por que antes fora integrado e diluído também por Gilberto. O ataque paulista ao reconhecimento internacional de *Casa-Grande & Senzala* é sutil. Não nega a autoridade de Braudel, de Barthes, da Universidade de Munster, os prêmios Príncipe de Astúrias, ou o de Aspen e tantos outros. Mas não entra no mérito do reconhecimento. Desqualifica seu significado.

No final de sua vida, nos anos setenta, sem abandonar a compulsiva busca do apoio dos cientistas e universidades estrangeiros, outro árbitro recôndito, eleito por Gilberto, vai aparecendo. Trata-se paradoxalmente dos próprios intelectuais de matriz marxista. Trata-se de seus próprios competidores: o aplauso do inimigo. Aliás, Gilberto já recebera, no passado, reconhecimentos não contabilizados pela USP, de importantes líderes comunistas brasileiros. Talvez por advir de não cientistas, como Jorge Amado e Astrogildo Pereira, não fora suficiente.

No correr dos anos, Gilberto estimula, divulga e se delicia quando, aqui e acolá, nas hostes adversárias, surge a preciosa adesão. Sendo a maior de todas, a do maior dos antropólogos brasileiros, de insofismável matriz marxista: Darcy Ribeiro. Este crucial competidor se transformou no árbitro mais desejado quando sentenciou: "Abro este ensaio com tão grandes palavras porque, muito a contragosto, tenho que entrar no cordão dos louvadores. Gilberto Freyre escreveu, de fato, a obra mais importante da cultura brasileira. Com efeito, *Casa-Grande & Senzala* é o maior livro dos brasileiros e o mais brasileiro dos ensaios que escrevemos".[21] E por aí vai. O que mais poderia desejar o antropólogo Gilberto Freyre? Um aliado decisivo contra a USP. Sintomaticamente Darcy não era paulista, e escreveu o ensaio para uma edição de *Casa-Grande* no estrangeiro.

Ainda em vida, na década de oitenta, Gilberto tentou o apoio de Fernando Henrique. Não conseguiu. Na verdade, suas relações com Fernando Henrique foram marcadas por distantes

---

[21] Ribeiro, Darcy, *Gentidades*, Ed. L&PM Pocket, vol. 44, São Paulo, 1997, p. 8.

desencontros. A história da luta pelo trono talvez tivesse sido outra se Gilberto tivesse aceito os insistentes convites de Florestan Fernandes. Foram pelo menos três, para participar da banca de defesa de tese de Fernando Henrique. "Agora o principal objetivo desta carta: os dois primeiros doutoramentos da Cadeira de Sociologia I, a realizar-se em breve, de candidatos que trabalharam sob minha orientação, devem ocorrer dentro deste semestre. Os candidatos são seus conhecidos e admiradores: Fernando Henrique Cardoso e Octavio Ianni. Os trabalhos versam assunto de sua principal área de estudos — a sociedade senhorial brasileira, só que agora vista do ângulo das relações entre senhor e escravo no sul do Brasil (Porto Alegre e Curitiba). Queríamos prestar-lhe uma homenagem, que constitui ao mesmo tempo uma honra para nós, pedindo-lhe para participar da banca examinadora. Poderia fazer um sacrifício e aceitar esse encargo?".[22] A família de Gilberto insistiu para que ele aceitasse, fosse a São Paulo, entrasse na USP. Teria encontrado Caio Prado Jr., Florestan e Fernando Henrique juntos. O que poderia ter mudado a história desta luta. Gilberto negou-se. Até hoje nem sua família, nem ninguém, sabe da razão da recusa. Anos mais tarde, final da década de setenta, Gilberto convidou, insistiu mesmo para que Fernando Henrique fosse a sua casa, participasse como conferencista de seu Seminário de Tropicologia na Fundação Joaquim Nabuco, em Apipucos. O tema fora proposto pelo próprio Gilberto: o tema seria ele mesmo! Fernando Henrique desculpou-se. Não foi.

A USP, por sua vez, também buscava um árbitro imparcial, capaz de confirmar sua leitura de Gilberto Freyre como racionalizador da colonização portuguesa, filho da República Velha, defensor da oligarquia canavieira, romanceador mais do que cientista, intérprete regional e não cientista nacional. Em vez de árbitros estrangeiros, elegeu, porém, a comunidade dos jovens e criativos novos cientistas sociais brasileiros. Que, aliás, ela mesmo, a USP, com sua liderança institucional, a excelência de seus

---

22 Carta de Florestan Fernandes a Gilberto Freyre em 7 de abril de 1961.

professores e pesquisadores, muito influenciava, ajudava a moldar e formar. Novos cientistas espalhados por todo o Brasil. O árbitro imparcial eram ex-alunos e pesquisadores de matriz marxista espalhados país afora.

Uma das táticas destes árbitros foi ignorar em seus cursos acadêmicos *Casa-Grande & Senzala*, sob o argumento de que se tratava de ideologia e não sociologia. Quando incluído nos cursos de sociologia, *Casa-Grande* era exemplo a não seguir. O que é compreensível. Não se ensina o adversário, defensor da colonização lusitana. Inclusive na própria Universidade Federal de Pernambuco. Isto nos anos 60 em diante. A USP, a bem da verdade, nas décadas de 30 e 40 reconhecera *Casa-Grande* como obra fundamental das ciências sociais brasileiras. Agora não mais. Aliás, não só o meio acadêmico, mas a esquerda em geral impôs a Gilberto o silêncio. Carlos Guilherme Mota lembra que Nelson Rodrigues dizia: "Querem assassiná-lo pelo silêncio. A festiva não deixa ninguém falar sobre o grande mestre. A esquerda festiva nos jornais exila Freyre".[23]

A USP negava a Gilberto, às vezes com excessiva veemência, o título de Imperador. Os argumentos eram múltiplos. Florestan, por exemplo, depois de ter reconhecido o compromisso empírico de Gilberto, o desqualifica. Numa comparação claramente competitiva com Caio Prado Jr., diz: "Não se trata de história metafísica, de uma tentativa de explorar a intuição. Ele (Caio Prado Jr.) não repete Gilberto Freyre, que também forra seus trabalhos de documentação empírica. Mas essa documentação pode ser posta em questão, em qualquer momento, sob critérios de pesquisas mais exigentes. Eu mesmo fui levado a pôr em questão a documentação de Gilberto Freyre, a cada assunto que estudei na trajetória de meu trabalho intelectual. Já isso é impossível com Caio".[24] Gilberto seria falsamente empírico.

---

[23] Mota, Carlos Guilherme, *Ideologia da cultura brasileira 1933-1974*, ed. Ática, São Paulo, 1977, p. 72.
[24] D'Incao, Maria Angela (organizadora), *História e Ideal — Ensaios sobre Caio Prado Jr.*, ed. Brasiliense / Unesp, São Paulo, 1989, p. 31.

O mesmo Florestan reduz a ambição transocial e trans-histórica de Gilberto quando diz: "... é forçoso reconhecer que os conhecimentos obtidos são unilaterais (pensamos principalmente nas contribuições mais significativas de Oliveira Vianna, Gilberto Freyre, Nestor Duarte e Fernando Azevedo) e essa unilateralidade nasce da redução do macrocosmo social inerente à ordem estamental e de castas ao microcosmo social inerente à plantação ou ao engenho e a fazenda".[25] Gilberto falhara também no teste da interpretação nacional e transocial.

A pretensão de Gilberto, claro, era outra. Ia muito além. Ultrapassava as fronteiras da própria história social brasileira: "Veio-me então a idéia de escrever um trabalho que abrisse novas perspectivas à compreensão e à interpretação do homem através de uma análise do passado e do ethos da gente brasileira".[26] Note-se: a pretensão é dupla: a compreensão do homem em geral, e do ethos brasileiro, em específico. E não apenas o ethos do período da escravidão. De propósito, fazia questão de enfatizar que a sua era a teoria social brasileira, como se a da USP, sendo marxista, fosse apenas uma teoria social européia transplantada.

Mesmo assim, a maioria de cientistas sociais brasileiros da nova geração quando não desqualificava Gilberto como ideólogo do pensamento conservador, filho da República Velha, como escreveu Carlos Guilherme Mota, um dos mais brilhantes e influentes ex-alunos de Florestan, retirava-o dos cursos, e o isolava em Apipucos. Reconhecendo-lhe, no máximo, relevância regional. *Casa-Grande* explicava o Nordeste, mas não o Brasil. Gilberto, é óbvio, sempre que podia, reagia dizendo que *Casa-Grande & Senzala* expressava o complexo mais característico da formação patriarcal e escravocrata do Brasil: do Brasil inteiro e não apenas de um dos Brasis, seja do Nordeste ou não.[27]

---

25 Fernandes, Florestan in Octavio Ianni, *Sociologia da Sociologia*, Editora Ática, 3ª ed., São Paulo, p. 102.

25 Freyre, Gilberto, *Como e porque sou e não sou sociólogo*, ed. Universidade de Brasília, Brasília, l968, p. 126.

27 Freyre, Gilberto, *Como e porque sou e não sou sociólogo*, ed. Universidade de Brasília, Brasília, l968, pp. 115 a 147.

A busca por um árbitro imparcial encontrou dois. Um para cada competidor. A USP, legitimando sua leitura de Gilberto Freyre a partir do apoio majoritário, pelo menos nos anos 60 e 70, da maioria dos cientistas sociais, praticando uma sociologia crítica cada vez mais denunciadora das desigualdades sociais, jurídicas e políticas. Gilberto, sem seguidores de peso, como bem observou Luiz Felipe Baeta Neves, legitimava-se a si próprio através do apoio internacional e de um incipiente, mas sempre crescente, reconhecimento de cientistas sociais líderes, de matriz marxista, brasileiros não paulistas. Inexistindo o árbitro imparcial comum, capaz de colocar um fim, a competição cresceu, se reproduziu, cristalizou-se e chegou até nós. A luta continuou sem fim. O trono sem imperador.

As duas tentativas de decidir a luta fracassaram. Por um lado, inexistia um conceito de ciência e uma metodologia científica que, tendo o acordo dos contendores, atuasse como um *tercius* imparcial a refutar ou confirmar a veracidade das concorrentes interpretações sobre a formação social do Brasil. Elegesse a interpretação científica vencedora. A outra, ideológica, perdedora. Por outro lado, a busca de um árbitro legitimado como autoridade comum, capaz de emitir uma sentença, sob a forma retórica do argumento de autoridade, fracassara também. Cada um escolheu árbitros diferentes. O reconhecimento internacional *versus* os jovens cientistas sociais brasileiros. Não houve consenso. A luta continuou. E pior, um outro caminho, a terceira tentativa, para desempatar os competidores, em vez de terminar, tornou tudo mais grave. Que caminho foi este?

## 5. A luta se agrava, ou a chave do enigma

A saída foi vincular a eventual validade científica da obra às características pessoais dos autores. Aquela seria produto destas. Conhecê-las seria fundamental. Explicitando esta vinculação, dizia Florestan sobre Caio Prado: "Em primeiro lugar, gostaria de salientar que nós, intelectuais, quase sempre estudamos a obra.

Nas biografias sondamos um pouco a pessoa, mas com a idéia de chegar à obra. No entanto o intelectual é um produtor. Todo ser humano é um produtor. Produtor de várias coisas e até reprodutor. Quando se pensa em Caio Prado Júnior, como em qualquer outro intelectual de grandeza criativa, inventiva, é muito importante chegar à pessoa, aquele que produziu a obra. É ali que está a chave do enigma".[28] Eis aí o novo caminho: o autor era a chave do enigma. Enigma que podia ser decifrado de várias maneiras: vinculando a obra à personalidade do autor, a sua classe social de origem, e, sobretudo a sua militância política.

O egocentrismo e a personalidade mediática de Gilberto tornou-o presa fácil de todo tipo de ataque. Antonio Candido, vinculando a obra à personalidade dizia, sobre o que ele entendia ser a sociologia cultural de Gilberto: "Veja você o nosso mestre Gilberto Freyre — a que ponto está levando o seu culturalismo. Suas últimas obras descambam para o mais lamentável sentimentalismo social e histórico; para o conservadorismo e o tradicionalismo...O mesmo movimento que o leva a gostar das goiabadas da tia e dos babados de prima Fulana o leva gostosamente a uma democracia patriarcal em que...".[29] *Casa-Grande & Senzala* não seria uma interpretação do Brasil, mas uma autobiografia.

Mas é sobretudo a vinculação da obra à classe social de origem do autor e a sua militância política que agrava a luta. Gilberto pertencia à aristocracia rural, agrícola e nordestina. Os intelectuais paulistas pertenciam à classe média urbana, industrial e sulista. O suficiente para estarem em posições sociais praticamente irreconciliáveis, para os que acreditavam na centralidade da luta de classes. Para a leitura da USP, a classe social de origem de Gilberto era decisiva.

Paradoxalmente, quando se tratava dos próprios marxistas paulistas, a classe social não era decisiva. Sobre Caio Prado Jr., da

---

28 D'Incao, Maria Angela ( organizadora ), *História e Ideal — Ensaios sobre Caio Prado Jr.*, ed. Braziliense / Unesp, São Paulo, l989, p. 27.
29 Candido, Antonio in Carlos Guilherme Mota, *Ideologia da cultura brasileira, 1933-1974*, ed. Ática, São Paulo, p. 130.

melhor elite industrial de São Paulo, relata Florestan: "A primeira vez que fui à casa de Caio Prado Jr. pensava que iria encontrar ali um ambiente luxuoso, requintado, de ostentação. Nada disso! Encontrei um traço ameno, acolhedor e um almoço bem feito e gostoso, mas sóbrio. O vinho branco Conchales era, então, muito barato. Servido gelado, foi um complemento perfeito para o almoço. Gostei daquela naturalidade, mas minha primeira reação foi de decepção. Em seguida, percebi quão importante era aquilo tudo. Uma vida simples, moderada, espartana ornava o caráter de quem não precisava de exterioridades para se impor. Ele não recorria ao nível de vida e ao prestígio da classe, pois já tinha renegado a classe".[30]

Este trecho é extremamente curioso. Permite várias inferências. O imaginário da classe média sobre uma elite condenada inevitavelmente à ostentação, por exemplo, frusta Florestan. Permite também conclusão irrefutável: a classe social de Caio Prado não é necessariamente uma explicação definitiva para a natureza de sua obra. Quando o autor renega sua classe, a vinculação obra-classe social perde força explicativa? Ficamos sem resposta. Como explicar este renegar? De onde veio? O que o provoca? O que faz uns aristocratas renegarem, e outros não?

(Imaginemos como Gilberto Freyre teria hipoteticamente recebido Florestan. O Senhor de Mello Freyre, como os jovens cientistas sociais de classe média gostavam de chamá-lo, o teria recebido no solar senhorial de Apipucos, nos dedos o anel de ouro brasonado ou o anel de safira, de doutor *honoris causa* da Universidade de Coimbra. A sala de jantar é de jacarandás e de famosos painéis de azulejos portugueses, seculares, trazidos de Portugal, por excepcional gentileza do governo salazarista. Nada de Esparta em Apipucos. Muitos doces, bolos e açúcares. Mas, em vez de vinho espanhol, Gilberto teria oferecido licor de pitanga. Licor, não! Isto qualquer freira sabe fazer. Ele, Gilberto, serviria uma espécie de "conhaque" de pitanga, receita própria e exclusiva. Conhaque de valor econômico menor do que o Conchales).

---

[30] D'Incao, Maria Angela (organizadora), *História e Ideal — Ensaios sobre Caio Prado Jr.*, ed. Brasiliense / Unesp, São Paulo, 1989, p. 39.

Aliás, a bem da verdade, em 1961 Florestan foi a Recife a convite de Gilberto. Voltando a São Paulo, enviou-lhe uma carta, dizendo: "Ainda estou sob a impressão extremamente agradável e fascinante que me deixou o nosso encontro em Recife. Não tenho palavras para agradecer a generosa hospitalidade que me dispensou e a grata oportunidade de um entendimento franco, em profundidade, consigo e com seus colaboradores."[31]

O golpe militar de 64, para os paulistas, ou a Revolução de 64 para Gilberto, agravou definitivamente a luta pelo trono. Tornou os concorrentes irreconciliáveis, não concordavam nem na denominação do mesmo fato histórico: golpe ou revolução? A militância política, mais do que a personalidade ou a origem de classe, passou a ser a exclusiva categoria explicativa das obras. Dizia Octavio Ianni: " Os sociólogos precisam assumir conscientemente as responsabilidades que lhes cabem no curso dos processos socioculturais que organizam o aproveitamento dos dados e descobertas das ciências sociais pela sociedade. Cabe não esquecer que o próprio cientista social reproduz a imagem da sociedade em que vive. Daí as responsabilidades científicas e políticas estarem todo o tempo mescladas no processo de conhecimento".[32] A nova regra do jogo estava posta: a responsabilidade política era também uma responsabilidade científica. Naquele momento, aquela determinava esta.

Concordando com Carlos Nelson Coutinho, diria Octavio Ianni: "Antes de mais nada, surgem entre nós manifestações explícitas da ideologia prussiana, que — em nome de uma visão abertamente elitista e autoritária — defendem a exclusão das classes populares de qualquer participação ativa nas grandes decisões nacionais." E completa: "Esse é um sentido básico do pensamento de Oliveira Vianna, Francisco Campos, Gilberto Freyre, Miguel Reale...".[33] O pensamento de Gilberto tal como concretizado em sua obra seria uma ideologia de exclusão social. Nada mais.

---

[31] Carta de Florestan Fernandes a Gilberto Freyre em 7 de abril de 1961. Ver Anexos, p. 230.

[32] Ianni, Octavio, *Sociologia da Sociologia*, editora Ática, 3ª ed., São Paulo, p. 111.

[33] Ianni, Octavio, *Sociologia da Sociologia*, editora Ática, 3ª ed., São Paulo, p. 82.

Em l964, como que dando razão a Coutinho e Ianni, Gilberto, que teria defendido a oligarquia canavieira em seu livro, defendia agora, em sua ação política, o autoritarismo militar. Às claras. Na grande demonstração cívica de mais de 200 mil pessoas, organizada no Recife, no dia 9 de abril de l964, pela Cruzada Democrática Feminina, presidida por d. Maria Clara de Mello Mota e que marcou o regozijo de Pernambuco e do Nordeste com a vitória do movimento revolucionário iniciado em 31 de março pelas Forças Militares do Brasil em harmonia com as aspirações cívicas dos brasileiros, Gilberto não hesita em pronunciar um inflamado discurso. Depois de afirmar que "brasileiro nenhum, verdadeiramente brasileiro, pernambucano nenhum, verdadeiramente pernambucano, admite que sobre sua pátria desça aquela noite terrível em que só brilham, num céu tornado inferno, estrelas sinistramente vermelhas", vem o ataque frontal: "Aqui estamos, unidos, para dizer basta ao comunismo colonizador; ao imperialismo comunista; a todos os mistificadores da mocidade; a todos os corruptores da cultura universitária; a todos os traidores do Brasil..."[34]

A luta pelo trono foi guerra aberta. O combate ao comunismo de estrelas sinistramente vermelhas exigia o combate ao marxismo, contra o materialismo histórico, contra os professores e pesquisadores que ensinavam Marx, onde eles estivessem, inclusive nas universidades. As interpretações sobre o Brasil tornaram-se inconvivíveis. Seus autores também. Em São Paulo, Caio Prado, Florestan Fernandes, Antonio Candido, Octavio Ianni, Fernando Henrique e dezenas de outros professores da USP são perseguidos, cassados, presos, demitidos e aposentados compulsoriamente da universidade, exilados. Não por terem conspirado ou entrado em luta armada. Mas pelo legítimo e legal exercício de sua liberdade de cátedra, de seu exercício profissional. Perseguidos por suas idéias, suas interpretações sobre o Brasil. E, no entanto, a constituição de 46 assegurava a liberdade de pensamento e de cátedra. Praticavam a legalidade.

---

[34] "O Recife e a Revolução de 1964", folheto, impresso em Mousinhos Artefatos de Papel Limitada, Pernambuco, s.d., p. 11.

Gilberto, e aqui outro dissenso, acusava os intelectuais de matriz marxista de usar a liberdade liberal constitucional para pregar, comunisticamente, a supressão da própria democracia. Já professores paulistas e os jovens cientistas sociais acusavam Gilberto de, aliado, usar o militarismo, o autoritarismo para suprir a própria liberdade liberal. Não se entendiam. Gilberto recusava cargos executivos no governo, mas escrevia planos para a Arena.

Cuba foi outro estimulador da cisão. Enquanto Gilberto atacava a ditadura de Fidel Castro o quanto podia, Florestan afirmava na *Folha de S. Paulo*: "Cuba vive, no presente, o nosso futuro de outra maneira. A revolução cubana, desta perspectiva, desvenda o futuro da América Latina".[35] Antonio Candido afirmava depois de uma exultante visita a Havana: " A conclusão a respeito é que Cuba realizou um máximo de igualdade e justiça com um mínimo de sacrifício da liberdade".[36]

"O senhor concorda com a aposentadoria compulsória do sociólogo Florestan Fernandes que hoje leciona no Canadá?", perguntava em 1972 a revista *Veja*, a Gilberto Freyre. "Essa pergunta é muito difícil de ser respondida. O intelectual não deve ser um privilegiado. Eu mesmo fui preso três vezes durante a ditadura de Vargas. Minha casa foi literalmente saqueada em 1930. Se o intelectual tentou atingir o regime e se isso ficar provado, como não sei se é o caso de Florestan Fernandes, nada mais justo que houvesse uma reação de defesa".[37]

Em 1977, o jornal *O Globo* relata: "Ao comentar as críticas feitas pelo sociólogo Gilberto Freyre aos que chamou de sociólogos arcaico-marxistas, o professor Florestan Fernandes disse ontem que não existe sequer democracia para brancos poderosos, imagine-se para negros e mulatos. E acrescentou: — Ficaria muito alarmado se ele me elogiasse ou elogiasse o trabalho que se faz em São Paulo; quando ele nos critica nos homenageia".[38]

---

[35] Fernandes, Florestan in Octavio Ianni, *Sociologia da Sociologia*, Editora Ática, 3ª ed., São Paulo, p. 118.

[36] Candido, Antonio, *Recortes*, ed. Companhia das Letras, São Paulo, 1993, p. 153.

[37] Revista *Veja*, 21 de junho de 1972, São Paulo, p. 46.

[38] Jornal *O Globo*, 29 de outubro de 1977.

A luta fora profunda, inclusive dentro da USP. Florestan fora aposentado pelo próprio ex-reitor da USP, então ministro da Educação, Gama e Silva. Cindiu o Recife também: a Universidade Federal de Pernambuco de um lado, a Fundação Joaquim Nabuco, comandada por Gilberto, de outro. E, se antes Gilberto era acusado de ter escrito a história da dominação da oligarquia canavieira no Brasil, e não, como pretendera, uma história da formação social do Brasil, agora tudo se confirmava. Pregava a democracia autoritária. Era o ideólogo da dominação: da oligarquia colonial aos militares golpistas antidemocráticos de agora. A militância ideológica do presente explicava suas teses anti-científicas do passado. Pura ideologia.

As conseqüências da revolução ou golpe de 64 para a escolha do Imperador das Idéias no Brasil foram graves. Inviabilizou, por exemplo, qualquer debate mais isento que ajudasse a forjar uma trajetória acumulativa sobre as interpretações de nossa formação social. Instaurou-se processo destrutivo, autofágico, marcado por acusações pessoais e radical militância política. No fundo, desaparecem com as obras. Só existiam os autores, ou melhor, o 'político' que havia dentro de cada autor. A racionalidade era a militância. *Casa-Grande* era a explicação-defesa da dominação das elites. Já *A revolução burguesa* era a explicação-estímulo à revolução estalinista. E por aí íamos. Ou melhor, não íamos.

Antes, a luta pelo trono caminhara através do debate, do diálogo, áspero muitas vezes. Agora era um mútuo atacar e desconhecer. Eram raivas conspiradoras e silenciosas. Nesta época, Gilberto é banido dos cursos de sociologia de muitas universidades brasileiras. A imprensa esquerdista lhe impõe o silêncio. Mesmo tendo sempre recusado qualquer maior cargo público, era acusado de colocar seu pensamento à disposição de pretensões pessoais de ser ministro da Educação, embaixador do Brasil ou governador de Pernambuco como lembra Carlos Garcia. Toda ação provocava reação igual e contrária. A trajetória da história das idéias no Brasil estava temporariamente bloqueada.

A inviabilização do debate exigia recortes político-epistemológicos na biografia de cada um. No caso de Gilberto, pouco contava o fato de ter sido preso, casa saqueada, vítima de atentado, acusado de marxista pela ditadura de Getúlio Vargas, líder que fora da Esquerda Democrática. Só contava seu apoio ostensivo aos militares. O apoio que revelara o significado ideológico recôndito de sua obra.

A tática do recorte político-ideológico do concorrente pode-se perceber neste trecho de Antonio Candido, já não tão radical. Elegantemente faz a seguinte avaliação de Gilberto depois de morto: "O Gilberto que desejo lembrar no momento de sua morte é o que vai de 1933, publicação de *Casa-Grande & Senzala*, até 1945, quando foi eleito, pela Esquerda Democrática, deputado da Assembléia Nacional Constituinte".[39] "De fato, para minha geração, ele funcionou nos anos de 1930 e 1940 como um mestre da radicalidade. O que nos fascinava era a maneira extremamente liberta com que desmontou a concepção solene da história social, falando com saboroso desafogo de sexo, relações de família, alimentação, roupa".[40] Ou seja, antes as goiabadas da tia atestavam o culturalismo conservador. Hoje até a alimentação pode ser exemplo de radicalidade, metodologicamente libertadora, capaz de desmontar a concepção solene de história oficial.

Gilberto fazia um culturalismo conservador; os professores da USP, uma sociologia crítica. Estes se interessavam por estudar a luta de classes, a revolução burguesa. Aquele a dominação oligárquica colonial. Gilberto focava nas elites e na exclusão social. Aqueles nos trabalhadores e na inclusão. Gilberto teria reduzido o Brasil a uma civilização moldada pela convergência cultural, pela democracia racial, e pela ênfase na família patriarcal como unidade estruturadora da sociedade. Caio, Florestan e seus seguidores teriam reduzido o Brasil ao conflito econômico, ao racismo, e optado pelas antagônicas classes sociais como unidades estruturadoras de nossa sociedade. Gilberto a eleger a miscigenação

---

[39] Candido, Antonio, *Recortes*, ed. Companhia das Letras, São Paulo, 1993, p. 82.
[40] Candido, Antonio, *Recortes*, ed. Companhia das Letras, São Paulo, 1993, p. 82.

racial como um elemento fundador do ethos brasileiro. Os paulistas, ao contrário, a enfatizar a escravidão escolhem outro ethos: a dominação econômica do negro e do índio pelo branco europeu. O capital contra o trabalho. Eduardo Portella tudo sintetizou: os marxistas a se preocuparem com as relações de produção e Gilberto com a produção das relações.

Isto para não falar das diferenças metodológicas. Gilberto a acusar o marxismo de, por ser europeu, sociologicamente condicionado, ser apenas uma teoria incapaz de captar as especificidades de uma civilização tropical. Nem as classes sociais de lá, tivemos cá! A USP a acusar a micro e a transmetodologia de Gilberto de ser adequada apenas ao que hoje se chama de história da vida quotidiana, instrumento de imaginação literária sem maior rigor ou valor empírico. Gilberto seria um emocional. Florestan, um aplicador de categorias européias. A dialética de Gilberto segundo Miguel Reale era de complementaridade, ou segundo Antonio Candido de integração. Já a dos marxistas era de eliminação. Todos perdem. Ninguém fica de pé.

O resultado da radical politização é óbvio: é o impasse teórico. Um é cego do outro. A luta não tem fim. Mutuamente se acusam de produtores e reprodutores de ideologias. E não, como pretendiam, criadores de uma nova ciência social e formuladores de novas interpretações sobre o Brasil. Um ao outro se denunciam de insuficiências metodológicas, omissões, subjetivismos e vinculações políticas condenáveis, poluidores da objetividade científica. É debate sem fim. Uma inconclusa luta sobre interpretação da formação social do Brasil, chega até os dias de hoje. O que fazer com este impasse, que herdamos?

## 6. A luta revisitada

Hoje, abrem-se para nós, outra geração de brasileiros, dois caminhos. Ou herdar o impasse, continuar a luta — o passado pautando o presente —, ou redefini-la. Tentar bem entender-lhe a natureza, evolução, situá-la historicamente, reconhecer as condicionantes que não mais existem, as que ainda persistem, e, a partir daí, forjar novas competições.

Até bem pouco tempo, no mundo acadêmico, o desenvolvimento da teoria social no Brasil, com poucas e importantes exceções, estava circunscrito aos fiéis seguidores de cada grupo. Quem por estranho aí se aventurasse corria o risco de ser classificado como conservador autoritário ou comunista radical. Ou weberiano funcionalista ou dialeticamente marxista. Desconhecia-se, de antemão, a independência do novo debatedor. Não se admitia o esforço para criar uma nova interpretação do Brasil, ensaiar nova perspectiva social.

A sociologia crítica dominou o mundo acadêmico, expandiu-se para a imprensa e contribuiu imensamente para a redemocratização do país. Paradoxalmente, no país democratizado a própria sociologia crítica amortece. Pois ela é melhor na denúncia do que na proposta. É, por auto-definição, voltada mais para o problema do que para a solução.

A condição necessária para novos caminhos no pensamento social brasileiro é dupla. Primeiro, trata-se de abrir mão da mecânica vinculação entre sujeito e objeto, autor e obra, militância política de 64 e interpretação social de 30, como única categoria explicativa da legitimidade ou cientificidade do pensamento social. É preciso que Gilberto Freyre anistie a USP, e a USP anistie Gilberto Freyre. Somente a partir daí uma visão mais construtiva da luta pelo trono pode ser erguida.

Aliás, esta visão mais complexa e construtiva da luta pelo trono começa a se insinuar. Não ainda a ponto de fazer com que um dos mais importantes professores da USP considere Gilberto Freyre um interprete clássico indispensável ao jovem que queira entender o Brasil.

— Que livros o senhor recomendaria para um jovem entender melhor o seu país?

— Os clássicos.

— Mas o que é um clássico?

— Autores brasileiros clássicos são os que contribuíram para a construção de uma identidade própria: Sérgio Buarque, Caio

Prado, Florestan Fernandes, Mário de Andrade",[41] respondeu Fernando Henrique, para quem todos os clássicos brasileiros recomendáveis são paulistas. Mera coincidência, com certeza.

Mas, com cautela, evidentemente, Alfredo Bosi, no seminário promovido por Carlos Guilherme Mota na própria USP, sugeriu a possibilidade de acordos e convergências, numa convivência que sendo contraditória não deixa de ser respeitosa. Outra recente declaração do próprio Fernando Henrique a Marcos Vilaça — como este contou em seu emocionado depoimento na abertura do seminário — vai nesta direção: "Fui crítico de Gilberto Freyre. Incomodava-me, como a Florestan Fernandes, Octavio Ianni, Carlos Guilherme Mota e a tantos outros, o olhar demasiadamente generoso que o mestre de Apipucos estendia sobre a sociedade patriarcal, abafando tensões, que sabíamos reais. Apontei em *Capitalismo e escravidão no Brasil Meridional* a condição degradante do cativo, o horror da escravidão. Insistíamos, como antecipado por Joaquim Nabuco, que os negros, desprovidos dos recursos mínimos para o exercício da cidadania, haviam passado de cativos a excluídos, sem chances reais de usufruto do produto social. Isto escapava à lente de Freyre, interessado como era nos traços que apontassem à integração, em *Casa-Grande & Senzala*, entre o senhor e a mucama. Mas jamais deixei de assinalar, nem tampouco Florestan, que Gilberto Freyre foi muito mais que o idealizador da sociedade patriarcal. Ele construiu uma síntese do Brasil com um vigor intelectual que é muito raro encontrar em leituras sobre outros povos...".[42]

Hoje, revisitar a luta pelo trono é justamente entendê-la como um excepcional momento de diálogo-contra, na trajetória de nossas ciências sociais. Tércio Ferraz lembra que, na retórica, existem dois tipos básicos de discursos. O discurso-com, aquele que Platão travava com seus discípulos, e o discurso-contra, o que travava com os sofistas. Ambos, com e contra, têm uma estrutura dialógica. No diálogo-contra, por assim dizer, os participantes

---

[41] Entrevista com Fernando Henrique Cardoso, jornal *O Globo*, 22 de abril de 2000, Coluna Jorge Moreno, p. 3.
[42] Cardoso, Fernando Henrique, "Considerações sobre Gilberto Freyre" in *Revista Brasileira*, Fase VII, ano VII, nº 25, ed. Academia Brasileira de Letras, Rio de Janeiro, p. 5.

atacam e defendem ao mesmo tempo. O objetivo é revelar os pontos fracos e fortes de cada um, de tal modo que o ouvinte possa se situar. Possa tomar posição. Posição peculiar que necessariamente não depende de um ou do outro participante. Independe de ambos, embora a ambos se refira.

Hoje, para revisitar a luta pelo trono temos que ter nova atitude. Não somos mais participantes da luta de ontem, a luta deles, Gilberto e USP, pelo trono das idéias. Somos sim os espectadores, os ouvintes que podem avaliar a fortaleza e fraqueza de cada um, e a partir daí tomar posição. Deixou então de ser espectador, e ser agente, na tipologia de Rorty. Agentes de novos desejos. Herdeiros sim, mas sem que a herança nos determine.

A segunda condição para um novo ciclo inovador na interpretação do Brasil é a necessidade dos cientistas sociais trocarem a ênfase: em vez de se dedicarem apenas ao problema, dedicarem-se com igual identidade à solução. Ao ideal, talvez tanto quanto ao real. Pois este, sem aquele, perde seu melhor significado. Sem rumo. Aliás, já foi dito que o que distingue a civilização contemporânea das que lhe precederam é o fato de sermos a primeira a colocar o conhecimento, sobretudo o conhecimento científico, a favor da conquista da saúde, da riqueza e da justiça. Se assim é, devemos vincular a luta pelo trono de Imperador das Idéias a soluções pertinentes· aos problemas de hoje. Pertinência que por sua vez, na ausência de laboratórios, como dizia Florestan, servirá como teste de validade da interpretação do Brasil.

Em suma: como a competição sobre a interpretação do Brasil pode colaborar para um conhecimento social contemporâneo capaz de forjar soluções eficientes para os atuais problemas culturais, econômicos e sociais, fundamentar decisões nacionais? Não mais a crença numa objetividade científica isenta de paixões, nem a busca incessante de um árbitro imparcial. Mas trabalhar com uma interpretação do Brasil que vinda do passado nos ajuda a contruir um país melhor.

Dentro desta perspectiva pragmática da luta pelo trono, não custa nada lembrar Richard Rorty quando diz: "Nós levantamos questões sobre nossa indentidade individual ou nacional como parte do processo de decidir sobre o que faremos depois, o que tentaremos vir a ser".[43] Quando Gilberto e a USP levantaram questões sobre nossa identidade nacional, no fundo perguntavam sobre o que fomos, o que somos, e também o que queríamos ser. Estas perguntas são inseparáveis.

Por isto, antes de tudo, é preciso nos orgulhar deste diálogo-contra, desta luta pelo trono. Este orgulho é necessário porque é impossível construir o futuro de um país, ou, no caso, fazer avançar a trajetória de nossas ciências sociais, sem um mínimo de auto-estima por parte da própria comunidade de cientistas sociais. Da mesma maneira que é inconcebível hoje uma Europa destrutivamente criticar, e não se orgulhar, de seus opostos — um Max Weber e um Karl Marx — é também inconcebível que o Brasil não se orgulhe de Gilberto Freyre, Caio Prado, Florestan Fernandes e tantos outros. Se a comunidade dos cientistas sociais não reconhecer a importância e grandeza deste debate, da convivência contraditória, a sociedade não o fará. Revisitá-lo em seus acertos e em seus erros, valorizar suas contradições, é começar a recuperar a auto-estima da própria comunidade científica. É revisitar e renovar os desafios da interpretação do Brasil. Retomar o *quem somos nós e o que queremos ser?*, pergunta cada vez mais fundamental nesta época de globalização e homogeneização cultural e econômica aceleradas.

Na trajetória de nossas ciências sociais, recuperar a auto-estima não implica atitude conciliatória. Implica sim um certo distanciamento, para se poder ver melhor. A trajetória não pode mais se limitar a denúncias de influências de stalinismos ou salazarismos. Estas são críticas datadas, pertencem ao passado, e não ao futuro. Diz Gabriel Cohn em *O sábio e o funcionário*: "Freyre e Florestan percorreram esse caminho, cada um por seu lado e ao seu modo. Isolados, cada qual vale pelo que soube fazer. Não é pouco, em ambos os casos. E certamente será muito mais, se sou-

---

[43] Rorty Richard, *Achieving our country*, Harvard University Press, 1999, 3ª ed., p. 11, tradução do autor.

bermos lê-los juntos, sem confundi-los mas também sem desqualificar um em nome do outro".

A necessidade de se ler juntos implica não compactuar com a ambição inicial de cada um: terem produzido uma interpretação nacional, trans-histórica e transocial do Brasil. Implica reduzir as expectativas, selecionar o que, tendo sido comprovado pelo tempo e pelo avanço da própria ciência, consideramos soluções pertinentes para nosso futuro.

Para exemplificar o que pode vir a ser esta nova atitude, retomemos o trecho de Fernando Henrique que citei acima. Ele é importante porque se refere a um tema onde Gilberto foi mais atacado: a miscigenação.

Gilberto Freyre identificou pioneiramente a miscigenação racial como fator de integração cultural. A USP, por sua vez, leu esta integração cultural como defesa da democracia racial. A bem da verdade, Gilberto em *Casa-Grande* nunca assim a defendeu. Posteriormente, porém, adotou esta leitura como sua. Nada porém nos obriga hoje a ler *Casa-Grande* e entender a integração racial cultural desta maneira. A centralidade da crítica da USP — a generosidade do olhar de Gilberto, sobre como a sociedade patriarcal abafa tensões raciais — é centralidade também datada. Tão datada que o próprio Fernando Henrique, hoje, já vislumbra importâncias nunca dantes suspeitadas na integração do senhor com a mucama. Diante de um eleitorado constituído de mestiços em sua maioria, o presidente da República já se orgulha de ter um pé na cozinha. "À quelque chose, malheur est bon".

A leitura da USP sobre a miscigenação obscureceu a questão fundamental. Focalizou menos a integração cultural provocada pela miscigenação racial e mais a eventual conseqüência que teria escapado a Gilberto, a legitimação da dominação oligárquica e a desintegração sócio-econômica das raças. Alguns chegam mesmo a contestar, até hoje, a própria miscigenação. Continuam querendo, norte-americanamente, dividir o Brasil entre negros e brancos, *tout court*. Mas, para as pesquisas sobre o DNA* de nossa popu-

---

* Ver artigo de cientistas da Universidade Federal de Minas Gerais no Apêndice.

lação, é definitiva: a integração entre o senhor e a mucama nos fez Brasil mestiço. Como sempre defendeu, aliás, Jorge Amado. Neste item, *Casa-Grande* foi antecipada descrição sociológica, agora biologicamente comprovada. Gilberto estava certo antes do tempo. E para muitos estar certo antes do tempo é errado.

Será que alguém ainda hoje pode seriamente negar este ethos integrador de nossa formação social? Da mesma maneira, será que alguém hoje, ao correlacionar raças e classes sociais com escolaridade, nível de salário, expectativa de vida, etc., pode seriamente negar que a dominação econômica escravocrata se reproduziu como dominação do capital sobre o trabalho? Produzindo concentração da riqueza e do poder? Por mais que o país tenha avançado, este outro ethos desintegrador ainda está presente. Pode-se negar o conteúdo de classe como identificou a USP, desta dominação? Somos uma economia de exclusão e não de inclusão social. Será que alguém nega as evidências tão multidisciplinarmente encontradas pela sociologia crítica?

Estas duas características, estes dois ethos da sociedade brasileira, só puderam ser percebidos graças à luta pelo trono. Somos uma sociedade contraditória marcada ao mesmo tempo pela inclusão cultural e racial e pela exclusão econômica e política. Poderíamos nos ver assim, sem que a trajetória de nossas idéias sociais tivesse sido também uma luta pelo trono? Sem a contribuição de Gilberto e da USP? Dificilmente, creio eu. Este é um precioso legado do diálogo-contra.

A aceitação desta convivência contraditória é fundamental. Pois somente a partir de sua aceitação, estaremos mais aptos a retomar tanto o desafio de novas interpretações sobre a formação social brasileira quanto o maior de todos: decidir o nosso futuro como nação. Só então poderemos melhor nos perguntar sobre: o que pretendemos fazer com esta contradição? Poderemos fundamentar as decisões nacionais de importância.

Será que são incompatíveis a tendência à inclusão racial com o reverter a tendência à exclusão econômica? A resposta é óbvia: que a inclusão social seja estímulo à inclusão econômica, e não a exclusão econômica a justificativa do separatismo racial.

Revisitar a luta pelo trono implica pois retomar a disputa entre interpretações diferentes sobre nossa formação social como um diálogo-contra que sirva de base para soluções que nos permitam engrandecer como nação.

A autofagia política e científica que por momentos a luta revelou é uma das faces do egocentrismo profissional dos autores. Com o que não temos necessariamente de compactuar. A propósito dizia Gilberto: "Somos, aliás, como quase todos os autores de livros: vaidosos e intolerantes de críticas".[44] Podemos, quando muito, sorrir diante de tanta franqueza narcisista.

Revisitar a luta pelo trono é entendê-la como uma luta somatória, e não eliminatória, diria Aloísio Magalhães. Capaz de nos orgulhar e não de nos desiludir com nossos intérpretes maiores. Aliás, são maiores porque um ao outro engrandeceu. De resto, como diz um ditado nordestino: inimizades não se herdam.

---

[44] Freyre, Gilberto, *Como e porque sou e não sou sociólogo*, ed. Universidade de Brasília, Brasília, 1968, p. 138.

# A UNIVERSIDADE BRASILEIRA E O PENSAMENTO DE GILBERTO FREYRE

*Carlos Guilherme Mota*

"A principal conseqüência cultural do prolongado domínio do patronato do estamento burocrático é a frustração do aparecimento da genuína cultura brasileira".

Raymundo Faoro, *Os donos do poder.*

## I

Eu quero dizer, em primeiro lugar, de nossa alegria em podermos receber os amigos e colegas aqui presentes para este encontro em São Paulo, em nosso Instituto de Estudos Avançados e com a presença de professores e pesquisadores de outros centros universitários e quadrantes teóricos e políticos. Procuramos tornar amplos seus objetivos, como eram os ideais e perspectivas daqueles escritores e produtores culturais dos anos 1930 e 1940. Pois, a pretexto do centenário do nascimento de Gilberto Freyre, o que interessa é discutirmos idéias e projetos de Brasil. De minha parte, é uma excelente oportunidade para rever meus estudos pernambucanos, iniciados com *Nordeste 1817* e tendo prosseguimento com a obra coletiva *Viagem incompleta*, em que revisitamos interpretações do Brasil português, popular, negro, mestiço, visto de longe e de perto, nas visões de Evaldo Cabral de Mello, Stuart Schwartz, João José Reis, Roberto Ventura (o autor de *Estilo tropical*), de Karen Lisboa, e outros, até os impasses políticos recentes examinados pelo cientista político Tarcísio Costa e pelo sociólogo Brasílio Sallum, que analisa nossa atual condição periférica.

Esta reunião deve muito ao empenho do professor Joaquim Falcão, meu amigo e amigo deste Instituto. No Rio de Janeiro, sua Cátedra Gilberto Freyre, no Colégio do Brasil, criada por Eduardo Portella, um de nossos interlocutores mais vigilantes, representa um pólo aberto de reflexão importante sobre a problemática da chamada Cultura Brasileira, para nós um capítulo da *História das ideologias culturais* em nosso país e nas Américas. Mas deve também a todos os parceiros que resolveram revisitar a tal "unidade na diversidade", para iniciarmos um diálogo mais produtivo, como nossos maiores sabiam fazer. Dentre eles, Gilberto e Florestan, os dois principais sociólogos-historiadores brasileiros do século XX, representantes de duas escolas de pensamento distintas e de dois projetos de Nação.

De todo modo, convencidos em Recife de que alguns demônios foram exorcizados, sensibilizamo-nos para este reencontro em ambiente localizado nesta zona temperada, para checarmos *se* e *quais* teorias funcionariam em baixas temperaturas, e aqui estamos implementando esta *glasnost*, ou melhor, *détente*, com Sônia, Fernando, com Joaquim Falcão e Edson Nery da Fonseca, e lembrando Fátima Quintas (filha de meu saudoso amigo Amaro Quintas, o estudioso das revoluções, que, vivo estivesse, faria cem anos em 2001).

Um outro título possível para este encontro seria "A constelação de Gilberto Freyre", conforme comentáramos em Recife, em março, com meu amigo erudito Edson Nery. Pois que Gilberto era uma das estrelas, e das mais brilhantes, de uma variada constelação de intelectuais mais ou menos da mesma geração, de José Lins do Rego a Câmara Cascudo. Em Recife notamos também a necessidade de celebrarmos dois outros centenários de grandes agentes do processo político-cultural e educacional: o do educador Anísio Teixeira e o do crítico Mário Pedrosa.

Mas por aí entraríamos na galáxia imensurável, tantos os contatos e referências de Gilberto com o mundo exterior, de Charles Wagley, Aldous Huxley e Roland Barthes a Lucien Febvre e Braudel, mestres e inspiradores, estes, da principal linhagem historiográfica aqui da USP.

De fato, a idéia de constelação vem do fato de Gilberto ter se tornado um dos personagens principais da vida intelectual e política da primeira metade do século XX, polarizando uma vasta rede de atores sociais, intelectuais, universitários e, numa perspectiva mais ampla, de educadores e políticos. De Estácio Coimbra, Gustavo Capanema e Anísio Teixeira (a Fundação Joaquim Nabuco tem um edifício com o nome do professor Anísio) até Afonso Arinos e Golbery do Couto e Silva, Freyre manteve sempre janelas abertas (por vezes demasiado abertas) ao diálogo político e à colaboração com os políticos da hora. O que lhe custou uma apreciação menos favorável de setores das novas gerações, sobretudo após o golpe de Estado de 1964 e de sua colaboração com a Assessoria Especial da Presidência da República nos tempos da ditadura. Não por acaso teria ele um reconhecimento muito enfático desses setores ilustrados do estamento militar: no início da abertura, no fim dos anos 70, na primeira entrevista longa concedida à TV por um general sobre a vida política e a cultura, o general Dilermando Monteiro — que Geisel enviou para substituir o bárbaro Ednardo Ávila, responsável pelo assassínio de Vladimir Herzog e Manuel Fiel Filho — não hesitou em afirmar para a entrevistadora Dina Sfat: "Quem fez minha cabeça foi Gilberto Freyre".

Nada obstante, cientistas sociais das novas gerações vão acolhendo ou (o verbo é mau) "resgatando" fragmentos e *insights* do sociólogo-historiador, quase sempre dando relevo a um enfoque que suaviza as coisas, que detecta mas abranda as contradições, harmonizando o mundo brasileiro e apaziguando as almas rebeldes.

De todo modo, a constelação de Gilberto Freyre lançou novos paradigmas, abrindo novos campos para a pesquisa. Uma nova idéia de Brasil surgiu então, na escrita de José Lins do Rego, nos levantamentos de Luís da Câmara Cascudo, no conceito de patrimônio de Rodrigo Mello Franco de Andrade, nas tintas de Rego Monteiro, nos projetos educacionais de Anísio, Fernando de

Azevedo e Lourenço Filho, nos Atlas de Delgado de Carvalho que relocalizaram o Brasil no mapa-múndi, na caracterização cultural das regiões de Manuel Diegues Júnior. E por aí vamos, sem falar de José Américo, Carlos Drummond de Andrade, Villa-Lobos (cujo projeto musical, político e pedagógico foi superiormente estudado pelo professor Arnaldo Contier).

## II

Com a Fundação Roberto Marinho, escolhemos esse tema geral, o da recepção das idéias de Gilberto pela universidade brasileira. Claro está que tratar dessa problemática é quase impraticável, no atual estágio das pesquisas. O que temos são apenas indícios, pois na verdade o que ocorreu dos anos 1930 aos dias de hoje foi a montagem de um *sistema ideológico* centrado na idéia de Cultura Brasileira fabricado por Gilberto e seu grupo-geração, quando o Brasil procurava seu lugar no concerto das nações. Essa teoria de Brasil ganhou fôlego, dando novo sentido ao "nacional". Note-se, de resto, que as grandes interpretações de Brasil foram produzidas por figuras que tiveram suas formações definidas anteriormente à criação da universidade. Dentre as várias alternativas históricas que se apresentaram, da crise de 29 ao fim da Segunda Guerra, foi a vertente gilbertiana que venceu — a da modernização conservadora —, consolidando essa idéia de Nação centrada num conceito de Cultura harmonizador das diferenças, de sociedade, de família, de habitação. De processo civilizatório que vem até Darcy Ribeiro e Golbery, os dois gênios da raça, segundo Glauber. Um poderoso e desmobilizador conceito de Cultura, aliás, que abriga a dialética dos conflitos, contrastes e contradições sociais para dissolvê-las e estabilizá-las num todo maior. Como escreveu Alfredo Bosi em 1970, na sua *História concisa da literatura brasileira*: "e tudo se dissolve no pitoresco, no 'saboroso', no 'gorduroso', no apimentado do regional...".

Em perspectiva histórica, perderam os integralistas, perderam os autoritários mais à direita (na linha de Alberto Torres,

Oliveira Vianna e outros), perdeu o catolicismo reacionário mas também perderam os marxistas de diversos matizes. Perdeu a interpretação de Caio Prado Júnior, que aliás nunca foi cassado da USP, porque nunca foi convidado para dela ser professor (cassaram-lhe o título de livre-docente pela Faculdade de Direito do Largo de São Francisco, equivocadamente, pois não se pode cassar um título desses...). Voltando a Gilberto: basta acompanharmos os prefácios e as notas de pé-de-página das várias edições de *CG&S* e *SM* para verificarmos *como* Gilberto, polemizando e respondendo a seus críticos à direita e à esquerda, de Oliveira Vianna e Astrojildo Pereira a Caio, Werneck Sodré, Sérgio Milliet, José Honório e mesmo a Raymundo Faoro, *foi montando o espaço de sua teoria de Brasil*. Mapear a construção desse universo — que abriga uma idéia muito forte de Cultura Brasileira — seria um projeto enorme, que a FRM bem poderia bancar junto a diversas universidades, para entender-se as diferenças de recepção de Freyre desde Vacaria até o Acre. De Freyre e de outros intelectuais de porte. Afinal, de que Brasis está-se falando? Pois o olhar que se tem da casa-grande e da senzala em Garanhuns sofre variações quando nos deslocamos para o ABC paulista...

Coube-me aqui falar mais particularmente da recepção de G.F. na USP que, vale sublinhar, tampouco é homogênea. Afinal, a USP também produziu notórios reacionários, lembrando desde logo que a lista de cassações encabeçada por Florestan foi elaborada por aqui mesmo... De todo modo, a "visão de cultura da USP", ou o que isso possa significar, apesar de suas variadas origens, estímulos e compromissos teóricos, contrapõe-se de modo geral à visão idílica de um Brasil mulato, "diferente", com um "caráter nacional" específico, mais propício a certos avanços de uma suposta "democracia racial" etc., como imaginava o sociólogo pernambucano. Seria, em seu conjunto, uma visão crítica à adaptabilidade dos portugueses nos trópicos, sobretudo cultivada nos meios intelectuais salazaristas.

Quando começa essa crítica uspiana a Gilberto? Creio que em 1943, antes mesmo do fim do Estado Novo, e apenas 10 anos após a 1ª edição de *CG&S*, surge uma crítica contundente à teoria que inspiraria a visão de mundo freyriana, num depoimento do jovem professor da Esquerda Democrática, Antonio Candido, na enquete do *Estadão*, "Plataforma da Nova Geração". (Como se sabe, Antonio Candido escreveria depois o famoso prefácio de 1967 a *Raízes do Brasil*, de Sérgio Buarque de Holanda, em que fala da importância de *Casa-Grande & Senzala* para a formação de seu grupo-geração). Mas vamos ao depoimento crítico:

"A concepção de *funcionalidade [da sociologia cultural norte-america-na]* pode levar perigosamente a uma justificação e, portanto, aceitação de 'todos' os traços materiais e espirituais, dado o seu caráter 'necessário'. E vem a tendência para aceitar *in totum* um complexo cultural e defender sua inevitabilidade funcional, digamos assim, em detrimento do raciocínio que tende a revelar suas *desarmonias*. Não é uma conseqüência fatal da sociologia da cultura, está visto. É um abuso possível, uma deformação contra a qual chamo a atenção, num país em que ela vai entrando a toque de caixa. Veja você nosso mestre Gilberto Freyre — a que ponto está levando o seu culturalismo. Suas últimas obras descambam para o mais lamentável sentimentalismo social e histórico; para o conservadorismo e o tradicionalismo. Enamorado do seu ciclo cultural luso-brasileiro, é levado a arquitetar um mundo próprio, *em que se combine o progresso com a conservação dos traços anteriores característicos.* Tudo estará justificado se trouxer a marca que o português criou e que nós vamos desenvolvendo e preservando, sim senhor, com a ajuda de Deus e de Todos os Santos Unidos. O mesmo movimento que o leva a gostar das goiabadas das tias e dos babados de prima Fulana o leva gostosamente a uma democracia patriarcal, em que, etc. etc.. Como vê, Mário Neme, aí está um caso em que o método cultural carrega água para o monjolo da Reação" (p. 39 da "Plataforma").

Dez anos depois, em 1954, Dante Moreira Leite apresentou à Faculdade de Filosofia uma tese de psicologia social que quase foi reprovada, pois discutia os conceitos de caráter nacional, de nação e de cultura. Reescrita depois nos anos 60, ele aprofundaria sua crítica a Paulo Prado, Freyre, Buarque, ao próprio Fernando de Azevedo, dentre outros. Na verdade, ele contrapunha às teses de Gilberto as teorias de Caio, para quem "as características da colônia não são determinadas por misteriosas forças impostas pelo clima ou trazidas pelas raças formadoras, mas resultam de um tipo de colonização imposto pela economia européia" (DML, p. 349). Também contrapunha as teorias de Florestan, que mostrou as "raízes da desorganização do grupo negro, bem como a impossibilidade de integração numa sociedade que se industrializa e na qual encontra a *competição* de imigrantes brancos", fazendo notar ainda que GF "considera quase que exclusivamente a perspectiva do branco em contacto com o negro empregado em trabalho doméstico" (DML, p. 351). E contrapunha os estudos do próprio Celso Furtado que, ao fazer uma análise da estrutura econômica e social do Nordeste, indicara seus pontos críticos e as possibilidades de solução, contrariamente a Freyre que "tende a interpretar a vida nordestina como situação de equilíbrio". Dante indica como Furtado inverte com brilho os argumentos dos teóricos sulistas — principalmente de São Paulo — que tendiam a ver o NE como "peso morto" na economia brasileira e o estado de S. Paulo como espoliado por outras unidades da federação" (p. 355).

A crítica mais contundente e frontal se manifestaria portanto nessa tese de doutorado desse jovem professor de psicologia social que, utilizando algumas técnicas também aprendidas no EUA, analisa e desmonta o 'caráter nacional brasileiro", esboçando a história de uma ideologia, e contestando fortemente as tipologias fabricadas ao longo da formação histórica por assim dizer "brasileira". A reação da banca examinadora foi duríssima, tendo quase sido reprovado o candidato. Esse livro, *O caráter nacional Brasileiro. História de uma ideologia*, seria reescrito após 1964, mantendo as teses centrais e participando do debate sobre o Brasil numa era de revisões radicais de nossa história intelectual(1964 a 1969, como indiquei em meu livro *Ideologia da cultura brasileira*, em 1977). De modo geral, não foi um livro apreciado pela ordem estabelecida dentro de nossos departamentos, tanto mais que também criticava a visão de história de Sérgio Buarque e de Fernando de Azevedo, entre outros, ressalvando as interpretações de Manoel Bomfim, Cruz Costa, Caio Prado. A história desse livro é bem narrada no prefácio do professor Alfredo Bosi.

Seria o caso de rastrearmos também outras teses, como as de Emília Viotti, de Verena Allier (da Unicamp), de Octavio Ianni, de vários outros. Quando, após o golpe de Estado de 1964, e sobretudo o de 1968, a teoria geral da História do Brasil de G.F. foi adotada pelo regime, em sua dimensão harmonizadora e dissolvedora das contradições sociais, a rejeição tornou-se maior. Mas também a frustração, pois a escrita de Gilberto fôra sedutora, por revelar um Brasil que nossos bandeirantes, nossos reacionários locais, não admitiam. Darcy Ribeiro, após os anos 50, sempre adotara suas teorias, pois Gilberto lhe fornecia o ingrediente principal para se forjar um "tipo ideal" terceiromundista, mulato, expressão maior da hibridização, colocando em foco "algumas felizes predisposições de raça", para usarmos uma expressão muito estranha de Gilberto (CG&S, p. 17).

A crítica uspiana é, portanto, bastante desigual, pois, como notei, Fernando de Azevedo adotara com grande empatia as teorias de Freyre. Produziu mesmo uma frase infeliz, quando escreveu em seu importante livro de memórias (*História de minha vida*):

> "É um prazer acompanhá-lo [G.F.] nas suas visitas às casas-grandes, onde nos faz respirar a atmosfera ainda quente da vida familiar; nos passeios aos canaviais e a fábricas de açúcar e em suas senzalas onde se acotovela a escravaria, depois dos rudes trabalhos, de busto nu, de sol a sol nas plantações e nos engenhos"... (Ob. cit., 72).

Portanto, antes mesmo de 1964, já existia um contraponto crítico à visão freyriana. E vale notar que a crítica não surgiu apenas dentro da USP, mas também no exterior. Na África, por exemplo, o angolano Mário de Andrade (Buanga Fele), um dos líderes intelectuais da descolonização portuguesa, já protestava contra essa ideologia lusotropical de fundo racista; e o inglês Charles R. Boxer, historiador eminente, contrapôs-se diretamente a tal visão em seu livro de 1963, *Relações raciais no império colonial português (1415-1825)*. Logo em seguida Perry Anderson foi cáustico em seu livro-denúncia *Portugal e o ultracolonialismo*.

Nessa perspectiva, falar de uma USP crítica a Freyre pressupõe um estudo mais amplo e detalhado de formas de recepção, contextualizando-se grupos, épocas, tendências e teorias. A própria USP não possui ainda uma história das correntes de pensamento que a marcaram, ou que sofreram apagamento. Cite-se, por exemplo, o jurista Miguel Reale, que também é da USP, tendo sido duas vezes reitor: a que correntes pertenceu, e como tem evoluído seu pensamento? Nas ciências humanas, Emília Viotti, Ianni, Fernando Henrique, Paul Singer, Bento Prado, Gianotti, Florestan e vários outros foram cassados pelo regime civil-militar quando chegaram aos postos mais altos da carreira.

Curioso é que, percorrendo a extensa obra de Florestan, encontram-se escassas referências à obra de Freyre, inclusive em *O negro no mundo dos brancos* (1972) e no clássico *A integração do negro na sociedade de classes* (1964), em que analisa o "negro na revolução burguesa". Criticando a inexistência da proclamada democracia racial (e, portanto, de uma democracia), Florestan conclui entretanto que, "por um paradoxo da história, o 'negro' converteu-se, em nossa era, na pedra de toque da capacidade de forjar nos trópicos este suporte da civilização moderna". A miscigenação, a mestiçagem em *longue durée* não é a chave para Florestan: o problema é o modelo de sociedade discriminatória estruturada nesta região periférica, modelo que logo mais ele estará denominando de autocrático-burguês. Sua obra fundamental *A revolução burguesa no Brasil*, de 1975, revelará em corpo inteiro a história desse modelo. Uma sociedade de classes muito particular, expressão de um certo padrão de dominação em que ainda remanescem traços e uma mentalidade estamental-escravista, eis o grande personagem de sua obra.

Como se vê, há uma profunda diferença entre Freyre e Florestan, revelando dois projetos distintos de Brasil. Se conseguirmos enxergá-los de modo positivo, mas contrastando-os, diremos que um subverteu a história dos heróis de raça branca do IHGB; o outro, a visão idilizada de um Brasil tropical, mestiço, democrático por natureza... Um surge na antiga cidade colonial do Recife, capital decadente da açucarocracia, por um descendente dos estamentos senhoriais; o outro, em São Paulo, no principal pólo do novo capitalismo industrial em que se estruturam, apesar de tudo, focos de sociedade de contrato. Ambos com vastíssima obra, instauradores — cada um a sem modo — de uma visão interdisciplinar e de uma teoria de história. Gilberto escreve a saga dos estamentos pretéritos e Florestan a pré-história das classes futuras, para usarmos a expressão do velho Marx. Em Gilberto, detecta-se "um gosto aristocrático pelo popular", traço de resto da cultura barroca; em Florestan, abriga-se um filho da lumpemburguesia urbana olhando a História de baixo para cima, descobrindo (como nenhum outro cientista social; talvez só o escritor Lima Barreto) os estamentos senhoriais, as classes e as castas...

# III

## As idéias de Gilberto Freyre e a Universidade

Ao examinarmos a recepção de G.F. pela universidade é necessário constatar que, apesar de rejeições esporádicas, de modo geral sua obra foi sendo bem recebida durante longo tempo pelos universitários, pelo menos até 1964. Por certo foi melhor acolhida que a do marxista paulistano Caio Prado Júnior, que embora houvesse ajudado na criação da própria USP (como Paulo Duarte), não foi convidado para nela ser professor.

A obra de Gilberto nasce no mesmo contexto que a Universidade de São Paulo, e de certo modo acompanha seus desenvolvimentos. Basta lembrar das relações distantes no início, firmes depois, entre Fernando de Azevedo e Gilberto, triangulada por Anísio Teixeira. *CG&S* e *SM* surgem no clima político-cultural em que são fundadas as universidades em São Paulo e Rio de Janeiro, trazendo, como outros estudos citados, e também os de Manoel Bomfim, as marcas da crise mundial na esteira de 1929. Com efeito, trata-se de um tempo de crise e rearranjo de oligarquias, e esses ensaístas, mais Afonso Arinos, Anísio Teixeira, Rodrigo Mello Franco de Andrade, Lúcio Costa e outros, traduzirão em suas intervenções políticas, escritos e projetos o sentido da profunda crise histórico-social e cultural vivida.

Esses intelectuais renovadores, frutos de dissidências oligárquicas e com enorme conhecimento do que se produzia nos principais centros culturais do mundo, são partes de uma grande teia que, cada um a seu modo, se perguntará dos significados desta História, desta cultura, e buscará um projeto para a Nação. Vão procurar os sentidos de nossa "formação", palavra-chave no sistema ideológico em *statu nascendi*, e que estará em quase todos os livros desse tempo. *Impacto semelhante assistiremos somente, depois, na virada dos 50 para os 60, com as obras de Faoro, Candido, Furtado, Florestan, Werneck.*

Aqueles "explicadores do Brasil" reviraram as fontes, criaram coleções, brasilianas, foram a missões no exterior buscar obras raras, reviraram as raízes dessa história que se desenrolava até o seu presente. Na literatura, na pintura, na pesquisa histórica, na antropologia, essa sociedade sentia a urgência de se atualizar, "como se tudo dependesse de sua geração", como disse Gilberto. Por toda parte ressumava a idéia de atraso e a correspondente necessidade de se recuperar o tempo perdido, uma das teclas aliás de Gilberto. Época de afirmações nacionais, havia que se fabricar um "povo" com características próprias para esta República recém-proclamada. A Nação, a República precisava de um povo, que já não poderia ser o dos heróis de raça branca. A mestiçagem, a miscigenação, tornou-se a grande descoberta gilbertiana, nessa região em que a lentíssima transição de uma sociedade de estamental-escravista para uma sociedade de classes ainda se processa de modo lento, incompleto, atropelado, dando essa impressão de derrapagem permanente.

As melhores páginas de Gilberto, sobretudo em *Sobrados e Mucambos*, mostram essa complexidade de uma sociedade de estamentos pretéritos (ele não usa esse conceito, mas os de ordem, de *status* etc) convivendo com classes futuras, e por certo Florestan bebeu dessas águas. Apontando as diferenças e especificidades, ele constrói um conceito de cultura que se alonga (o verbo é dele) e se estabiliza em nossa história. *SM* não é livro de formação, mas de afirmação, de estabilização de uma elite já "nacionalizada", e de uma teoria correspondente da História do Brasil. As remanescências da economia escravista colonial que se arredondam na nova ordem sócio-cultural são o tema dileto desse ideólogo-historiador, sua teoria podendo ser sintetizada na seguinte formulação:

> "É tempo de procurarmos ver na formação brasileira a série de desajustamentos profundos, ao lado dos ajustamentos e dos equilíbrios" (prefácio à 1ª ed. de *SM*).

E se mais não avança é porque ele próprio é parte do estamento, podendo-se supor que está no seu limite, rompido por Caio Prado.

Note-se que quase todos seus companheiros de geração ou correspondentes em outros estados eram filhos de dissidências oligárquicas, encaminhando soluções regionais para a construção do "nacional". A nova ordem mundial exigia o reforço da idéia de Nação, e esta provoca a definição das regiões, tema ainda controverso (a Bahia faz parte do NE, ou não?), que será retomado com força por outro nordestino, Celso Furtado, fundador da Sudene e primeiro ministro do Planejamento. Os regionalismos, inclusive na literatura, se afirmariam naquele tempo, a idéia de Nordeste se consolidando desde então, nos mapas como nas mentes.

Necessário dizer que no início da universidade tivemos aqui também nossos ideólogos, com Alfredo d'Escragnolle Taunay e Alfredo Ellis Júnior. O tema do café foi tratado por Taunay com rigor, mas com evidente sentido de uma história regionalizante. Já Ellis Júnior, catedrático-interventor na Faculdade de Filosofia da USP, foi defensor da especificidade de uma curiosa e brava "raça bandeirante", selecionada na dureza da vida e da subida da Serra do Mar. O bandeirismo foi uma ideologia poderosa, eivada de racismo e outros desvios históricos. Dessa época, escapam duas ou três análises, como a de Sérgio Milliet (*Roteiro do café*) ou a de Roberto Simonsen (*História econômica do Brasil*), além de alguns estudos do citado Fernando de Azevedo. Em verdade, no que diz respeito aos estudos históricos, a USP foi mais reacionária àquela época que a obra de Gilberto. Vale repetir: Caio, Gilberto, Buarque estavam fora da docência.

Quanto à obra inaugural de Gilberto, nos Estados Unidos, se houve reações negativas e racistas na imprensa, sobretudo as do *New York Times*, a reação foi positiva na esfera acadêmica, inclusive em segmentos da esquerda. Seu tradutor, Samuel Putnam, tradutor também de *Os Sertões*, de Euclides, para o qual fez importante prefácio, alinhava-se na vanguarda dessa esquerda, muito próximo do Partido Comunista. Sem dizermos do velho Casper Branner, reitor da Stanford University, que viveu longos anos no Brasil, e que nutria pelo jovem Gilberto extrema amizade, a ponto de ter escrito um artigo a ele dedicado sob o título "Que faria eu se fosse um estudante brasileiro em Stanford".

A primeira geração de professores universitários brasileiros, a começar por Fernando de Azevedo, é muito favorável às interpretações de Freyre e a essa busca pela especificidade de nossa cultura. De tal modo que sua monumental *Cultura brasileira* começa com as teorias de Freyre, de modo explícito, para terminar num vago evolucionismo socialista. O mesmo se diga de Cruz Costa, e de tantos outros, nesse esforço para se interpretar o Brasil. O clima ideológico é o mesmo em que se produziu o *Manifesto dos pioneiros da Educação*, em 1932, do qual participaram vários intelectuais, mas do qual Freyre não é signatário.

Reação muito mais adversa no jovem pensamento universitário teve a obra de Caio Prado Júnior, a julgarmos pelas anotações de Sérgio Milliet, em seu *Diário crítico*. Já o próprio Milliet era muito avançado para o liberalismo de então, mas o marxismo de Caio ele não engolia. Para além disso, Caio abandonara os valores do patriciado local para abraçar a causa comunista (nos *Tristes Trópicos*, Lévi-Strauss o menciona, entre os primeiros alunos da novíssima Faculdade de Filosofia, mostrando o luxo a que essa sociedade se dava, o de ter até um comunista...). Aos ouvidos da alta cultura paulistana, suas análises sobre o passado brasileiro, trazendo os movimentos populares para o primeiro plano, soavam demasiado esquemáticas e economicistas. De fato, o problema é que o jovem militante adotava o materialismo histórico e as lutas de classes como critério de análise...

Em suma, a reação mais explícita à obra de Gilberto foi mesmo a de Antonio Candido, durante a guerra, dez anos depois da publicação da primeira edição de *CG&S*. Nos anos 1920, alguns intelectuais brasileiros como Lobato, Anísio e Gilberto foram atraídos pela América, não se podendo esquecer entretanto o grande impacto que a Revolução Russa causara, isso sem falarmos no *Front Populaire* de centro-esquerda, ou no efeito que provocara nos corações e mentes a Guerra Civil Espanhola. Foi naquele contexto que surgiu a crítica do jovem professor da USP, contra os perigos da teoria funcionalista que a obra de Freyre adotara. E que continua a fazer escola.

Aqui já se distinguia, além de uma clivagem teórica entre dois modos diferentes de se compreender o Brasil (uma funcional, outra marxista), uma outra, marcada por uma dimensão geracional. A geração de intelectuais "tradicionais" se definia a partir da oposição crítica dos novos intelectuais "orgânicos". Também a primeira nota da primeiríssima edição de *Formação econômica do Brasil* (1959), de Celso Furtado, continha uma alusão irônica às nhanhás e nhonhôs, que desaparece nas outras edições... Essa novíssima geração representada por Candido, Furtado, Florestan é mais rigorosa, "crítica, crítica e mais crítica". Expressão do pensamento radical de classe média, segundo Candido.

## IV

## *Concluindo*

Finalmente, para concluir, há que registrar três pontos. *O primeiro*: Gilberto foi possivelmente um dos autores-fundadores da História das Mentalidades entre nós, dado o tipo de abordagem, de metodologia e de temática que escolheu. Daí entender-se a acolhida que teve pela escola dos *Annales*, e, hoje, sua aceitação pelas novas gerações que tendem a dissolver as tensões, os conflitos, as contradições sociais, as lutas de classes em quadros mais gerais, algo indefinidos.

*Segundo ponto*: foi um autor que defendeu a possibilidade de conciliação entre etnias diversas e mesmo antagônicas, e também entre capital e trabalho. Daí sua acolhida pelas vanguardas liberal-democráticas e mesmo setores da esquerda norte-americana. Num mundo conflagrado, com a crise de 29 agudizando as tensões sociais e internacionais, eis que surge da periferia um jovem elegante, fluente em línguas, sugerindo uma acomodação tropical mais amena que as visões rebeldes provenientes do México revolucionário, ou da Nicarágua de Sandino, do inquieto Panamá, do Caribe, da Índia ou do Congo. Gilberto adaptou-se otimamente em "The Farm", a fazenda, na silvestre, branca e aborrecida Stanford. Mais explícito e taxativo foi o editor Weinstock, em sua breve nota à edição norte-americana de *CG&S*:

"Freyre served in the National Assembly that drew up Brazil's present constitution [1946], being responsible for the (...) final expression given to the principle of conciliation between management and labor" (Publisher's note, p. V, *The Masters and the Slaves*, 2ª ed. rev., N. York, 1956).

*Terceiro ponto*: Gilberto escrevia e se expressava muito bem, e com isso seduzia seu público nos alongamentos de frase, nas quase-definições, anticonvencional naquele mundo engravatado, utilizando-se de um andamento dialético curioso e hábil em sua argumentação, operando com pares antitéticos que iludiam o observador. Em verdade, trazia um olhar novo que seduzia com mais graça que o Lampedusa do *Gatopardo*. *Ele foi o porta-voz de uma sociedade oligárquica que precisava mudar, se aceitar — ou quando menos se atualizar — para continuar no mesmo lugar.* A crise chegara ao Nordeste, os movimentos populares recrudesciam e Gilberto abriu a vida íntima do estamento, como que para justificá-lo, criando um conceito mais plástico, amplo, de cultura que segurasse as diferenças e os abismos sociais e econômicos. Com efeito, menos de trinta anos depois, no Nordeste surgiriam as Ligas Camponesas, o Método Paulo Freire, a Sudene e manifestações engajadas de cultura popular, expressas em *Morte e Vida Severina*, de João Cabral. Daí esse conceito de cultura ter sido apropriado pelo sistema instaurado em 1964, para mexer em tudo deixando as coisas como estão.

# NOTAS PARA UMA FUTURA PESQUISA: GILBERTO FREYRE E A ESCOLA PAULISTA[1]

*João Cezar de Castro Rocha*

The sun climbs in,
following "to see the end",
faithful as enemy, or friend.

(Elizabeth Bishop, "Roosters", 1941)

## 1. Uma história cultural dos mal-entendidos

Talvez um dos problemas menos discutidos das chamadas ciências humanas seja o que podemos denominar o "preconceito da compreensão". Estamos sempre às voltas com operações hermenêuticas cujo objetivo reside no entendimento, ou seja, na decifração pertinente de um conjunto de signos: palavras, gestos, situações, países. O cientista social se define, pois, como um leitor contumaz que pretende transformar continuamente o mundo num texto, mundo cuja estrutura espera assim decodificar. Espécie de Midas semiótico, tudo que suas mãos tocam ou seus olhos vislumbram se transmuda em sentido: a pedra preciosa das ciências humanas. Não se trata de um sentido qualquer, mas de um sentido significativo, por assim dizer. E aqui a redundância também é rele-

___
[1] Agradeço a Bluma Vilar, José Mario Pereira e Marcos Antonio de Moraes, cujas observações me fizeram compreender que meu argumento ainda não estava perfeitamente desenvolvido.

vante. Onipresente, o sentido torna qualquer ato representativo. E se é verdade que o mundo existe para metamorfosear-se em livro, seus textos deveriam conhecer uma interpretação definitiva. Naturalmente, a leitura proposta pelo cientista social.

O único problema é que existem diversas escolas de pensamento e um número ainda maior de especialistas. Por isso, a história das ciências humanas assemelha-se a uma sucessão de disputas, uma contínua "angústia da influência" pela afirmação da própria interpretação. Mas essa é uma angústia que acrescenta particular intensidade à teoria poética de Harold Bloom. Para o crítico norte-americano, "a história da poesia (...) é considerada como indistinguível da influência poética, já que os poetas fortes fazem história deslendo-se uns aos outros, de maneira a abrir um espaço próprio de fabulação".[2] Noutras palavras, um poeta afirma seu valor mediante um jogo de leitura e desleitura da tradição. Num primeiro momento, é inevitável a absorção de temas e mesmo estilos de poetas anteriores. Num momento seguinte, porém, o poeta forte precisa deslê-los ativamente: "sugerindo que o poema precursor fora acurado até certo ponto, mas deveria, então, ter se desviado precisamente na direção em que se move o novo poema".[3] Casualmente, o poema do próprio poeta desleitor.

No caso das ciências humanas, a angústia refere-se não só a autores do passado, mas sobretudo a pensadores em atividade. A disputa pela hegemonia das interpretações, portanto, reveste-se da tensão característica das ações cujo término ainda não pode ser conhecido: com o futuro em aberto, como legislar sobre a tradição? Recordemos, por exemplo, a estréia de três autores fundamentais. *Evolução política do Brasil*, de Caio Prado Jr., e *Casa-Grande & Senzala*, de Gilberto Freyre, vieram à luz em 1933. Três anos depois, Sérgio Buarque de Holanda lançou *Raízes do Brasil*. Num curto espaço de tempo, foram propostas visões da formação da sociedade brasileira tão influentes quanto distintas. Cada um des-

---

[2] Harold Bloom, *A angústia da influência. Uma teoria da poesia*. Tradução de Arthur Nestrovski, Rio de Janeiro: Imago, 1991, p. 33. Ver, também, a excelente "Apresentação" do tradutor, pp. 11-27.

[3] *Idem*, p. 43.

ses ensaios inaugurou uma maneira de compreender o passado, logo, criou uma nova imagem de Brasil. Ao mesmo tempo, estimularam o desenvolvimento de novas pesquisas com base em sua percepção da sociedade brasileira. Portanto, uma obra desse calibre é um verdadeiro texto-mundo, que, como a arte, na definição de Paul Klee, "não reproduz o visível, torna visível".[4]

Contudo, se os autores pretenderem que, em lugar de produzir um texto-mundo, conseguiram o impossível, ou seja, reduziram o mundo a um texto, então, inevitavelmente a angústia da influência se transformará numa batalha de interpretações. No primeiro caso, a obra cria uma imagem de mundo que torna visíveis aspectos até então negligenciados da realidade. No segundo caso, o autor acredita ter descoberto a chave de leitura da totalidade de um universo. No primeiro modelo, as diferenças entre as abordagens são fundamentais para assegurar a riqueza da imagem, pois, como cada texto-mundo ilumina territórios particulares, segundo os interesses particulares de seus autores, uma única obra não poderá dar conta da complexidade do mundo.[5] Já no segundo modelo, as diferenças não têm vez; pois, na presença de uma interpretação totalizante, como reagir a não ser repetindo em eco o que a voz demiúrgica pontificara? Ou então adotar o extremo oposto e negá-la integralmente.

Essa postura necessariamente provoca mal-entendidos, já que os adeptos de um autor tenderão a ler a obra de outros pensadores buscando nela precisamente o que jamais encontrarão: a imagem do outro autor, adotado por eles como guia. Na maior parte das vezes, porém, essa hermenêutica de ponta-cabeça é fruto do trabalho de epígonos, gerando divisões em aparência irre-

---

4 Paul Klee. "Schöpferische Konfession" (1920). "Credo del creador". *Teoría del arte moderno*. Buenos Aires: Ediciones Caldén, 1979, 55.

5 Nesse contexto, vale recordar a metáfora já empregada por Silviano Santiago: "Os textos que temos e que envolvem, de maneira descritiva ou ficcional, este território chamado Brasil e este povo chamado brasileiro, sempre serviram de *farol*, para que, com a sua ajuda e luz, se aclarassem tanto a região quanto os habitantes (...)". Silviano Santiago. "Liderança e hierarquia em Alencar". *Vale quanto pesa (Ensaios sobre questões político-culturais)*. São Paulo: Paz e Terra, 1982, p. 89.

conciliáveis. E é bom que se esclareça: grandes pensadores costumam ser mais generosos do que seus afoitos seguidores. Na maior parte das vezes, são eles os responsáveis pelo surgimento dessas divisões. Como, por exemplo, aprendemos a considerar a relação de Gilberto Freyre com os modernistas dos anos 20, e, décadas depois, com os sociólogos paulistas dos anos 50 e 60. Entre o sociólogo-escritor pernambucano e os escritores e sociólogos paulistas o único diálogo possível pareceria mesmo ser um diálogo de surdos.[6]

Por que não imaginar uma alternativa para essa reconstrução bélica da história cultural, cujo auge sem dúvida parece envolver a obra do autor pernambucano e a vanguarda literária e acadêmica de São Paulo? O leitor que conheça as ácidas polêmicas de Joaquim Inojosa com Gilberto Freyre hesitará com razão ante minha proposta. Recordemos a acalorada disputa:

> Tentando livrar-se do esvaziamento da sua obra de escritor, que os jovens consideram superada, apega-se Gilberto Freyre à oportunidade da revivescência do Modernismo para exibir-se como líder modernista do Nordeste — até mesmo do Brasil —, modernismo que combateu desde o regresso dos Estados Unidos, em 1923, até a partida para a Europa (...) em 1930.[7]

---

6 Dálogo de surdos, mas nem por isso menos eloqüente, tal como sugerido na polêmica entrevista concedida à revista *Playboy*. Leia-se, por exemplo, a avaliação que Freyre dispensou a certos sociólogos da escola paulista: "Dos sociólogos paulistas, o que eu considero a figura máxima é Fernando Henrique Cardoso, que é até político militante marxista, mas há pouco, num artigo, mostrou-se simpático às minhas atitudes, embora divergindo de mim. (...) Mas quando o marxista é um Octavio Ianni, que não é intelectualmente honesto, a meu ver (...). Florestan [Fernandes]. Que não é desonesto mas que é um fanatizado pelo marxismo. (...) eu respeito o Florestan, uma cultura real, um talento autêntico, mas fanatizado". Gilberto Freyre, "Falando de política, sexo e vida". Edilberto Coutinho (org.), *Gilberto Freyre*, Coleção Nossos Clássicos. Rio de Janeiro, Agir, 1994 [1980], p. 98.
7 Joaquim Inojosa, *Carro Alegórico. Nova resposta a Gilberto Freyre*. Rio de Janeiro: Edição do Autor, 1973, pp. 21-22. Inojosa refere-se às comemorações pelo cinqüentenário da Semana de Arte Moderna.

Além de firmar indiretamente seu próprio nome como *legítimo* líder modernista no Nordeste — afinal, fora seu arauto[8] —, Inojosa não se esquece de anexar depoimentos e cartas na maioria oriundos de escritores paulistas ou fixados em São Paulo. A operação é tão óbvia que se torna desinteressante. Em sua narrativa, opõe-se automaticamente Gilberto Freyre e o movimento intelectual e artístico da Paulicéia, forjando a imagem de uma rivalidade desvairada.

Devo, porém, reconhecer a complexidade do problema, que não se resolve como se fosse simples querela provinciana ou mal-entendido fácil de esclarecer. Por exemplo, o mal-estar entre Freyre e os paulistas surge em algumas reveladoras cartas trocadas por Mário de Andrade e Manuel Bandeira, um dos maiores amigos do autor de *Sobrados e Mucambos*. Durante as pesquisas para a redação da versão definitiva de *Macunaíma*, mais precisamente numa carta de 5 de janeiro de 1928, Mário demonstrou uma prudência sintomática:

> Olhe, pergunte como coisa de você, pro Gilberto se ele sabe o nome de alguma rendeira célebre de Pernambuco ou do Nordeste qualquer. Se não for de Pernambuco ele que diga donde ela é. É pro *Macunaíma*. Não diga que é coisa minha, senão ele é capaz de fazer perfídia e dar nome errado só para ter o gosto de ler besteira.[9]

E também podemos inferir a posição do próprio Freyre. No início do mesmo ano, Manuel Bandeira publicou uma entrevista no *Jornal*, na qual expressava opiniões contundentes. Ao que parece, provocou certo incômodo, pois a irreverência do texto passou despercebida e se entendeu literalmente o que deveria ser lido com boa dose de ironia. Em carta de 28 de março de 1928, Bandeira revela-se decepcionado com esses apressados exegetas

---

[8] Condição a que se alçou pela publicação, em 1924, de *Arte moderna*, que, como informa o subtítulo, pretendia ser um "Convite aos intelectuais paraibanos para aderirem ao movimento da Semana de Arte Moderna de 1922".

[9] Marcos Antonio de Moraes (org.), *Correspondência Mário de Andrade & Manuel Bandeira*. São Paulo: IEB / EdUSP, 2000, p. 372.

e, para enfatizar a surpresa em descobrir seu amigo entre eles, decide pôr o dedo na ferida:

A entrevista do *Jornal* sobre o Ascenso foi pura ironia. Escrevi-a no estilo jocoso-sério (...). O resultado foi uma lástima. Esses amigos, e você no meio deles!, devem me considerar uma besta, ou então, não têm o menor senso de humor. (...) Pois será possível que você não visse o rabo de papel que preguei no Nestor Vítor? Uma ironia quase grossa! Francamente, Mário! Eu acabo dando razão ao gênio intratável do Gilberto Freyre.[10]

Gênio revelado plenamente nas observações sobre Mário de Andrade lançadas por Freyre em seu caderno de notas: "Sei que sua obra é das mais importantes que um intelectual já realizou no Brasil. (...) Mas me parece artificial e postiço em muita coisa".[11] Ao que tudo indica, dificilmente Manuel Bandeira conseguiria estabelecer uma ponte entre seus dois amigos, e, se o tentou, não foi exatamente bem-sucedido.

Passemos agora às desavenças acadêmicas. O mal-estar por vezes originou leituras no mínimo descuidadas, provocando mal-entendidos previsíveis. Peço ao leitor que se arme de paciência e espírito investigador para apreciar adequadamente os trechos citados a seguir; longos, mas precisos. No tocante ao arsenal universitário, limito-me a uma curiosa avaliação de Octavio Ianni sobre o trabalho de Freyre. A fim de justificar a localização da perspectiva do sociólogo pernambucano nos "parâmetros da antropologia física e cultural do século XIX",[12] seleciona estrategicamente uma passagem do "Prefácio à primeira edição" de *Casa-Grande & Senzala*:

---

[10] *Idem*, pp. 381-382.

[11] Gilberto Freyre, *Tempo morto e outros tempos*. Rio de Janeiro: José Olympio, 1975, p. 207. Vale ressalvar que Freyre não negou a importância do rival: "Mesmo assim, um grande, um enorme homem-orquestra, que está sendo para o Brasil uma espécie de Walt Whitman. Um semi-Walt Whitman".

[12] Octavio Ianni, *Raças e classes sociais no Brasil*. Rio de Janeiro: Civilização Brasileira, 1966, p. 7.

Também Gilberto Freyre não escapou a essas motivações. 'E dos problemas brasileiros, nenhum que me inquietasse tanto como o da miscigenação. Vi uma vez, depois de mais de três anos maciços de ausência do Brasil, um bando de marinheiros nacionais — mulatos e cafuzos — descendo não me lembro bem se do *São Paulo* ou do *Minas* pela neve mole do Brooklin. Deram-me a impressão de caricaturas de homem'.[13] Vendo-se no espelho da Europa e dos Estados Unidos da América do Norte e pensando com categorias sociais formuladas na Europa e nos Estados Unidos, o cientista social brasileiro nem sempre ficava imune aos valores e problemática europeus e norte-americanos.[14]

Mais do que selecionar um trecho, Ianni o interrompe abruptamente no meio do raciocínio, deformando-o. De fato, se o leitor desconhece ou não se recorda vivamente do "Prefácio", talvez julgue razoável a conclusão de Ianni: sob o fantasma dos preconceitos europeus e norte-americanos, Freyre teria diagnosticado *definitivamente* a debilidade congênita do homem brasileiro, fruto óbvio da miscigenação. Nessa leitura, é como se Freyre tomasse o lugar do imperador Pedro II, desse as mãos ao conde de Gobineau e, em longos passeios pelo Jardim Botânico, lamentasse a impossibilidade da civilização nos trópicos mestiços. Portanto, Freyre, o autor de elogios sistemáticos da miscigenação, vista como poderoso fermento cultural, seria, na verdade, um eugenista empedernido, disfarçado com o hábito do futuro estudioso da civilização tropical.

No entanto, para que se compreenda a natureza da operação textual realizada por Ianni, vale transcrever a passagem do "Prefácio" na íntegra, pois somente assim se recupera a malícia narrativa implícita na afirmação "Deram-me a impressão de caricaturas de homem":

E dos problemas brasileiros, nenhum que me inquietasse tanto como o da miscigenação. Vi uma vez, depois de mais de três anos maciços de ausência do Brasil, um bando de marinheiros nacionais — mulatos e cafuzos — descendo não me lembro bem se do *São Paulo* ou do *Minas* pela neve mole do Brooklin. Deram-me a impressão de caricatu-

---

[13] Gilberto Freyre, *Casa-Grande & Senzala*, 4ª ed. Rio de Janeiro: José Olympio, 1943 [1933], p. 17.
[14] Octavio Ianni, *Op. cit.*, p. 7.

ras de homem. E veio-me à lembrança a frase de um viajante americano que acabara de ler sobre o Brasil: *'the fearfully mongrel aspect of the population'*. A miscigenação resultava naquilo. Faltou-me quem me dissesse então, como em 1929 Roquette Pinto aos arianistas do Congresso Brasileiro de Eugenia, que não eram simplesmente mulatos ou cafuzos os indivíduos que eu julgava representarem o Brasil, mas cafuzos e mulatos *doentes*.

Foi o estudo de antropologia sob a orientação do professor Boas que primeiro me revelou o negro e o mulato no seu justo valor — separados dos traços de raça os efeitos do ambiente ou da experiência cultural. Aprendi a considerar fundamental a diferença entre *raça* e *cultura* (...).[15]

Não é preciso uma análise cuidadosa nem um especial talento crítico para perceber o efeito retórico obtido por Freyre, pois, ao diagnóstico que tanto impressionou a Ianni, segue-se uma evidente e pormenorizada desconstrução do mesmo. Na verdade, a passagem selecionada pelo sociólogo paulista afirma precisamente o contrário do que ele crê inferir; em alguma medida, Freyre parece sugerir que a própria escrita de *Casa-Grande & Senzala* representaria uma espécie de acerto de contas com essa cena de seu período de formação. De fato, a observação data de 1921: "Vi uns desses dias marinheiros de guerra do Brasil caminhando pela neve do Brooklin. Pareceram-me pequenotes, franzinos, sem o vigor físico dos autênticos marinheiros. Mal de mestiçagem? Entretanto (...) o sábio John Casper Branner faz o elogio do mestiço brasileiro, mesmo quando de aspecto assim pouco ou nada atlético".[16] Em *Casa-Grande & Senzala*, o sábio é o próprio Freyre e o elogio é menos ao mestiço do que à civilização brasileira, compreendida sob o signo da miscigenação.

Ora, a curiosa hermenêutica de Octavio Ianni ajuda a dimensionar de forma realista a animosidade existente entre ambas as partes. Por isso, se estivesse simplesmente sugerindo a

---

[15] Gilberto Freyre, *op. cit.*, pp. 17-18, grifos do autor.
[16] Gilberto Freyre, *Tempo morto e outros tempos*, Rio de Janeiro: José Olympio, 1975, p. 68. John Casper Branner foi reitor da Universidade de Stanford e colaborou para a ida de Gilberto Freyre a essa Universidade nos anos 30, em cujos cursos principiou a pensar mais detidamente no projeto de *Casa-Grande & Senzala*.

diluição das diferenças e tensões entre o pólo paulista e o pólo freyriano,[17] minha posição seria tão ingênua quanto acredito ser a reconstrução puramente bélica da história cultural brasileira. Reconheço, contudo, que o pernambucano sempre provocou paixões extremas, como Roberto Ventura anotou: "Gilberto Freyre é o mais amado e odiado escritor brasileiro. *Casa-Grande & Senzala*, seu principal livro, é uma das obras mais polêmicas já publicadas no país".[18] E mesmo em Recife, a figura de Gilberto Freyre esteve longe de provocar unanimidade, sobretudo em seu retorno à cidade em 1923, após cinco anos de ausência. "Era inevitável que uma personalidade complexa como a de Gilberto encontrasse resistências no Recife. (...) No início de setembro de 1923, Gilberto escreveu a Oliveira Lima sobre sua infelicidade no Recife. De fato, os comentários e artigos contra Gilberto se multiplicam".[19] Ora, não só os paulistas parecem ter resistido ao pernambucano, seus conterrâneos também se surpreenderam com a mescla de cosmopolitismo e regionalismo que informava suas atitudes. Na célebre entrevista concedida à revista *Playboy*, essa dualidade se revelou com absoluta nitidez. Ao ser perguntado sobre seus estudos na Europa e nos Estados Unidos, Freyre foi firme: "Não me poderia ter acontecido nada mais favorável do que ter tido essa formação no estrangeiro. (...) Eu diria que adquiri, nos Estados Unidos e na Europa, uma visão do ser humano que não teria adquirido se não tivesse saído do Brasil".[20]

---

[17] Aliás, tensões também presentes em outros eixos culturais. Leia-se, por exemplo, a advertência do teórico da literatura, Luiz Costa Lima, cuja formação universitária ocorreu em Pernambuco. Num influente ensaio, em boa medida escrito como uma denúncia do ethos intelectual identificado com a obra de Freyre, ele escreveu: "(...) as posições do autor, não me refiro tanto a seu conservadorismo crescente, como a atitudes e denúncias ditadas pelo oportunismo, pela vaidade e pelo revanchismo pessoal, parecem tornar impossível, por muito tempo ainda, a isenção necessária para um (...) estudo [de seu estilo]". Luiz Costa Lima, "Da existência precária: o sistema intelectual no Brasil". *Dispersa demanda* (*Estudos sobre literatura e teoria*), Rio de Janeiro: Francisco Alves, 1981, p. 27.
[18] Roberto Ventura, *Casa-Grande & Senzala*, São Paulo: PubliFolha, 2000, p. 10.
[19] Guillermo Giucci, "Gilberto Freyre: Dois momentos". Gustavo Bernardo (org.), *Literatura e sistemas culturais*, Rio de Janeiro: EdUERJ, 1998, p. 62 e p. 64.
[20] Gilberto Freyre, "Falando de política, sexo e vida", Edilberto Coutinho (org.). *Gilberto Freyre*. Coleção Nossos Clássicos, Rio de Janeiro, Agir, 1994 [1980], p. 95.

Ao mesmo tempo, questionado sobre seu conservadorismo, Freyre esclareceu: "O que eu quero conservar, no Brasil? Valores brasileiros que estão encarnados principalmente nas formas populares de cultura, formas regionais, que dêem um sentido nacional ao Brasil".[21] Ao que tudo indica, o caráter plural da aventura nada rotineira das posições de Freyre constituíram-se em pedras no caminho de muitos.

A valorização exclusiva de diferenças, porém, talvez impeça o entendimento do vínculo que une os esforços tanto de Gilberto Freyre quanto dos modernistas dos anos 20 e dos estudiosos das décadas seguintes. Afinal, como no poema de Elizabeth Bishop, somente a lealdade de grandes amigos ou de inseparáveis inimigos explica a continuidade de uma tensão intelectual, principiada com o regresso de Gilberto Freyre em 1923, e ainda eloqüente hoje em dia.[22] Ora, lealdade entre pensadores, ainda que adversários, deve referir-se sempre a idéias. Quais seriam as idéias que, para além das óbvias diferenças, mantiveram o debate aceso? Noutras palavras, num primeiro momento pretendo desenvolver a oportuna sugestão de José Aderaldo Castello que, já nos anos 60, portanto no auge das animosidades entre Freyre e os sociólogos paulistas, defendia sem rodeios a necessidade de refletir sobre as relações perigosas das duas escolas. Ele chegou a afirmar: "podemos falar em dois grandes centros de afirmações modernistas no Brasil — São Paulo–Rio de Janeiro e Recife — com atitudes comuns".[23] O autor, porém, não se limitou a anotar semelhanças, fez questão de ressalvar: "sem que reconheçamos as divergências iniciais (...) torna-se difícil explicarmos o que se fez (...) no campo (...) da interpretação sociológica da realidade bra-

---

[21] *Idem*, p. 101.
[22] Leiam-se as matérias dedicadas à cobertura do seminário *Gilberto Freyre, patrimônio brasileiro*, realizado na Universidade de São Paulo. Um exemplo: "Hoje é dia de a universidade paulista liquidar créditos ou débitos pendentes com o autor de *Casa-grande & senzala*". Cassiano Elek Machado, "USP acerta contas com Gilberto Freyre", *Folha de S. Paulo*, 17 de agosto de 2000, E5.
[23] José Aderaldo Castello, *José Lins do Rego: Modernismo e regionalismo*. São Paulo: Edart, 1961, p. 19.

sileira e da valorização de nossas tradições".[24] Nos próximos parágrafos, tentarei pesar o alcance dessa proposta.

## 2. "Sistema intelectual propriamente dito"

Para oferecer uma alternativa à reconstrução exclusivamente
bélica da história cultural, recorro outra vez a um crítico literário.
Em *Formação da literatura brasileira*, Antonio Candido propôs distinguir "manifestações literárias" de "literatura propriamente dita".[25]
Enquanto aquelas somente exigem a produção de textos isolados,
sem que entre eles se estabeleça um vínculo orgânico, esta supõe a
articulação de "um *sistema* de obras ligadas por denominadores comuns".[26] Esses denominadores consistem na inter-relação de três
elementos. De um lado, um conjunto de produtores que, com algum grau de consciência, partilha um horizonte comum ou comu-
nicável. De outro, um conjunto de receptores capaz de relacionar a
experiência dos produtores com a sua própria. Por fim, reunindo a

---

[24] *Idem*, pp. 19-20.
[25] Essa distinção — e sobretudo suas conseqüências do ponto de vista da história literária — provocou algumas polêmicas (ou mal-entendidos?). Embora nesse ensaio não
pretenda ocupar-me delas, vale mencionar sua ocorrência. Afrânio Coutinho reagiu
imediatamente após a publicação de *Formação da Literatura Brasileira*. Ver *Conceito de
Literatura Brasileira*, Rio de Janeiro: Livraria Acadêmica, 1960. Ver também Eduardo
Portella, "Circunstância e problema da história literária". *Literatura e realidade nacional*.
Rio de Janeiro: Edições Tempo Brasileiro, 1975, pp. 21-39. Uma reação mais sistemáti-
ca partiu de Haroldo de Campos: *O seqüestro do barroco na* Formação da Literatura
Brasileira: *O caso Gregório de Mattos*, Salvador: Fundação Casa de Jorge Amado, 1989.
Por fim, ver o ensaio de Luiz Costa Lima, "Concepção de história literária na *Formação*".
*Pensando nos trópicos*. (*Dispersa demanda II*), Rio de Janeiro: Rocco, 1991, 149-166.
    Ligia Chiappini respondeu a boa parte dessas críticas em "Os equívocos da crítica à
*Formação*". *Dentro do texto, Dentro da vida. Ensaios sobre Antonio Candido*. Maria Angela
D'Incao e Eloísa Faria Scarabôtolo (orgs.), São Paulo: Companhia das Letras & Instituto
Moreira Salles, 1992, pp. 170-180. Noutra ocasião, busquei reavaliar a proposta de his-
tória literária de Antonio Candido. Ver João Cezar de Castro Rocha, "*A Formação da lei-
tura no Brasil* — Esboço de releitura de Antonio Candido". José Luís Jobim (org.).
*Literatura e identidades*. Rio de Janeiro: UERJ, 1999, pp. 57-70.
[26] Antonio Candido, *Formação da literatura brasileira*. (*Momentos decisivos*). Vol. 1. Belo
Horizonte: Itatiaia, 1981 [1959], p. 23.

ambos, um repertório recorrente de temas e preocupações configurando um diálogo em curso. A "literatura propriamente dita" emerge através da circulação contínua desses fatores num mesmo circuito:

> O conjunto dos três elementos dá lugar a um tipo de comunicação inter-humana, a literatura, que aparece, sob este ângulo, como sistema simbólico, por meio do qual as veleidades mais profundas do indivíduo se transformam em elementos de contato entre os homens, e de interpretação das diferentes esferas da realidade.[27]

Uma vez que o sistema simbólico esteja estruturado, é possível postular a existência de uma tradição, fruto da continuidade de temas, preocupações e estilos transmitidos ao longo de gerações. Tal processo tem como resultado o estabelecimento da autoconsciência de indivíduos que passam a considerar-se como partes de um todo — passam a ver-se como pertencentes a um povo, com uma trajetória particular e um destino a ser construído coletivamente. Candido denomina "momentos decisivos" precisamente os instantes históricos em que produtores e receptores renovam a consciência de seu pertencimento a uma mesma tradição. Por certo, não se trata da repetição pura e simples de procedimentos anteriores, mas de uma renovação realizada no âmbito de um horizonte comum; horizonte esse determinado pelo caráter atribuído pelo crítico à literatura no Brasil. Na expressão de Candido, trata-se de "uma literatura empenhada".[28] O sentido do empenho obedece a um objeto de desejo nada obscuro: a criação de uma literatura *brasileira*, ou seja, a descoberta de formas e conteúdos capazes de expressar o homem brasileiro e sua circunstância.[29]

Ora, a vida intelectual brasileira, e não apenas sua literatura, pode ser caracterizada mediante o mesmo adjetivo: *empenhada*.

---

[27] *Idem*, pp. 23-24.
[28] *Idem*, pp. 26-29.
[29] Nas palavras de Candido: "Sob este aspecto, poder-se-ia dizer que o presente livro constitui (...) uma 'história dos brasileiros no seu desejo de ter uma literatura' ". *Idem*, p. 25.

E por razões idênticas, pois o esforço da intelectualidade tem sido dominado por ensaios, estudos e monografias sobre a formação da sociedade ou sobre a definição de um pretenso caráter brasileiro. Além disso, a transferência que proponho do conceito de "literatura propriamente dita" para o de "sistema intelectual propriamente dito" parece autorizada por ensaio do próprio Candido, no qual analisa o papel exercido pela literatura no século XIX e ainda nas décadas iniciais do século seguinte: "Diferentemente do que sucede em outros países, a literatura tem sido aqui, mais do que a filosofia e as ciências humanas, o fenômeno central da vida do espírito".[30] Portanto, a orientação empenhada do fazer literário terminou contaminando os demais campos da atividade intelectual, fazendo da pesquisa do "propriamente brasileiro" a coiné dos que se dedicaram à vida das idéias no Brasil. E, pensando na lentidão com que o sistema universitário se estruturou no Brasil e, sobretudo, considerando sua permanente precariedade, compreende-se que a expressão literária tenha desempenhado o papel de intérprete do país, de sua história e de seu povo.

Para uma análise sociológica do fenômeno, basta recordar a correta observação de José Guilherme Merquior sobre *"a coincidência entre o romantismo e a época de fundação nacional dos países latino-americanos.* No caso do Brasil, a consolidação da nacionalidade se identificou com o esforço centralizador do Império".[31] O caráter *empenhado* da vida intelectual também favoreceu a inserção do homem de letras na esfera estatal. Fator que muitas vezes significava a diferença entre seguir a carreira das letras ou abraçar profissões "sérias" — medicina, advocacia e, claro, a política. No século XIX e pelo menos até os anos 70 do seguinte, boa parte dos

---

[30] Antonio Candido, "Literatura e cultura de 1900 a 1945". *Literatura e sociedade: Estudos de teoria e história literária*, 7ª ed., São Paulo: Editora Nacional, 1985 [1965], p. 130. Leia-se ainda o trecho: "Justamente devido a essa inflação literária, a literatura contribuiu com eficácia maior do que se supõe para formar uma consciência nacional e pesquisar a vida e os problema brasileiros", p. 132.
[31] José Guilherme Merquior, *De Anchieta a Euclides. Breve história da literatura brasileira*, Rio de Janeiro: Topbooks, 1996 [1977], p. 78, grifos do autor.

escritores e pensadores brasileiros assegurou sua sobrevivência através de bolsas e cargos oferecidos pelo imperador Pedro II ou mediante sinecuras e posições prodigalizadas pelos governantes republicanos. A reunião de tais circunstâncias determinou o papel de destaque ocupado pelas letras na consolidação do sistema intelectual no Brasil e permite compreender seu eixo: a afirmação da nacionalidade. Ao mesmo tempo, se tal eixo garantiu a institucionalização precoce do homem de letras, também representou um limite considerável, já que predeterminou em alguma medida o rumo de sua vocação. Os recursos assegurados pelo Estado são cobrados com juros altos: quem se mostrar hostil ao modelo, deverá arranjar-se por conta própria. Ainda hoje, a maior parte dos projetos apresentados a órgãos públicos de fomento prometem desvelar mais uma vez o caráter brasileiro. Trata-se de uma operação quase sempre destinada ao sucesso. Como somos heróis sem nenhum caráter, não é exatamente uma tarefa difícil propor uma nova forma de defini-lo; temporariamente, bem entendido.

Em relação à história literária proposta por Candido, os produtores e receptores descobrem seu pertencimento a um mesmo sistema através da preocupação dominante com a nacionalidade. Posso agora esclarecer minha hipótese: *porque se localiza nesse eixo, o diálogo de Gilberto Freyre com os movimentos artísticos e intelectuais paulistas se mantém ativo*, quase sete décadas após o retorno do pernambucano ao Brasil, apesar de sofrer curtos-circuitos eventuais em virtude de profundas diferenças. Ora, as tensões são fruto dessa semelhança fundamental: estavam todos concentrados no estudo da formação da sociedade brasileira e interessados em promover uma profunda renovação cultural. O conflito era inevitável. Embora a meta fosse semelhante, os caminhos a serem percorridos divergiam consideravelmente. Em sua notável edição da correspondência de Mário de Andrade e Manuel Bandeira, Marcos Antonio de Moraes também antecipou essa perspectiva: "Freyre e Mário de Andrade figuram curiosamente na historiografia literária brasileira como personalidades antagônicas. Na verdade, enquanto intelectuais formadores de opinião, propunham ações diferentes para o mesmo objetivo: um nacionalismo crítico da arte e do pensamento brasileiro".[32]

No contexto dos anos 20, a desavença dificilmente poderia ser evitada. Em 1922, no mês de fevereiro, ocorreu a Semana de Arte Moderna, cuja repercussão, embora pequena no momento de sua realização, terminou por marcar profundamente os rumos da cultura nacional nos anos seguintes, sobretudo a partir da Revolução de 1930. Desse modo, mesmo autores indiferentes ou até hostis à Semana de 22 não deixaram de receber seus influxos.[33] A aventura modernista, que principiara num tom iconoclasta, muito cedo alterou sua orientação, partindo para a "redescoberta" do Brasil, estimulada pela célebre visita às cidades mineiras em 1924. Na versão cosmopolita de Paulo Prado, "Oswald de Andrade, numa viagem a Paris, do alto de um atelier da Place Clichy — umbigo do mundo — descobriu, deslumbrado, a sua própria terra".[34]

Ora, Gilberto Freyre também retornara ao Brasil, em 1923, após cinco anos de estada nos Estados Unidos e na Europa. Não havia sido uma escolha fácil. De um lado, um brilhante futuro parecia aguardá-lo, caso tivesse decidido permanecer nos Estados Unidos, e, de outro, a firme decisão de regressar ao Recife, em lugar de instalar-se no Rio de Janeiro ou em São Paulo, parecia afastar ainda mais o jovem talentoso de importantes centros intelectuais.[35] Esse retorno significava uma aposta, pois não tinha nenhuma garantia do acerto da opção. Pelo contrário, seguro seria

---

[32] Marcos Antonio de Moraes (org.), *op. cit.*, p. 221, nota 83.

[33] Wilson Martins já o havia sugerido ao incluir uma lúcida análise de *Casa-Grande & Senzala* como uma das "obras representativas" do Modernismo brasileiro. Em suas palavras: "(...) o livro de Gilberto Freyre respondia, sem o saber, ao programa obscuro do Modernismo, assim como se beneficiou com a atmosfera espiritual criada pelo Movimento". Wilson Martins, *O Modernismo*, São Paulo: Cultrix, 1965, p. 196.

[34] Paulo Prado, "Poesia Pau-Brasil". Oswald de Andrade, *Pau-Brasil*, São Paulo: Globo, 1990 [1925], p. 57.

[35] Sobre as dificuldades enfrentadas por Gilberto Freyre em seu retorno ao Recife, ver o ensaio citado de Guillermo Giucci, "Gilberto Freyre: Dois momentos". Gustavo Bernardo (org.). *Literatura e sistemas culturais*, Rio de Janeiro: EdUERJ, 1998, pp. 57-78, especialmente pp. 57-67.

o projeto imaginado por seu professor no Baylor College, A. J. Armstrong: assumir a cidadania americana, tornar-se ainda mais proficiente no domínio do inglês e, por fim, converter-se em um novo Joseph Conrad. Mesmo um crítico implacável como H. L. Mencken sugeriu a Freyre permanecer nos Estados Unidos.[36] Oliveira Lima também duvidou da opção do jovem intelectual.[37] Essa volta à província, por fim, também significava o encontro com a vocação maior: interpretar o Brasil com base na compreensão das diferenças regionais e, sobretudo, com base num complexo conceito de modernidade, desenvolvido no âmbito da tradição.[38] Por isso, Freyre considerava a irreverência iconoclasta do primeiro momento da Semana de Arte Moderna um puro deslumbramento ante técnicas de vanguarda que ele conhecera de primeira mão e julgava deslocadas em relação à realidade cultural brasileira.[39] Isto para não mencionar o tom messiânico dos arautos do modernis-

---

[36] *Idem*, pp. 61-62.

[37] "Carta de Oliveira Lima. Insiste em que eu não devo voltar para o Brasil (...). Descreve Oliveira Lima: 'Seus pulmões precisam de outro ar para respirar. O seu meio há de ser aqui' (no estrangeiro)". *Tempo morto e outros tempos*. Rio de Janeiro: José Olympio, 1975, p. 73. A nota é de 1922, quando Freyre estava em Nova York.

[38] Não disponho de espaço para desenvolver o paralelo entre Oswald de Andrade e Gilberto Freyre, mas esse seria um ponto privilegiado para tal empresa. Leiam-se os seguintes trechos do poeta paulista: "(...) A saudade dos pajés e os campos de aviação militar. Pau-Brasil. / O trabalho da geração futurista foi ciclópico. Acertar o relógio imperial da literatura nacional. Realizada essa etapa, o problema é outro. Ser *regional* e puro em sua época". Oswald de Andrade, "Manifesto da Poesia Pau-Brasil". *A utopia antropofágica*, São Paulo: Globo, 1990 [1924], p. 44. Nessa direção, Eduardo Subirats propôs uma recente releitura da antropologia oswaldiana, valorizando o inesperado acordo entre a vanguarda e "a memória das origens como primeiro passo para a construção artística de uma sociedade radicalmente renovada". Eduardo Subirats, *A penúltima visão do paraíso. Ensaios sobre memória e globalização*, São Paulo: Studio Nobel, 2001, p. 51.

[39] "Porque acho que, no total, a Semana de Arte Moderna representou uma introdução arbitrária, no Brasil, de modernices européias, sobretudo francesas. Sem dúvida, a cultura brasileira em geral e as artes em particular precisavam na época de serem modernizadas, revigoradas — mas levando-se em conta a realidade regional brasileira, suas tradições características às quais se poderia adaptar inovações européias. Isso não se fez em São Paulo, mas sim no Recife". Gilberto Freyre, "Falando de política, sexo e vida", Edilberto Coutinho (org.). *Gilberto Freyre*. Coleção Nossos Clássicos, Rio de Janeiro: Agir, 1994 [1980], p. 97.

mo, feito sob medida para provocar reações hostis. "Nos primeiros momentos do movimento modernista brasileiro (...) representantes dos grupos de São Paulo e Rio de Janeiro foram levados a fazer afirmações precipitadas, que evidentemente irritaram elementos isolados ou que integravam outros grupos como foi o caso, no Recife, de Gilberto Freyre e José Lins do Rego".[40] No Rio de Janeiro, poderíamos lembrar da mal-humorada reação de um célebre "elemento isolado": Lima Barreto, impaciente com as bombásticas declarações dos modernistas. Na geração posterior à eclosão da Semana de 1922, bastará mencionar a animosidade de outro "elemento isolado": Graciliano Ramos, motivado por razões semelhantes.

As diferenças eram muito claras: o conflito logo se evidenciou — aliás, como vimos, a complexidade do projeto de Freyre igualmente despertou oposições no Recife. Na verdade, as disputas envolviam outros atores, fato que ajuda a relativizar a imagem de um desentendimento exclusivo entre os paulistas e Gilberto Freyre. Em 18 de abril de 1924, Mário de Andrade confidenciou em carta a Manuel Bandeira: "O que são as vaidades, meu Deus! Essa gente do Rio nunca perdoará SP ter tocado o sino. Não falo de você. Você já não é do Rio. Você é como eu: do Brasil".[41] A mesma condenação de um regionalismo, provinciano em sua perspectiva, reaparece numa crítica à abertura, no Recife, de uma exposição organizada por Rego Monteiro:

> (...) São Paulo é o único centro tentável no Brasil, está claro. Aí no Rio, sensibilidade moderna mesmo, isto é, capaz de se apaixonar pra comprar, se tiver uns três, terá? (...) Rego Monteiro tinha primeiro que vir pra São Paulo, mas essa gente inda vive sonhando com a terra natal, parece incrível! Ora imagine você o Recife do sr. Gilberto Freyre, comprando um desenhinho do Picasso por três contos (de catálogo)!!! Depois, se São Paulo não rendesse nada, então tentasse a capital da

---

40 José Aderaldo Castello, *op. cit.*, 195.
41 Obtive essa referência no livro de Angela de Castro Gomes, *Essa gente do Rio. Modernismo e nacionalismo*, Rio de Janeiro: Fundação Getúlio Vargas, 1999. O trecho é utilizado como epígrafe do livro.

República e só depois, se de todo não quisesse pôr de banda o coração, então fosse pra terra natal(...).[42]

Como se percebe com facilidade, diversos projetos estavam sendo articulados para a renovação da cultura brasileira. Entre os modernistas de São Paulo também ocorriam debates ácidos. Muito em breve, eles se dividiriam em grupos tão ou mais irre-conciliáveis do que as perspectivas de um Mário de Andrade e de um Gilberto Freyre. Em alguma medida, esses dois estão menos distantes entre si do que próximos de um Plínio Salgado ou de um Menotti del Picchia. Ao dramatizar a discórdia entre Freyre e determinada vertente do modernismo, apenas reduzimos a com-plexidade de um período cujo interesse depende diretamente dessa mesma complexidade. Nos intensos anos 20, toda "angústia da influência" parecia destinada a gerar uma batalha de interpre-tações. Nas palavras de Joaquim Falcão: "Era uma briga para dar a explicação definitiva sobre o país. Uma competição em que todos queriam ser presidentes da explicação do país".[43]

E é aqui me afasto da reflexão de Aderaldo Castello, que acreditava ver na preocupação comum com o projeto nacional solo propício para a resolução dos conflitos, mediante um "espíri-to que admite as divergências iniciais e a posterior harmonização do modernismo".[44] Pelo contrário, não se trata de engendrar monótonas harmonias, mas de investir na "dissonância cogniti-

---

[42] Marcos Antonio de Moraes (org.), op. cit., p. 446. Carta enviada em 19 de maio de 1930. Ao escrever "São Paulo é o único centro tentável no Brasil", Mário de Andrade está pensando em termos financeiros: tratava-se de encontrar um ambiente favorável à aquisição de obras de arte moderna. É sintomático que Freyre também recorra ao artis-ta pernambucano para provar precisamente o contrário: "Esse movimento foi regiona-lista, tradicionalista e, a seu modo, modernista, ao qual estiveram ligados artistas como Vicente do Rego Monteiro, um renovador da pintura e da escultura". Gilberto Freyre, "Falando de política, sexo e vida", Edilberto Coutinho (org.). Gilberto Freyre. Coleção Nossos Clássicos, Rio de Janeiro: Agir, 1994 [1980], p. 98.
[43] Cassiano Elek Machado, "USP 'abraça' memória de Gilberto Freyre", Folha de S. Paulo, 19 de agosto de 2000, E3.
[44] José Aderaldo Castello, op. cit., 20.

va" enquanto estímulo ao pensamento.[45] É o que proporei na seção final desse ensaio, através de possibilidade aberta por Ricardo Benzaquen de Araujo.

## 3. À guisa de conclusão

Em *Guerra e paz*, seu autor propôs uma leitura renovadora de *Casa-Grande & Senzala*, concentrando-se na análise da escrita de Freyre, relacionando intimamente a interpretação do sociólogo com o estilo de sua prosa. Se a estrutura da casa-grande e da senzala criou formas diversas de convívio entre "antagonismos em equilíbrio",[46] o texto de Freyre, através de um uso especial da oralidade, "transfer[e] para o interior de seu texto, para sua própria forma de escrever, parte da ambigüidade, do excesso e da instabilidade que, segundo ele próprio, caracterizavam a sociabilidade da casa-grande. (...)".[47]

É preciso destacar a novidade da proposta, pois a presença da oralidade costuma ser vista negativamente em certa tradição da crítica brasileira. De um lado, a oralidade aparece como sintoma de uma exposição autoritária porque não explicita os elos da cadeia argumentativa — posição de Luiz Costa Lima.[48] De outro, ela surge como um obstáculo à reflexão e assume um caráter

---

[45] Para o rendimento do conceito de dissonância cognitiva para a análise de situações antinômicas, ver o hoje esquecido Leon Festinger, *A Theory of Cognitive Dissonance*, Stanford: Stanford University Press, 1957.

[46] Numa eloqüente recapitulação: "O sistema casa-grande-senzala, que procuramos estudar em trabalho anterior, chegara a ser — em alguns pontos pelo menos — uma quase maravilha de acomodação: do escravo ao senhor, do preto ao branco, do filho ao pai, da mulher ao marido". Gilberto Freyre, "Prefácio à primeira edição". *Sobrados e Mucambos*, 2ª ed. Rio de Janeiro: José Olympio, 1961 [1936], p. xxi.

[47] Ricardo Benzaquen de Araújo, *Guerra e paz*. Casa-Grande & Senzala *e a obra de Gilberto Freyre nos anos 30*, São Paulo: 34 Letras, 1994, p. 208.

[48] "A cultura auditiva é portanto fundamentalmente uma cultura que se transmite sem cadeias demonstrativas". Luiz Costa Lima, "Da existência precária: o sistema intelectual no Brasil", *op. cit.*, p. 17.

geralmente nocivo — posição de José Guilherme Merquior.[49] Ricardo Benzaquen sugere que, pelo contrário, o emprego freyriano da oralidade sustenta a tensão do argumento, criando uma espécie de dialética sem síntese, num texto cujo caráter inconcluso mantém a possibilidade de contínua revisão dos próprios pressupostos. A oralidade freyriana, portanto, não somente explicitaria como desconstruiria os passos da cadeia demonstrativa. Desse modo, não impede a reflexão, mas a impulsiona como se fosse um moto perpétuo. Nas palavras do autor:

> O tom de conversa, de bate-papo que [a oralidade] propicia, parece facilitar sobremaneira que [Freyre] arme um raciocínio francamente paradoxal, fazendo com que a cada avaliação positiva possa se suceder uma crítica e *vice-versa*, em um *ziguezague* que acaba por dar um caráter antinômico à sua argumentação.[50]

Nessas notas preliminares, tentei fazer com que esse caráter antinômico contaminasse a própria narrativa da história cultural brasileira. Com isso, não desejo apagar as diferenças ou construir uma improvável conciliação entre opostos — traço tristemente célebre da vida política brasileira, sempre hábil na costura de acordos em princípio irrealizáveis, embora viabilizados pela promessa de inconfessáveis benefícios. Não haveria razão para propor semelhante procedimento na área da cultura, pois todos

---

[49] "(...) desde quase todos os ângulos, a oralidade tem sido negativa". José Guilherme Merquior, "Situación del escritor". César Fernández Moreno (org.). *América Latina en su literatura*. México: Siglo Veintiuno, 1972, p. 382. Juízo igualmente desfavorável é repetido em *De Anchieta a Euclides. Breve história da literatura brasileira*.

[50] Ricardo Benzaquen de Araújo, *op. cit.*, p. 208. O autor já havia intuído a potencialidade de um raciocínio "tortuoso", por assim dizer. Com o objetivo de matizar a crítica de Claude Lévi-Strauss à consciência histórica, Benzaquen propôs: "Suponho, ao contrário, que o que vai caracterizar uma boa parte da produção dos *Annales* e das outras correntes historiográficas que repartiram o seu paradigma é uma espécie de argumentação em *ziguezague*. Esta argumentação parte de um contexto claramente delimitado, explora minuciosamente as suas categorias e tenta ultrapassá-las (...)". "As almas da história", Dirce Côrtes Riedel (org.). *I Colóquio UERJ. Narrativa. Ficção & história*, Rio de Janeiro: Imago, 1988, p. 95.

sabemos do descaso com que nosso ofício sempre foi visto nos centros de decisão do Estado. Proponho, pelo contrário, uma reconstrução da história cultural que preserve a tensão de posições distintas precisamente no confronto dessas diferenças. Precisamos abandonar o expediente usual de nossa República das Letras, qual seja, a proliferação de grupos que sistematicamente ignoram o que se produz em outros feudos e, assim, perpetua-se a narrativa bélica. Quem sabe não prosseguimos nesse caminho pela facilidade que ele oferece? Afinal, não precisamos ler as obras dos membros de nossa capelinha, pois sabemos que serão livros geniais, e, ainda com mais razão, estamos dispensados de estudar os volumes escritos por adeptos de outros cenáculos, pois sabemos que serão livros destituídos de qualquer interesse. Ler com olhos menos comprometidos a tradição do pensamento social brasileiro talvez estimule a escrita de relatos que, em lugar de trincheiras, estabeleçam pontes para uma compreensão mais fecunda, quer dizer, mais complexa, especialmente dos pensadores cuja orientação não coincida com a nossa.

# GILBERTO FREYRE NA USP*

*Olavo de Carvalho*

Enquanto Aldo Rebelo, Jacob Gorender e eu realizávamos na PUC-SP a nossa pequena *glasnost* intelectual em torno da celebração do centenário de Gilberto Freyre,[1] descongelamento simi-

\* Publicado em *O Globo*, 26 de agosto de 2000.

[1] Promovido pelo Instituto Mário Alves em comemoração ao centenário de Gilberto, o encontro realizou-se na PUC de São Paulo em 11 de agosto de 2000. Nele o prof. Jacob Gorender resumiu a tese que expusera brilhantemente em *O escravismo colonial* (3ª ed., São Paulo, Ática, 1980), segundo a qual o traço essencial da sociedade colonial não fôra nem a economia exportadora, nem o patriarcalismo, nem um pretenso feudalismo, mas sim o *escravismo mercantil*. Considero essa tese uma das poucas verdades históricas bem assentadas, com que podemos contar para compreender nosso passado. Discordei apenas do prof. Gorender quando ele procurou opô-la à descrição freyriana da sociedade patriarcal, pois, a meu ver, esta também está muito bem fundamentada e uma não elimina a outra; apenas, a justaposição das duas coloca um problema histórico que ainda está longe de ser resolvido e que é dos mais interessantes para as futuras gerações de historiadores sociais. O próprio prof. Gorender admitiu, em resposta, essa possibilidade. O debate tomou um rumo mais polêmico quando o deputado Rabelo, ao mesmo tempo comunista e freyriano roxo, enfrentou valentemente as pretensões de certos militantes do movimento negro, ali presentes, que, repetindo esquemas retóricos norte-americanos, procuravam menosprezar o valor cultural e ético da miscigenação brasileira e apresentar a nossa sociedade em termos estereotipados de um conflito inconciliável de raças. O deputado, com muita acuidade, percebeu o forte elemento de imperialismo cultural presente nesses arrebatamentos de negritude um tanto postiça, tendentes a destruir a originalidade da cultura brasileira em proveito da adoção de um discurso "politicamente correto" financiado por fundações estrangeiras. Fiquei, evidentemente, ao lado de Rabelo contra seus oponentes, e no fim conseguimos voltar à discussão científica das contribuições comparadas de Gorender e Freyre à historiografia colonial. Foi uma conversa memorável.

lar preparava-se no mais improvável dos *freezers*: a USP, o foco da mais renitente hostilidade ao autor de *"Casa-Grande & Senzala"*, ali execrado como o antagonista reacionário da sociologia paulista, marxista e petista do dr. Florestan Fernandes.

Convidado a participar, pensei: uai, o Brasil civiliza-se.

Sim, *ma non troppo*. A tardia admissão no templo do esquerdismo quatrocentão custou ao morto ilustre um preço escorchante: ser submetido a análises pejorativas, responsabilizado pelos desmandos do governo militar e, o que é pior, celebrado como o maior sociólogo brasileiro... depois do dr. Florestan Fernandes.

"Oh, Peter, você não mudou nada". A USP também não. Fingindo homenagem, a velhinha só repetiu, entre sorrisos amarelos, as mesmas coisas que antigamente dizia entre esgares de ódio.

Deixando de lado as fofocas restantes, direi o que penso do confronto entre o sociólogo pernambucano e o paulista.

Para Gilberto, o Brasil forma uma civilização original, onde a miscigenação avassaladora lançou as bases de um novo modelo de convivência entre raças, tendendo a neutralizar espontaneamente conflitos e diferenças. Para Florestan, o escravismo criou uma sociedade estratificada, que, ao converter-se de agrícola em industrial, reservou a melhor quota das oportunidades para os brancos, repetindo, no conflito das raças, a luta de classes.

As duas visões correspondem a alguma realidade. Há o Brasil miscigenado e há o Brasil estratificado.[2] Há o Brasil de família multicor e o Brasil onde a maioria mestiça, somada à minoria negra, fica com a parte menor e pior do bolo. Negar qualquer dos dois é maluquice. A diferença é a seguinte: o que Gilberto apreende são traços profundos, duradouros, que marcam a originalidade de uma cultura em formação e dos valores que ela tem para dar ao mundo. O que Florestan descreve é uma situação temporária, que pela própria evolução econômica vai se dissolvendo e tende a desaparecer.

---

[2] Os pontos de partida para a investigação desses dois aspectos opostos e complementares são, justamente, os estudos de Gilberto Freyre e de Jacob Gorender.

Essa diferença provém de outra, mais básica: o horizonte de visão de Gilberto é incomparavelmente maior. Ele abarca e transcende qualquer fenômeno particular e datado. Não há dificuldade em assimilar, no quadro gilbertiano, as dificuldades encontradas pelos descendentes de escravos para integrar-se na sociedade industrial. O que não tem sentido é tentar ampliar inflacionariamente esse ponto para fazer dele o princípio de uma interpretação geral do Brasil, oposta e concorrente à de Gilberto.

Na verdade, longe de dar base empírica à hipótese de um Brasil estruturalmente racista, o fenômeno assinalado por Florestan resulta de um acidente alheio a conflitos de raças. Entre a abolição da escravatura e o primeiro surto industrial brasileiro mais de quarenta anos se passaram: nesse período a população negra e mestiça se multiplicou em ritmo formidável sem que se multiplicassem concomitantemente os empregos. Sua exclusão econômica nasceu dessa defasagem. Os negros não ficaram sem empregos por culpa de racistas brancos: ficaram sem empregos porque não havia empregos. Sem trabalho, ficaram também sem instrução e, fatalmente, foram sobrepujados pelos imigrantes que já vinham instruídos e treinados. É burrice ou perversidade apelar a uma rebuscada hipótese acusatória para explicar um fato que já está mais que explicado por uma impossibilidade econômica pura e simples.

Ampliada e generalizada, a analogia florestânica de raças e classes não é aliás nenhuma teoria nova e original. Quando Florestan ainda usava fraldas, em 1933, no ano mesmo da publicação de *Casa-Grande & Senzala*, Josef Stalin dava ao Comintern a ordem de que os intelectuais comunistas deveriam abordar as relações de raças em termos de luta de classes, para capitalizá-los em proveito da causa comunista. Um sociólogo do Terceiro Mundo atender com três décadas de atraso a um comando stalinista não é propriamente o que se chamaria um grande acontecimento intelectual.

Por isso mesmo, vai para o rol dos mitos autolisonjeiros da paulicéia a fama de excelso rigorismo científico da obra de Florestan, que seus devotos alegaram como razão para julgá-la superior ao que chamam "sociologia ensaística" de Gilberto. Pois Gilberto não apenas dominava todos os métodos sociológicos e históricos conhecidos no seu tempo — e justamente por dominá-los sabia relativizá-los —, como também foi o inventor de mais alguns, que as posteriores revoluções científicas acabaram consagrando como conquistas fundamentais.[3] Já o pobre Florestan não fez outra coisa senão meter os pés pelas mãos, com uma mistura de dialética marxista e indutivismo durkheimiano cujo completo *nonsense* foi demonstrado por Alberto Oliva em *Ciência e Ideologia: Florestan Fernandes e a Formação das Ciências Sociais no Brasil*,[4] um livro que na USP ninguém leu — ou, se leu, escondeu. Não, Florestan não era rigoroso. Ele apenas confundia rigor metodológico com carranca professoral marxista.

Não há, pois, uma escola freyriana em disputa com uma escola paulista. O que há é sociologia freyriana contra uma doutrina stalinista legitimada *ex post facto* por um desastrado arranjo de pretextos metodológicos. A disputa só existiu na imaginação uspiana, incapaz de distinguir entre um gênio universal e um funcionário público estadual.

## Apêndice: Um Gilberto paulista

Nem toda a sociologia paulista, no entanto, permaneceu cega às contribuições de Gilberto. A Escola de Sociologia e Política, livre de preconceitos uspianos contra o mestre, se abriu sem medo à sua influência, e dela resultou a vitória que um outro Gilberto — Gilberto Leite de Barros — obteve sobre o formidável desafio de deslindar a história da família patriarcal paulista como o autor de *Casa-Grande & Senzala* fizera com a pernambucana.

---

[3] Gilberto inventou mais que métodos: inventou ciências inteiras. A "história das mentalidades" e a "história da vida privada" não são outra coisa senão criações dele. Do mesmo modo, o "enfoque sistêmico", o método "holístico" e a ecologia como moldura da história, que ganharam relevo a partir da década de 60, já estavam perfeitamente estruturados e aplicados em *Casa-Grande & Senzala*.

[4] Porto Alegre, Edupucrs, 1997.

Redijo, pois, esta breve nota só no intuito de chamar a atenção para um livro sobre o qual a ortodoxia uspiana lançou pesada cortina de silêncio, mas que é, para o meu gosto, um clássico da historiografia social brasileira: *A cidade e o planalto. Processo de dominância da cidade de São Paulo* (2 vols., São Paulo, Martins, 1967), ampliação de uma tese elaborada por Gilberto Leite de Barros sob a orientação de Sérgio Buarque de Holanda.

Observam-se nesse livro muitas das melhores qualidades de *Casa-Grande & Senzala*, sobretudo a visão orgânica das ligações sutis entre as estruturas maiores e os detalhes da vida cotidiana e pessoal.

Em nenhuma outra obra a formação da sociedade paulista aparece tão nítida, tão rica de detalhes, tão compreensível. Só o que é incompreensível é que tamanha realização intelectual, em vez de inaugurar uma tradição, como seria justo, tenha caído no esquecimento.

# O SÁBIO E O FUNCIONÁRIO

*Gabriel Cohn*

Grave erro comete-se na USP ao imaginar uma disputa entre uma "escola freyriana" e uma "escola paulista" de Sociologia, acusa o filósofo (cito a sua identificação no artigo em que susten-ta isto) Olavo de Carvalho. Deve-se isso à insistência da "imagina-ção uspiana" na possibilidade de um confronto entre Gilberto Freyre e Florestan Fernandes, incapaz que é de "distinguir entre um gênio universal e um funcionário público estadual".

Ainda que mal fundamentada a observação é interessante. Mal fundamentada ela certamente é. O autor coloca em posição muito embaraçosa a Filosofia da qual se proclama praticante. Nos seus comentários sobre a obra de Florestan relevante para um confronto com Freyre (não há referências exatas; mas é de supor-se que esteja em causa seu livro sobre a integração do negro na sociedade de classes) não há sequer traço de leitura séria. Tudo se resume em fórmulas rancorosas. Mas é interessante, na caracteri-zação que faz de ambos os autores.

É bem possível que Gilberto Freyre aceitasse de bom grado a sua colocação ombro a ombro com Goethe, digamos, ou então, mais a propósito, com Montesquieu. Afinal, como dizia Darcy Ribeiro, Freyre e ele próprio tinham em comum uma auto-estima sem limites, "gosto de mim que me enrosco". Até aí, nada de mais grave. Mas, para quem ainda conserva algum senso do ridículo, comparações desse tipo feitas por terceiros só podem ser cons-trangedoras.

Importa mais a referência a Florestan. Aqui o autor atirou no que viu e acertou no que não viu. O fato é que a qualificação de "funcionário público", feita com evidente intuito de desqualificação, seria aceita por Florestan sem dificuldade e mesmo com orgulho. Aqui não há narcisismo envolvido. Mas há, certamente, uma concepção de trabalho intelectual. O fato é que Florestan, em certa medida seguindo nisto o exemplo de Durkheim, via-se no sentido mais fundo do termo como um funcionário da sociedade. Vale dizer, como um participante de uma busca de conhecimento que se justificava pelo que tinha de público. E público, aqui, significa, antes de tudo, ser acessível a todos os grupos que se vão constituindo numa sociedade em mudança. Nisso, como em tantos outros pontos, sua trajetória é diferente da de Freyre. Passa, por exemplo, pela intensa participação na campanha em defesa da escola pública no início dos anos 60, o que o coloca mais próximo do outro grande centenário de 2000, Anísio Teixeira, do que de Gilberto Freyre. E chega, já na fase final da sua obra e da sua vida, à condição qualificada pelo senhor Olavo de Carvalho como "paulista, marxista e petista". Para Florestan, ser funcionário público na universidade pública era algo muito sério e honroso. Significava a dedicação militante à formação de integrantes de uma sociedade em que a palavra *público* faça sentido. E, se sua referência era paulista, o seu olhar, como o de seu avesso pernambucano Gilberto Freyre, voltava-se para a sociedade brasileira como um todo.

A preocupação de Florestan como sociólogo voltava-se para o sentido em que se davam as mudanças sociais no Brasil (para usar o título de um dos seus melhores livros). Interessava-lhe detectar os sinais da constituição daquilo que denominava "ordem social competitiva". Vale dizer, de uma organização social aberta à disputa por posições sem consideração por privilégios, títulos ancestrais, fortuna, ou quaisquer garantias desse tipo. Enfim, uma sociedade burguesa compatível com a expansão do capitalismo e, sobretudo, democrática. Este último termo é decisivo. Para Florestan, sociólogo visceral, a democracia tinha que ser buscada na sociedade. Mais do que instituições políticas adequadas (mas sem ignorá-las, claro) importa a expansão da igualdade de condições sociais. Na ausência desta as instituições ficam inertes, sem o impulso que lhe imprimem os vigorosos competidores por posições e situações de vida. Num sentido muito curioso o socialista Florestan Fernandes é uma espécie de Tocqueville tardio e radical, às voltas com as dificuldades para realizar-se no Sul o que o viajante francês detectara no Norte. Tocqueville encontrara uma vida social marcada por uma irreversível igualdade de condições, e queria vê-la temperada por um gosto pela liberdade arraigado nos cidadãos. Florestan busca sinais de mudança numa sociedade em que os dois termos estão bloqueados. Um quer aperfeiçoar o cidadão democrático, o outro se pergunta como se poderá constituí-lo. Um quer civilizar a ordem social competitiva, o outro quer vê-la funcionando. Um aceita a igualdade existente desde que não ameace a liberdade; o outro reclama uma igualdade não existente sem a qual a liberdade perde substância.

Se a igualdade não está dada e a liberdade apresenta-se mais como uma concessão dos poderosos do que como uma conquista, como se dá no caso brasileiro, o melhor ângulo para observar a natureza e as condições das mudanças que essa sociedade propicia não será o dos que estão no seu topo e tendem a consolidar suas posições. Será melhor observá-la na constituição social e política (entendendo-se aqui política como interesses sociais organizados) das parcelas que buscam lugares na sociedade a partir de baixo; do povo, portanto. E é neste ponto que ganha sentido o interesse de Florestan pelo estudo das relações entre negros e brancos no Brasil. Não como estudo de relações raciais simplesmente, nem como busca de configurações de modos de agir e de valores que permitam entender a especificidade cultural brasileira. Mas como o ângulo de análise que melhor dá acesso às condições históricas e sociais da formação do povo, entendido como o conjunto de aspirantes a novos sujeitos sociais. E o negro recém-saído da escravidão representa o caso extremo das condições de constituição desse povo, pois forma o grupo que teve o pior ponto de partida para isso.

Não há, pois, em Florestan, a primária substituição de "raças" por "classes" que o senhor Olavo de Carvalho atribui a uma "doutrina stalinista" absorvida com décadas de atraso. Há, sem dúvida, a questão da articulação entre relações "raciais" e "de classe", vista da perspectiva da formação da sociedade de classes (a outra face da "ordem social competitiva"). A crítica à idéia da "democracia racial" faz parte disso, e este ponto certamente afasta Florestan Fernandes de Gilberto Freyre. Mas o que importa estudar são as condições e as possibilidades de constituição de uma sociedade democrática, que certamente será de classes. Importa compreender que, quando Florestan estuda as relações entre negros e brancos em São Paulo (mais precisamente, quando examina as formas sociais, culturais e sócio-psicológicas que assumem os esforços das populações negra e mulata para ingressar no mundo que os brancos criaram), o objeto de estudo não são os negros nem as relações destes com os brancos, mas a formação do *povo* numa sociedade em mudança. E mudança problemática, com possibilidades e limites que cabe à pesquisa detectar e analisar. Nada pois de redução "stalinista" (o termo chega a causar engulhos) da "raça" à "classe". Mas ênfase no tipo de sociedade que se está formando e do papel que nela se reserva ao povo, entendido como o conjunto dos grupos desprovidos de recursos de poder. E, por isso mesmo, atenção às complexas relações entre identidades étnicas e distribuição social por classes.

Trata-se, no caso de Florestan, de uma visão "de baixo para cima", numa perspectiva *plebéia* da sociedade. O exato avesso de uma perspectiva *senhorial*, como é a de Gilberto Freyre. Há razões de sobra, portanto, para que ambos esses autores, cujas áreas de pesquisa se cruzam em tantos pontos (análise sociológica, reconstrução histórica, perspectiva etnológica) pensem a sociedade brasileira por prismas diferentes quando não opostos. Gilberto Freyre busca construir uma teoria da singularidade social e cultural brasileira da perspectiva da civilização. Interessam-lhe antes de mais nada os costumes, no que concerne à sua constituição e ao seu refinamento. Neste ponto como em tantos outros evocando Simmel (mas também, mais remotamente, Montesquieu) ele é um pensador dos laços que unem e dos impulsos que separam os homens. Distância e aproximação; mais do que isso, o complexo enlace de ambos esses movimentos. Nisso consiste o nervo da reflexão de Freyre, disso ela retira sua força e seu caráter instigador. Já Florestan não cogita da singularidade do Brasil, mas do modo como nele se fazem presentes grandes correntes históricas mundiais, ligadas à expansão da ordem social burguesa e da ordem econômica capitalista. Não são os elos que o preocupam, mas os cortes e os confrontos. Promessa e frustração são os termos que imantam a sua reflexão. Leiam-se as finas análises do sexo da perspectiva da satisfação do senhor e do senhorzinho em *Casa-Grande & Senzala* e veja-se o modo como Florestan persegue a dimensão libertadora que o sexo por vezes assume nas populações negras paulistas que estuda em *A integração do negro na sociedade de classes*. Duas visões, duas perspectivas da mesma sociedade.

Representa isso uma vantagem, ou uma superioridade de um sobre o outro? Certamente não. A problemática deste é tão legítima quanto a daquele; mas não são as mesmas, não respondem às mesmas inquietações, não se prestam a comparações e confrontos fáceis. Chamar um de gênio universal e o outro de stalinista retardatário não resolve nada. Qual é a crítica que nesse contexto se pode legitimamente fazer à USP (mais exatamente: a Florestan e aos mais ligados a ele, que nunca foram "a USP")? Ela certamente terá que assinalar a dificuldade de muitos deles (não todos: aprendi diferente com meu mestre Octavio Ianni) para perceber que, para além das discrepâncias político-ideológicas muito reais e muito sérias, a obra de Freyre oferece exatamente aquilo que a de Florestan nunca poderia oferecer: a revelação muito fina e muito funda, a partir da perspectiva senhorial, de aspectos altamente significativos da sociedade brasileira. Pois nisto consiste o notável privilégio que as ciências sociais brasileiras tiveram, talvez sem paralelo no mundo. Duas das suas maiores vocações no século XX, senão as maiores, percorreram as mesmas trilhas, com preocupações e visões rigorosamente opostas. Mas, na exata medida em que as análises de ambos se opõem porque resultam de perspectivas sociais e culturais (e também políticas) situadas nos dois pólos da mesma realidade, elas acabam sendo complementares no melhor sentido do termo. É isto que tantas vezes passou despercebido em São Paulo — e também em Recife. Lado a lado na sua irredutível tensão mútua, as obras de ambos como que reproduzem no plano analítico os dilemas da singularidade e permanência de uma matriz social combinada à sua transformação pela via da sua dinâmica interna.

Quando Freyre formula os títulos de suas principais obras por termos unidos pela cópula *e*, importa-lhe realmente mostrar enlaces, o jogo da proximidade e da distância. Florestan leria esse *e* como oposição, como mundos sociais que no melhor dos casos competem entre si e, no pior, ajustam-se a múltiplas formas de subjugação e dominação. Proximidade e distância; acomodação e competição. A visão estético-senhorial; a visão ético-plebéia. A ênfase nos traços singulares que se formam e permanecem numa sociedade; a ênfase nas mudanças conforme padrões universais. Eis aí os termos para uma análise abrangente de uma sociedade. Freyre e Florestan percorreram esse caminho, cada um por seu lado e ao seu modo. Isolados, cada qual vale pelo que soube fazer. Não é pouco, em ambos os casos. E certamente será muito mais, se soubermos lê-los juntos, sem confundi-los mas também sem desqualificar um em nome do outro.

# A META MITOLÓGICA DA DEMOCRACIA RACIAL

*Hermano Vianna*

Gilberto Freyre defende a tese da "democracia racial" brasileira em *Casa-Grande & Senzala*. Leia novamente a afirmação anterior. Soa estranha? Traz alguma novidade? Poderia ter sido escrita de muitas outras maneiras. Por exemplo: *Casa-Grande & Senzala* apresenta o mito da "democracia racial" brasileira. Ou ainda: o Brasil de *Casa-Grande & Senzala* é uma "democracia racial". Nada estranho, não é? Nem as aspas que isolam, funcionando como um cordão sanitário, a expressão "democracia racial". Hoje em dia ninguém é louco a ponto de escrever que o Brasil é realmente uma democracia racial. Seria linchado em praça pública. As aspas estão ali para dizer que os autores das afirmações anteriores não acreditam no mito.

Quem acredita? Quem acreditou? A frase "hoje em dia ninguém é louco a ponto de escrever que o Brasil é realmente uma democracia racial", no seu todo uma declaração bem boba para prender a atenção do leitor, pressupõe ironicamente que em algum lugar do passado houve loucos que escreveram tal barbaridade. Se houve, entre eles não estava o Gilberto Freyre de *Casa-Grande & Senzala*. A expressão "democracia racial", com aspas ou sem aspas, não aparece nesse livro.

Alguém já tinha dito isso para você? É bem provável que não. Mas é a mais pura verdade: em nenhum dos capítulos de *Casa-Grande & Senzala*, incluindo as notas volumosas desses capítulos, está impressa a expressão "democracia racial". Quem escreve que "Gilberto Freyre defende a tese da "democracia racial" brasileira em *Casa-Grande & Senzala*", leva o leitor a acreditar que a expressão "democracia racial" é usada explicitamente nesse livro, e que seu uso seria aí defendido como traço fundamental da sociedade brasileira. Leia *Casa-Grande & Senzala* (coisa que muita gente não faz justamente por acreditar que é o texto fundador do mito da "democracia racial"): você verá que não é esse o caso.

Além de todo o prazer da leitura (apontado por, entre outros escritores, João Guimarães Rosa e João Cabral de Melo Neto), você descobrirá — talvez surpreendido — que muitas passagens de *Casa-Grande & Senzala* podem mesmo ser citadas no panfleto mais furioso que pretenda refutar de uma vez por todas o tal mito da "democracia racial". O que estou querendo dizer, sampleando uma idéia de Caetano Veloso, é curto e grosso: há no Brasil, e entre brazilianistas, um mito do "mito da 'democracia racial'". Esse mito ao quadrado inclui a idéia, sempre afirmada em termos imprecisos (como convém para a linguagem mitológica), de que o mito — o primeiro — da "democracia racial" teve origem em *Casa-Grande & Senzala*. Seria mais preciso dizer, se quisermos continuar fiéis aos jogos de espelhos dessa nossa metamitologia nacional, que o "mito da 'democracia racial'" teve origem numa leitura apressada, tendenciosa ou burra de *Casa-Grande & Senzala*.

Não escrevo este artigo para defender *Casa-Grande & Senzala*. Esse livro, talvez por ter gerado tantos mitos, talvez por ter tido o impacto que obviamente teve (Monteiro Lobato comparava a sua aparição com a do cometa de Halley), não precisa de defesas. Minha intenção aqui é apenas propor uma volta ao texto, deixando de lado as idéias preconceituosas contra o texto. Nesse sentido, penso estar dando continuidade, não autorizada e assumidamente malcriada (provavelmente mesmo irresponsável), a algumas idéias expostas de maneira muitíssimo bem-educada e sensata no livro *Guerra e Paz* (34 Letras, 1994), de Ricardo Benzaquen de Araújo, um dos poucos autores contemporâneos que, com argumentos sólidos, tem coragem de não alimentar o mito do mito.

Ricardo, com uma serenidade espantosa, escreve: "ainda tenho, contudo, alguma dificuldade em concordar que a visão que Gilberto possuía da nossa sociedade colonial envolvesse, de fato, a afirmação de um paraíso tropical." Quem escreve que *Casa-Grande & Senzala* teria "criado uma imagem quase idílica de nossa sociedade colonial, ocultando a exploração, os conflitos e a discriminação que a escravidão necessariamente implica atrás de uma fantasiosa 'democracia racial'" estaria divulgando uma "meia-verdade", isto é, "não se trata de uma falsidade ou de um equívoco, mas de uma afirmação que atinge apenas parcialmente o seu alvo".

A opinião de Ricardo é clara, nobre, defensável. A minha opinião é outra: as "meias-verdades" que já se tornaram clichês em comentários sobre *Casa-Grande & Senzala* não me parecem equivocadas: elas são realmente mal-intencionadas, pois escondem ou ignoram as suas "numerosas passagens que tornam explícito o gigantesco grau de violência inerente ao sistema escravocrata". Então, além de mal-intencionadas, essas opiniões podem — no meu entender, certamente não na interpretação de *Guerra e Paz*— ser chamadas de mentirosas. Como dizer que *Casa-Grande & Senzala* criou uma imagem idílica da sociedade brasileira, se logo no prefácio de sua primeira edição aprendemos que senhores mandavam "queimar vivas, em fornalhas de engenho, escravas prenhes, as crianças estourando ao calor das chamas" (lxxvii — nota: todos esses números de página se referem à sua vigésima-primeira edição, lançada pela Livraria José Olympio Editora em 1981), ou ouvimos a história de um senhor que, na tentativa de dar longevidade às paredes de sua casa-grande, "mandou matar dois escravos e enterrá-los nos alicerces"? (lxvii) Que país é esse? Que paraíso tropical é esse? Que "democracia racial" é essa? Como diz Ricardo Benzaquen de Araújo, para Gilberto Freyre "o inferno parecia conviver muito bem com o paraíso em nossa experiência colonial".

É importante fazer uma seleção dos trechos infernais, pois eles são quase sempre "esquecidos" nas declarações anti-"democracia racial". *Casa-Grande & Senzala* fala mesmo de uma "tendência geral para o sadismo criado no Brasil pela escravidão e pelo abuso do negro" (419), uma violência que integrava os mais diferentes aspectos da vida social, e ninguém escapava de sua "prática". Mulheres "espatifavam a salto de botina dentaduras de escravas; ou mandavam-lhes cortar os peitos, arrancar as unhas, queimar a cara ou as orelhas" (337). As crianças inventavam brincadeiras onde galhos de goiabeira atuavam como chicotes: "os muleques serviam para tudo: eram bois de carro, eram cavalos de montaria, eram burros de liteiras e de cargas as mais pesadas" (336). O quadro geral da relação entre senhores e escravos é visto como produto de um "senso pervertido das relações humanas" (337).

Contra os índios, os portugueses não foram menos cruéis: mandavam "amarrá-los à boca de peças de artilharias que, disparando, 'semeavam a grande distância os membros dilacerados'" (155) ou inflingiam-lhes "suplícios adaptados dos clássicos às condições agrestes da América", como aquele onde "amarra-se o índio a duas canoas, correndo estas, à força de remos, em direções contrárias até partir-se em dois o corpo do supliciado" (155). Tudo isso era feito com uma "especialização macabra" (155). Gilberto Freyre fala explicitamente do "extermínio da raça indígena no Brasil" (157).

Apesar de toda a propagandeada lusofilia de *Casa-Grande & Senzala*, em suas páginas muitas vezes os portugueses aparecem como vilões, desastrados ou estúpidos: "A deformação do português tem sido sempre em sentido horizontal. O achatamento. O arredondamento. O exagero da carne em enxúndia. Seu realismo econômico arredondado em mercantilismo, somiticaria, materialização bruta de todos os valores da vida" (190). Uma tendência ao que parece vitoriosa, já que, segundo Gilberto Freyre, o português moderno aparece "já tão manchado de podre" (190): "é um povo que vive a fazer de conta que é poderoso e importante" (192); que finge esquecer que no passado "[s]eria ele o corruptor, e não a vítima" (242); que já era "predisposto ao regime de trabalho escravo"(242) antes das Grandes Navegações; e que, "já de si melancólico, deu no Brasil para sorumbático, tristonho" (462), gerando um "brasileiro de classe mais elevada", geralmente sifilítico, que tem o "mórbido deleite em ser mau" (370).

Todo esse horror digno da narrativa de *Coração das Trevas* ou *Apocalypse Now* pode ser resumido com as seguintes palavras de Gilberto Freyre: "Há tanto que criticar na política dos colonizadores portugueses no Brasil que para acusá-los de erros tremendos não é necessário recorrer à imaginação" (414).

Poderia gastar páginas e páginas destacando trechos como esses. Nem tratei ainda da crítica radical que Gilberto Freyre faz da monocultura e do açúcar. Mas penso que a seleção citada já compõe um dos panoramas mais medonhos que podem ser encontrados em livros que pretendem dar conta da história cultural de seus países. Como então é possível que tanta gente descreva o Brasil de *Casa-Grande & Senzala* como um "paraíso tropical"? Como foi possível se criar, a partir de um livro que contém trechos tão sinistros, o mito otimista da "democracia racial"? A resposta é simples: eu também poderia gastar páginas e páginas destacando trechos que têm sentidos opostos aos anteriores e que, em seu conjunto, podem facilmente compor uma imagem idílica da sociedade brasileira.

Citarei alguns dos mais bandeirosos (e mais usados nos ataques anti-Gilberto Freyre), para ninguém dizer que não falei de flores. Por exemplo: "salientemos a doçura nas relações de senhores com escravos domésticos, talvez maior no Brasil do que em qualquer outra parte da América" (352). O português teria sido o "menos cruel na relação com os escravos" (189). O "regime brasileiro" é "em vários sentidos sociais um dos mais democráticos, flexíveis e plásticos", pois entre nós seria possível encontrar a "fusão harmoniosa de tradições diversas, ou antes, antagônicas, de cultura" (52). E ainda: "Híbrida desde o início, a sociedade brasileira é de todas da América a que se constituiu mais harmoniosamente quanto às relações de raça" (91). Resumindo: o português fundou no Brasil "a maior civilização moderna nos trópicos" (190).

Paraíso tropical, é claro. (E preferi nem tocar na mais fascinante e "revolucionária" provocação freyriana: o elogio da miscigenação.) Torna-se conseqüentemente também fácil, para um crítico de Gilberto Freyre, ater-se aos trechos paradisíacos e atacar toda a obra. Muito fácil, de uma facilidade que poderia ser até classificada como covarde. Assim o crítico se esquivaria de se debruçar sobre a grande questão de *Casa-Grande & Senzala*, seu ponto mais difícil: como, até mesmo em parágrafos vizinhos, o inferno pode conviver com o paraíso; como é possível retirar imagens tão antagônicas do Brasil (amor e ódio) de um mesmo livro. Ricardo Benzaquen de Araújo bem demonstra: a principal pista para a elucidação dessa dificuldade gira em torno do significado de uma curiosa expressão empregada fartamente por Gilberto Freyre: "equilíbrio de antagonismos".

Voltemos ao texto de *Casa-Grande & Senzala*, para os devidos exemplos. Inicialmente essa expressão aparece para descrever a cultura dos colonizadores: "gente mais flutuante que a portuguesa, dificilmente se imagina; o bambo equilíbrio de antagonismos reflete-se em tudo que é seu" (6). O "bambo" praticamente inventa o Brasil: o que dá à formação da sociedade brasileira um caráter "especialíssimo" e "sui generis" é estar "igualmente equilibrada nos seus começos e ainda hoje sobre antagonismos" (8). Um caráter explicitamente valorizado por Gilberto Freyre: "a potencialidade da cultura brasileira parece-nos residir toda na riqueza dos antagonismos equilibrados" (335).

Todo *Casa-Grande & Senzala*, que é assumidamente um ensaio (67) onde faltam "conclusões enfáticas" (liv), e não uma tese, parece ter sido construído com uma missão: salvaguardar esse "equilíbrio de antagonismos" sempre precário, fragilíssimo, que facilmente pode degenerar em "conflito de antagonismos", a "parte indigesta" (201) — balcanizada (343) — de qualquer civilização. Portanto Gilberto Freyre fareja, quase desesperadamente, qualquer indício de confraternização. Esse valorizar, certamente trágico, não nega a existência do conflito, e acho mesmo que tem como premissa o postulado de não haver sociedades sem conflito. O evolucionismo de *Casa-Grande & Senzala* não profetiza, para o fim da história, uma sociedade sem conflito, onde o conflito desaparecia absolutamente. A "metafísica social" de *Casa-Grande & Senzala* é relativista: existem apenas sociedades nas quais os conflitos estão mais "em equilíbrio" do que em outras.

*Casa-Grande & Senzala* é, então, um livro do "ainda assim". Uma passagem importantíssima para esclarecer esse seu aspecto central é a seguinte: "Sem que no Brasil se verifique perfeita intercomunicação entre seus extremos de cultura — ainda antagônicos e por vezes até explosivos, chocando-se em conflitos intensamente dramáticos como o de Canudos — ainda assim podemos nos felicitar de um ajustamento de tradições raro entre povos formados nas mesmas circunstâncias imperialistas de colonização moderna dos trópicos" (159). O elogio é quase arrancado a tapas, e só pode ser feito nessas "mesmas circunstâncias", e em comparações com outras colonizações tropicais. (Outros elogios — como aqueles citados quatro parágrafos acima — também são sempre relativos, comparativos, nunca absolutos.) É muita vontade de gostar do Brasil "ainda assim", apesar de tudo!

Gostar? Gilberto Freyre inventou um jeitinho "especialíssimo" de gostar do Brasil. Se você chegar até o final de *Casa-Grande & Senzala*, vai deparar-se com uma penúltima frase desagradável: é apenas a enumeração de vinte e seis doenças. O livro termina com uma citação pouquíssimo conclusiva: "'Os vermes e particularmente a toenia, e as ascarides lombricoides abundão muito', acrescenta Jobim" (464). Estranho arremate para a descrição de um paraíso tropical.

# ANEXOS

Gilberto e Magdalena Freyre recebem a visita de estudantes da Faculdade de Direito de São Paulo no Solar de Apipucos, em 25 de julho de 1944.

Da esquerda para a direita: José Lins do Rego, Octávio Tarquínio de Souza, Paulo Prado, José Américo de Almeida e Gilberto Freyre (São Paulo, 1938).

UNIVERSIDADE DE SÃO PAULO
Faculdade de Filosofia, Ciências e Letras
CAIXA POSTAL, 105-B
São Paulo
—

São Paulo, 1 de Março de 1950.

Prezado colega e amigo Prof. Gilberto Freyre

       Tendo-se reestruturado nesta cidade a Sociedade de Sociologia de São Paulo, resolveram os seus componentes, reunidos em Assembléia Geral mudar-lhe o nome e ampliar-lhe o ambito de ação. Constituiu-se deste modo a "Sociedade Brasileira de Sociologia",cujos Estatutos já aprovados lhe serão remetidos oportunamente. Dadas as atividades do ilustre colega no campo da Sociologia e da Antropologia, venho por meio desta fazer-lhe esta comunicação e, manifestando o maior empenho em atrair para nosso trabalho em comum especialistas brasileiros nesse domínio de estudos, convida-lo a ingressar na Sociedade, para cujo desenvolvimento muito contamos com a sua valioza e esclarecida colaboração.

       Aproveito o ensejo para reiterar a Vossa Senhoria os sentimentos do meu mais alto apreço,

*com um afetuoso abraço do velho amigo e admirador Fernando*

                               Prof. Fernando de Azevedo
                                  Presidente

N.B. Toda correspondência deve ser provisoriamente enviada ao endereço seguinte: SOCIEDADE BRASILEIRA DE SOCIOLOGIA, Caixa Postal, 105-B - São Paulo.

Col. 2/1

Carta de Fernando de Azevedo, presidente da Sociedade Brasileira de Sociologia e professor da USP.

INSTITUTO BRASILEIRO DE FILOSOFIA
RUA SENADOR FEIJÓ, 176 - 9.º ANDAR, SALA, 920
SÃO PAULO
BRASIL

São Paulo, 19 de maio de 1951

Prezado e ilustre  Patricio,

Tenho o prazer de comunicar-lhe
que o Instituto Brasileiro de Filosofia está agora empenhado na publicação de uma Revista trimestral, que desejaria
ser a expressão daquilo que de mais significativo se realiza, entre nós, no campo da filosofia geral e da filosofia
juridica e sosial.

É vivo desejo do I.B.F. que o
ilustre pensador patricio preste  seu imprescindível apoio
e sua valiosa colaboração a um tal empreendimento, e é em
nome dessa entidade que venho pedir sua autorização para
colocar o seu nome entre os dos colaboradores efetivos da
"Revista Brasileira de Filosofia".

Na certeza de que o prezado pa-
tricio atenderá a esta solicitação, aproveito o ensejo para apresentar-lhe as empressões de meu elevado apreço e distinta  consideração

INSTITUTO BRASILEIRO DE FILOSOFIA

Miguel  Reale - Presidente

Miguel Reale, presidente do Instituto Brasileiro de Filosofia, convida G.F. para ser colaborador efetivo
da revista trimestral da entidade sediada em S. Paulo.

Reconhecido de Utilidade Pública Federal pelo Decreto
n.º 50.191, de 26 de agôsto de 1966, e Estadual
pela Lei n.º 503, de 17 de novembro de 1949.

SEDE PRÓPRIA:
RUA BENJAMIN CONSTANT, 159
TELEFONE: 32-3508
SÃO PAULO - BRASIL

São Paulo, 8 de novembro de 1972.

Prezado e admirado
Gilberto Freyre

    Começo por desejar encontre esta Você e a gentilíssima
Dona Magdalena gozando perfeita saúde.

    O que me leva á sua pessoa é comunicar-lhe que o Insti
tuto Histórico e Geográfico de São Paulo houve por bem agraciá-lo com o colar
D. Pedro I, criado pelo Sodalício e oficializado pelo Governo do Estado de
S.Paulo, afim de solenizar a trasladação das cinzas do Imperador para a Capela
Imperial, sob a Cripta do Monumento da Independência, no Ipiranga, onde repou
sam, desde 1954, os restos mortais de Dona Leopoldina.

    Cumprindo, gostosamente, a deliberação de meu Instituto,
aqui lhe envio o referido Colar, o diploma, a miniatura e o botão para a la-
pela.

    Como verá, a venera logrou reunir numa só formosa peça,
as três primeiras condecorações brasileiras extintas - Ordem Pedro I, Ordem
do Cruzeiro e Ordem das Rosas.

    Experimentaria eu muita satisfação em poder entregar-lh'a
pessoalmente, aí na bela Recife. Mas os afazeres deste fim de manifestações pelo
sesquicentenário não me permite, no momento, afastar-me desta infernal S.Paulo.

    O Instituto pretende fazê-lo seu membro correspondente.
Será para a mais velha entidade cultural do Estado uma honra excepcional vê-lo
figurar no quadro de nossos socios. Que me diz a respeito? Poderemos contar
com o seu sim?

    Sem mais, queira abraçar o seu velho amigo.

AURELIANO LEITE

Carta de Aureliano Leite comunicando a Gilberto Freyre que o Instituto Histórico e Geográfico de São
Paulo decidira agraciá-lo com o colar D. Pedro I.

UNIVERSIDADE DE SÃO PAULO
**Faculdade de Filosofia, Ciências e Letras**
CAIXA POSTAL, 8105
São Paulo

São Paulo, 7 de Abril de 1961.

Meu prezado amigo, Dr. Gilberto Freyre,

Ainda estou sob a impressão extremamente agradável e fascinante que me deixou o nosso encontro em Recife. Não tenho palavras para agradecer à generosa hospitalidade que me dispensou e a grata oportunidade de um entendimento franco, em profundidade, consigo e com seus colaboradores. Como disse aí, trouxe comigo as melhores impressões do trabalho que está sendo realizado pelas duas instituições que dirige, especialmente o Centro, que me parecem estar fadadas a preencher importante papel no desenvolvimento das ciências sociais no Brasil. Mas, a minha grande descoberta foi a pessoa de Gilberto Freyre, que não só corresponde ao escritor e ao cientista, como o ultrapassa na capacidade humaníssima de entender os outros, comunicar-se com o ambiente e imprimir sua presença de maneira fecunda e construtiva.

As perspectivas de realizarmos o primeiro encontro da sociedade brasileira de sociologia em Recife, com o seu pessoal, entusiasmou os colegas que colaboram comigo. Todos se interessaram pelo tema sugerido pelo prezado amigo, compreendendo a importância teórica e prática do mesmo para os Estados que realizam a mudança social sob o influxo tenas da herança cultural tradicionalista. Assim que voltar da Venezuela, espero estar em condições de escrever-lhe sôbre os arranjos finais, a serem propostos por nós.

Ao chegar a São Paulo, encontrei carta de Iglésias. As combinações prévias, sôbre o Congresso a realizar-se, tinham corrido muito bem; propuzeram-me financiar todo o processo... Muito mais do que se poderia esperar. Por isso, as possibilidades sôbre as quais conversamos tiveram de ser postas de lado. Até a data do referido Congresso terá de ser mudada, pois êles sugerem que se faça em março do próximo ano, em Belo Horizonte. Está de acôrdo? Parece-me que foi um presente caído do céu, não acha? Peço-lhe, por especial obséquio, comunicar a Levy Cruz estas duas notícias, sôbre os encontros e o congresso de sociologia, pois só poderei escrever-lhe depois de voltar da Venezuela.

Agora, o principal objetivo desta carta: os dois primeiros doutoramentos da Cadeira de Sociologia I, a realizar-se em breve, de candidatos que trabalharam sob minha orientação, devem ocorrer dentro dêste semestre. Os candidatos são seus conhecidos e admiradores: Fernando Henrique Cardoso e Octavio Ianni. Os trabalhos versam assunto de sua principal área de estudos - a sociedade senhorial brasileira, só que agora vista do ângulo das relações entre o senhor e o escravo no sul do Brasil (Pôrto Alegre e Curitiba). Queríamos prestar-lhe uma homenagem, que constitui ao mesmo tempo uma honra para nós, pedindo-lhe para participar da banca examinadora. Poderia fazer um sacrifício e aceitar êsse encargo? De meu ponto de vista - posso dizer-lhe, sem ser chamado? - acredito que não tem razão... er e o isolamento em que se tem mantido em relação e centros universitarios brasileiros, especialmente de São Paulo, centros longíquos e pouco reveladores de sua personalidade pela pesquisa e devoção à causa da ciência. Ache que seria m. ico con-

UNIVERSIDADE DE SÃO PAULO
**Faculdade de Filosofia, Ciências e Letras**
CAIXA POSTAL, 8105
**São Paulo**
——

tar com a sua colaboração e tomaria todas as providências para que todo
o trabalho pudesse ser concentrado em poucos dias, para não prejudicar
suas obrigações maiores. O nosso empenho é grande; quanto mais refletimos
sôbre sua contribuição à história social, à investigação sociológica e
às ciências sociais no Brasil, mais verificamos o quanto ela foi produtiva
e poderá ser estimulante para o trabalho em processo, dos que começaram
o mesmo trabalho a que nos dedicamos em condições bem melhores. Seria uma
oportunidade magnífica essa, de reunirmos você com dois dos melhores cientistas sociais brasileiros jovens, diante dos estudantes de nossa escola.

　　　　Não quero maçá-lo mais. Peço-lhe aceitar os meus melhores
agradecimentos pelo encanto de sua colaboração tão prestimosa, em minha
estadia no Recife, pela atenção que puder dar ao pedido que lhe fazemos,
e envio-lhe um grande abraço, de amigo e admirador,

Florestan Fernandes

Carta de Florentan Fernandes com agradecimentos à hospitalidade de Gilberto Freyre e o convite
para que participasse da banca examinadora dos doutorandos Fernando Henrique Cardoso e Octavio
Ianni, na Universidade de São Paulo, em 1961.

UNIVERSIDADE DE SÃO PAULO
FACULDADE DE FILOSOFIA, CIÊNCIAS E LETRAS
CAIXA POSTAL, 8 105
SÃO PAULO (BRASIL)

São Paulo, 15 de Maio de 1961

Meu prezado amigo, dr. Gilberto Freyre:

Devo-lhe mil desculpas pelo atrazo com que lhe escrevo. Como sabe, precisava ir a Minas e não tinha condições para
insistir no convite que lhe fiz antes de ouvir o reitor de nossa
universidade. Só hoje consegui concluir os arranjos que me permiti-
riam fazer um apêlo definitivo... Ninguem cede terreno, diante da
perspectiva de contar com sua colaboração. Graças a isso, o reitor
concedeu-me um regime excepcional de convite, atendendo ao nosso
desejo de vê-lo abrilhantar as nossas provas de doutoramento.

O fato é que fiquei consternado e comigo o Octavio
com o Fernando Henrique. Bem sei que talvez seja dificil arrumar as
coisas do seu lado. De nossa parte, poderíamos tentar uma data no
mês de junho, que atendesse melhor às suas conveniências. Na verdade, nada justifica que outros centros estrangeiros recebam do prezado amigo uma colaboração que nos é tão preciosa. A nossa insistência responde, portanto, a um propósito firme. Teremos de acatar suas
decisões, quaisquer que elas sejam. Mas, fazemos empenho para que
a solução atenda às expectativas dos jovens, que desejam ver o sociólogo Gilberto Freyre realmente participante de nossas atividades universitárias.

A reitoria da Universidade de São Paulo põe a disposição do prezado amigo recursos que lhe permitirão deslocar-se para
São Paulo e aqui permanecer os dias que forem necessários com sua
excelentíssima esposa e os dois filhos. Alem disso, para compensá-lo
de eventuais despesas extraordinárias, haverá um pro-labore de Cr.
$10.000,00 por cada prova. Embora nada possa corrigir os danos que
essa quebra da rotina seja capaz de causar-lhe, por aí poderá julgar
o empenho que fazemos de contar com sua presença e com as luzes de
sua experiência.

Não me julgue inoportuno, em virtude da insistência;
acho que devemos quebrar velhas barreiras e estreitar a nossa cooperação, para favorecer o desenvolvimento da sociologia em nosso país.
Nada me alegraria mais que uma resposta favoravel, que seria um marco importante para a alteração do clima de trabalho intelectual que
tem prevalecido entre nós. Enquanto aguardo sua resposta, com a urgência que fôr possivel, terei tempo para escrever ao Levy Cruz e
preparar o texto de um relato sôbre os resultados de minha ida a Minas, que pretendo remeter-lhe. Queira aceitar os protestos de minha
amizade e admiração, ambas muito antigas,

*Florestan Fernandes*

Mod. 18 - 300x100 - 9/60
Secção Gráfica F.F.C.L., U.S.P. imprimiu

Carta de Florentan Fernandes insistindo com Gilberto Freyre para que "abrilhantasse" as provas de
doutoramento da USP — convite que o mestre de Apipucos não aceitou.

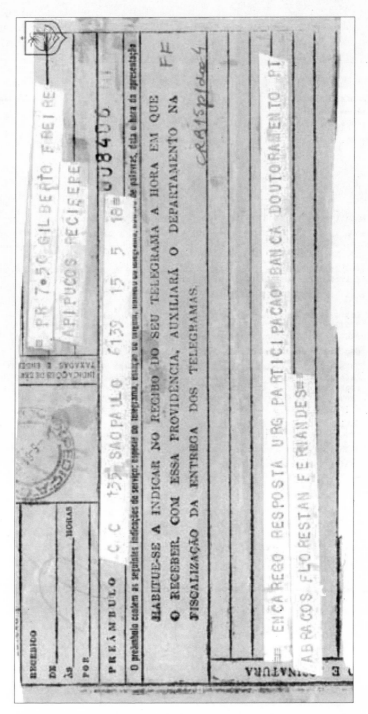

Telegrama em que Florestan pedia resposta urgente sobre a participação de G.F. na banca de doutoramento da USP.

**ILIE GILBERT**
AV. HIGIENÓPOLIS, 794
SÃO PAULO

TEL. 67-5660

São Paulo, 10 de agosto de 1978.

Caro Mestre Gilberto,
respondo à sua carta de 20 de julho.

1. A tentativa de"Instituto para Tropicologia", não falhou, não.

Pela Portaria Nº 37/78 de 31 de julho de 1978, o Diretor-Geral
Prof.A.R.Muller cria o CENTRO DE ESTUDOS TROPICAIS da Fundação Escola de
Sociologia e Política de S.Paulo.

A outra Portaria Nº 38/78 da mesma data, nomeia o Prof.Dr.Ilie Gilbert
como Diretor do Centro de Estudos Tropicais.

Portanto estamos indo em frente.

2. Não insisto em demové-lo da sua decisão de não concordar com o uso do
nome "Gilberto Freyre" no título do Seminário, entretanto sinto-me obrigado
a comentar as suas duas razões apresentadas:

a) "Sou muito controvertido" afirma você textualmente.

Pois Graças a Deus, Gilberto Freyre, que você é controvertido.
Isto prova que as suas idéias são idéias novas.
Prova que você é Efervescente.
Prova também que você é eminentemente, um Líder Individual,
e que pertence a um único grupo: o grupo liderado por você.

Qualquer idéia que hoje é aceita universalmente, foi no início
uma idéia controvertida, que foi dita por um homem de idéias .

Gilberto Freyre encontra-se continuamente num início.

Mestre Gilberto, no dia em que você não for mais controvertido,
naquele dia será o início da sua velhice.

b) "Boicotado por certa imprensa" é a sua segunda afirmativa.

Sem entrar no mérito da afirmativa, tenho a incumbência por parte do
Prof.A.R.Muller, de informá-lo que para que der e vier, nós e a Fundação
compramos qualquer sua briga com qualquer imprensa de aqui e de fora.

Contudo, respeita-se o seu desejo, e a primeira manifestação do Centro de
Estudos Tropicais, terá o nome de"I-o Seminário Internacional de Estudos Tropicais"
cujo Convidado de Honra é o Prof.Dr.Gilberto Freyre.

3. Estou em contato com Freitas Marcondes que me informou da sua chegada
nos dias 17 e 18 para o Prêmio Santista.
Eu estarei nos dias 16 e 17 no Rio, mas no dia 18 o procuro no Othon.

4. O caráter internacional do C.E.T. realizar-se-á pela minha idéia de aglutinar
a participação dos países intertropicais também.
Tenho já uma audiência marcado com o Consul Geral do México, através do qual
tenho de entrar em contato com a Embaixada Mexicana de Brasília.
Se você nada tem a opor, gostaria de presenteá-los com as suas "ANTOLOGIAS",
mas que não consigo encontrar aqui em São Paulo.

**ILIE GILBERT**

Em resumo, o C.E.T. (Centro de Estudos Tropicais), está tomando forma. Prometo-lhe que vai gostar dele.

Apresento as minhas recomendações à Da.Magdalena.

Manifesto também o meu amistoso agradecimento ao Fernando, pela muito simpática gentileza de me contemplar com o jeton que recebi por parte do Instituto Joaquim Nabuco.

De qualquer modo , escreverei ao Fernando diretamente.

Com desejo de revê-los em saúde e alegria,

despede-se o seu admirador,

_Ilie Gilbert_

Ilie Gilbert

Isxo saiu hoje de manhã (11-08-72)

* No Museu da Casa Brasileira, hoje, a conferência do Prof. Ilie Gilbert sobre o "Tropicalismo de Gilberto Freyre, e o seu Seminário do Recife". Debates em pauta.

**Conferência**

TROPICOLOGIA — O professor Ilie Gilbert fará uma palestra sobre "O Seminário de Tropicologia coordenado por Gilberto Freyre, em Recife", das 9h30 ao meio dia, no auditório do Museu da Casa Brasileira (av. Brigadeiro Faria Lima, 774). A sessão dá continuidade ao programa "Seminários Permanentes em Debates" que o Museu promove em colaboração com a Fundação Escola de Sociologia e Política de São Paulo. Entrada franca.

Carta de Ilie Gilbert, da Fundação Escola de Sociologia e Política de São Paulo, instituição ligada à USP.

20 de junho de 1979


Meu caro Gilberto Freyre


    Muito agradeço, a Você e ao Conselho Estadual de Cultura, a
publicação do "Pernambuco: da Independência à Confederação    do
Equador". Desejava que o livro fosse editado em nosso Estado pa
ra maior divulgação entre os pernambucanos, na intenção de consci
entizá-los melhor do revisionismo histórico a que temos  direito,
desfazendo balelas que diminuem o merecimento de nossos antepassa
dos.

    Não posso também deixar de agradecer os termos de sua dedi-
catória, no volume que me enviou. Tanto mais me desvaneceram  /
quando Você sabe que nunca lhe faltou a minha admiração à distância, mesmo quando a ação política nos separou. No instante   em
que Você admitia que eu me resignasse a uma função de títere,  a
chei de melhor aviso nunca lhe responder, para evitar obstáculos
à continuação de nossa amizade, senão efusiva, pelo menos cordial. Os fatos, estava certo, incumbir-se-íam de demonstrar a Você,
como a tantos outros, que eu saberia escolher o meu próprio caminho, fiel sempre à política da democracia e da tolerância. Em vez
de seguir, fui seguido e acredito que restabeleci normas que  con
correram para a criação de um ambiente de desafogo e de  respeito
mútuo, indispensáveis à dignificação da vida pública de nosso  Es
tado. Não seria essa a melhor resposta às dúvidas e aos  temores
com que fui recebido?

    No julgamento das atitudes e das palavras de meus adversári
os, ou dos que haviam impugnado o meu nome, coloquei-me sempre no
lugar deles, para saber o que eu faria na mesma situação.  Nunca
abandonei esse critério e não raro chegava à conclusão de que tal
vez eu houvesse ído mais longe, mas de certo compreendendo as rea
ções a que se deixaram levar e a que não poderia recusar  alguma
legitimidade e, pelo menos, motivos ponderáveis, multiplicados pe
lo temperamento de cada qual.

    Por isso, quando organizamos o quadro de professores da  Fa
cauldade de Filosofia e tínhamos a intenção de fazê-lo melhor  do
que o que resultasse de concursos públicos, o convite que lhe foi

feito, por intermédio do nosso querido Silvio Rabelo, para que a-
ceitasse a cátedra de Sociologia. E tanto no seu caso, como no
de Anibal Fernandes, pedí ao Silvio Rabelo que lhe dissesse que
se havia algum favor, seria a sua aceitação e algum favorecido, a
dever agradecimentos, seria o Governo do Estado. Não encontraria
melhor oportunidade para lhe manifestar minha admiração e o meu
apreço pessoal.

Só faltou, realmente, para consolidar nossa amizade, uma con
vivência maior, do que o destino nos privou. Não tive condições
de continuar em nosso Estado e sempre invejei em Você a sua perma
nência em Pernambuco, numa demonstração de fidelidade que eu, por
também sentí-la, faço tudo para compensar o sentimento de exilado
com a presença, em minha vida, dos motivos e assuntos pernambucanos, que são o objeto desse novo livro publicado pelo Departamento Estadual de Cultura. Discípulos de Oliveira Lima, continuamos
fiéis aos exemplos que ele nos legou.

Com um grande abraço e recomendações a D.Madalena, seu ve -
lho e entusiástico admirador.

BARBOSA LIMA SOBRINHO

BLS/jmc.

Carta do pernambucano Barbosa Lima Sobrinho, então presidente da ABI.

**Prof. Dr. ILIE GILBERT** (M.Sc.) (D.Sc.)

DOUTOR EM CIÊNCIAS

Diretor Adjunto do Instituto de Pesquisas Sociais
Professor da Escola Pós-Graduada de Ciências Sociais
da
Fundação Escola de Sociologia e Política de São Paulo
Instituição Complementar da Universidade de São Paulo

AV. HIGIENÓPOLIS, 794        FONE 57-3660
SÃO PAULO

GILBERTO FREYRE, o Mestre Vencedor.

Gilberto Freyre, o Mestre de Apipucos, fez 85 anos, neste mês de março.
Se é verdade que um homem é considerado em função dos inimigos que tem,
Gilberto Freyre deve ser observado em relação ao seu único inimigo apa-
rente, o Tempo.

Os vencedores, costumeiramente, alcançam vitórias, lutando contra o inimigo.

Gilberto Freyre, cônscio da grandeza do seu inimigo, o compreende e,
precisamente por não querer lutar contra ele, o vence.

O mestre respeita o tempo, sempre o respeitou e exatamente por isso
é que o tempo o respeita, também.

Nunca o tempo mostrou-lhe inimizade, nem tentou derrotá-lo,
porque se tivesse tentado, teria conseguido.
Ninguém ainda resistiu uma luta dessas.
Ninguém ainda descobriu um escudo contra as flexas da velhice.

Pois o Mestre Vencedor sabe disso, ele entende o tempo,
e quem entende o tempo, coexiste com ele.
De tal modo estão entrosados, que o tempo virou "seu".

Gilberto Freyre está sempre em seu tempo.
Anteontem, ontem e hoje, o Mestre domou a fera.
Domada a fera, as garras da velhice nunca arranharam o domador.

O Mestre e a fera estão se dando bem, há 85 anos que eles estão se dando bem.

Gilberto Freyre, o jovem de 85 anos, acumulou tempo mas não ficou velho.
Os 85 anos de tempo acumulado, esses 85 anos sem um dia de velhice,
o transformam em uma reserva de juventude, em manancial para a juventude.

Uma reserva em permanente movimentação, uma reserva efervescente,
uma reserva nossa e do Brasil.

Pois essa é a grande obra do Mestre de Apipucos:
aos 85 anos, ele o ser hoje uma reserva moral do País.
Maior prova de juventude, não é possível.

E se isso foi possível, talvez seja possível aos velhos de 70 anos e de
60 anos, entenderem o tempo.
Talvez seja possível aos velhos de 50 anos e de 40 anos,
entenderem-se com o tempo.
E talvez é possível que os velhos de 30 e de 20 anos, comecem a entender
o Mestre, para que todos aprendam a acumular o tempo, sem ficarem velhos.

Esta será a derradeira obra de Gilberto Freyre, só dele e unicamente dele:
ensinar a ser jovem.

(continua)

As outras obras não são mais dele, porque já são nossas,
e graças a Deus que são nossas.
E se Deus quiser, vamos arrancar ainda muitas obras da privilegiada
cabeça desse irrequieto jovem de 85 anos.

E os nossos Líderes, os nossos grandes Líderes, se não forem por demais
vencidos pela fera, fariam muito bem, mas muito bem mesmo,
se falassem mais vezes com este jovem aniversariante.

Quem sabe, o Mestre Vencedor pudesse contaminá-los,
introjectando-lhes aquilo que mais lhes falta: a vida.

Que os Líderes saiam das suas Casas Grandes e peregrinem até
a Senzala do Mestre, que os fará ver a verdade.

Gilberto Freyre não diz as verdades: ele as mostra.
A sabedoria dele é visual, é tateável, é policromática.
Quando fala, você caminha com ele e vê a verdade.
O ouvinte vê aquilo que está ouvindo.

Na fala de Gilberto Freyre, tudo se torna de tal modo evidente,
que a fala parece até desnecessária.

Você vê as idéias, contempla a esplêndida forma tri-dimensional dos
raciocínios e, de mãos dadas com o Mestre, acompanha o irridiscente
milagre da criatividade.
No fim da viagem, após descobrir as admiráveis nuances que palpitam nas
linhas e entrelinhas da dissertação, é reconduzido ao seu lugar de ouvinte

O Mestre o deixa muito mais rico do que o encontrou.
Não sei se o deixará mais inteligente, mas decididamente,
você ficará mais sábio.

Em seus seminários, Gilberto Freyre não faz conferências,
mas inaugura exposições.

Cada seminário seu, é um "vernissage" dos seus imaginosos pensamentos,
pincelados com as fascinantes cores das suas palavras.

Por essa razão os jovens o adoram,
e pela mesma razão de vibrante sintonia, ele adora os jovens.

A todos nós que vivemos, parabens por sermos contemporâneos de
Gilberto Freyre. Ao Gilberto, parabens, também.

Ilie Gilbert

( autor do livro "Conviologia"
prefaciado por Gilberto Freyre )

São Paulo, 15 de março de 1985.

Homenagem do professor Ilie Gilbert, doutor em Ciências, aos 85 anos de G.F.

**IBRAE** INSTITUTO BRASILEIRO DE ALTOS ESTUDOS

Rua Ceará, 2 - CEP 01243 - Higienópolis - São Paulo, SP

São Paulo, 1º de Outubro de 1985

Prezado Amigo
GILBERTO FREYRE

        Pondo "o preto no branco", como disse o caro
Mestre, venho confirmar o convite da FUNDAÇÃO ARMANDO ALVARES PEN-
TEADO (FAAP), na qual o IBRAE se acha integrado, a participar da
recepção com que a FAAP vai declarar constituido o Instituto, às 21
horas do dia 28 de Outubro próximo. A recepção será na Mansão Armando Alvares Penteado, sede da Fundação e do IBRAE.

        Agradeço sua decisiva anuência em proferir a
1ª Conferência do ciclo "Brasil - Século XXI", na manhã do dia 29,
como nosso convidado especial. Ser-lhe-ão enviadas duas passagens
aéreas, pois desejamos a presença de nossa cara amiga Madalena. Os
demais conferencistas serão Eduardo Portella (Literatura no Brasil
- Século XXI); Antonio Houais (A Lingua Portuguesa no Brasil - Século XXI) e José Goldemberg (Fontes de Energia - Brasil Século XXI).

        Já confirmaram sua presença à noite de posse
o Senador Luiz Viana Filho, o Consultor Geral da República, Paulo
Brossard, o acadêmico Evaristo de Moraes Filho e vários representantes de outros Estados.

        É claro que a hospedagem do casal será por
nossa conta no Hotel Othon.

        Agradecendo sua colaboração neste empreendi-
mento, que visa a estabelecer intercâmbio permanente com os centros culturais do Brasil, promovendo pesquisas e cursos de exten-

**IBRAE** INSTITUTO BRASILEIRO DE ALTOS ESTUDOS
Rua Ceará, 2 - CEP 01243 - Higienópolis - São Paulo, SP

são universitária, pós-universitária e trans-universitária (a linguagem é tipicamente gilbertiana) desde já nos colocamos às suas ordens para qualquer informação complementar.

Muito estimaria ter uma sua carta confirmando o desenvolvimento do tema geral : "Brasil - Século XXI".

Muito cordial abraço do

MIGUEL REALE

*Endereço p/ sua correspondência*
*Rua Honório Líbero, nº 104*
*01445 - São Paulo, S.P.*

Convite de Miguel Reale a G.F. para a cerimônia de criação do IBRAE, em S. Paulo.

S. Paulo, 15. 1. 69

Caro Gilberto

Aí vai recorte de crônica do Nelson Rodrigues, publicada no "Jornal da Tarde" de hoje.

Crônica excelente. E justíssima.

O Nelson é hoje, sem favor, o cronista mais lido, apreciado (e temido) de S. Paulo. Uma crônica dele, não muito recente, sôbre a "solidão do paulista" fez um sucesso danado aqui.

Parabéns pelo novo prêmio.

Vai haver em São Paulo, no próximo Setembro ou Outubro, uma "Bienal de Ciência e Humanismo" paralela à de Artes Plásticas.

Sou um dos assessores (dois) escolhidos pelo govêrno do Estado e já em contacto com o Ciccillo Matarazzo, que é o executivo de ambas.

Serão logo convidados mestres internacionais e nacionais, de ciência, de literatura e de artes. Talvez 10 no máximo.

É claro que o seu nome foi o que me ocorreu em primeiro lugar.

Por isso, pergunto-lhe: 1) você deseja participar

da Bienal na qualidade já referida?; 2) na hipótese afirmativa, que condições V. estabelece para aceitar o convite, ficando claro, desde já, que as despesas de viagem e estada do casal Gilberto Freyre em S. Paulo serão pagos pelos organizadores da Bienal?

Espero que V. me responda, com a urgência possível, dizendo o que pensa a respeito. Posso, porém, assegurar que os 10 mestres a serem convidados são indiscutíveis em ciência, em humanismo ou em ambos.

Nosso afetuoso abraço à Magdalena e todo o clã Freyre.

O abraço do velho amigo

Osmar.

Carta de Osmar Pimentel convidando G.F. a participar da Bienal de Ciência e Humanismo de S. Paulo.

Acima, na cerimônia de entrega do título de Doutor Honoris Causa pela Universidade de Münster, Alemanha (1968), Florestan Fernandes é o segundo da esquerda para a direita e Gilberto Freyre o terceiro, na primeira fila.

O pernambucano Gilberto Freyre (o segundo de pé, da esquerda para a direita) posa ao lado do paulista Sérgio Buarque de Holanda (o terceiro) e tem as mãos sobre os ombros do mineiro Rodrigo Mello Franco de Andrade.

# FREYRE DENUNCIA CAMPANHA DE SILÊNCIO CONTRA OS SEUS LIVROS*

Um público constituído por professores, críticos, estudantes e jornalistas lotou o auditório da Biblioteca Municipal Mário de Andrade na noite de ontem, para assistir à quinta e última jornada da série de depoimentos da Semana do Escritor Brasileiro. O último programa reuniu Josué Montello, Lygia Fagundes Telles, Gilberto Freyre, Fernando Sabino e Caio Porfírio Carneiro.

Depois de falar sobre sua formação nos Estados Unidos e na Europa, de citar artistas como Yeats e Tagore — o primeiro como tendo influenciado de maneira decisiva a sua obra — além de outros assuntos como arte culinária, que considera característica importante na definição da personalidade de um povo, o sociólogo Gilberto Freyre afirmou que "o diabo é que eu sofro de uma campanha de silêncio, que é um verdadeiro fórum de terrorismo, inclusive da parte de jornalistas e de livreiros, que escondem os meus livros, motivados por um certo ideologismo sectário".

Disse, ainda, que "ao mesmo tempo em que marxistas como Darcy Ribeiro e Fernando Henrique Cardoso são admiradores do que escrevo, embora não concordem com alguns dos meus pontos de vista, comunistas filiados à linha russo-soviética (que não são comunistas, são totalitários) são fanaticamente contrários a mim, e estes são muito prestigiados em grande parte na imprensa brasileira de hoje".

Para exemplificar a situação que vive hoje, aos 79 anos de idade — coisa que ele não admite, "só pode ser erro matemático" — Gilberto

* O Estado de São Paulo — 31/03/1929.

Freyre disse: "Isto eu percebo quando um livro meu é lançado. Na revista *Isto É* saem três linhas sobre o meu livro. E na *Veja* não tem saído nada. Acham que sou reacionário. Eu é que os acho reacionários (os comunistas). Eles estão parados".

Para Gilberto Freyre, a verdadeira filosofia, social e dinâmica, é, a seu ver, pelo menos a longo prazo, a "anárquico-construtiva". "É o mínimo de coação governamental e o máximo de expressão de uma sociedade através de seus órgãos criativos (produtores artísticos, os da criação intelectual, os industriais, os operários, os agrários e os religiosos). Tudo que exprime criatividade deve concorrer para o desenvolvimento da sociedade. Os governos se limitariam, diante disto, como observa o anarquista-construtivista Bertrand Russell, a atuar como guarda de trânsito, a impedirem que estas energias criativas entrassem em choque".

E o autor de *Casa-Grande & Senzala* concluiu: "O Brasil não pode, de repente, tornar-se anárquico-construtivista. Hoje, defendo a existência de governos fortes, não violentos ou policiais, mas nacionalisticamente fortes. Fortes na defesa dos interesses nacionais".

O cronista Fernando Sabino, por sua vez, sentia-se visivelmente incomodado por ter de falar em público. Na tarde de ontem, inclusive, admitia que optou por escrever porque "não tenho muita competência para falar e considero que a palavra escrita é, por isso mesmo, um ótimo intermediário entre o artista e o público, mesmo porque assim continua aquela magia. O leitor, normalmente, fantasia muito sobre como deve ser o escritor e, quando o encontra ou quer ouvi-lo, quase sempre se frustra".

Na sua opinião, também, "nem sempre o artista é o homem indicado para falar de sua obra. Há que se preservar uma certa inocência para o ato de criação. Ficar sabendo muito sobre si mesmo pode até prejudicar tudo". Disse, ainda, que "é um profissional, mas gostaria de ser um amador, aquele que ama aquilo que faz. Não é que não ame, mas, às vezes, chego mesmo a odiar, porque tenho compromissos, o que escrevo tem que ser publicado no dia seguinte".

# FLORESTAN: NÃO HÁ DEMOCRACIA
# NEM PARA BRANCO*

Ao comentar as críticas feitas pelo sociólogo Gilberto Freyre aos que chamou de "sociólogos arcaicos-marxistas", o professor Florestan Fernandes disse ontem que "não existe sequer democracia para brancos poderosos, imagine-se para negros e mulatos". E acrescentou:

— Ficaria muito alarmado se ele me elogiasse ou elogiasse o trabalho que se faz em São Paulo; quando ele nos critica nos homenageia.

Na sua exposição, no simpósio "Democracia e Política Social" quinta-feira em Brasília, Freyre disse existir no Brasil uma democracia social e racial e, com base no trabalho de Martin Gester, correspondente no Brasil do jornal alemão *Frankfurter Allgemeine Zeitung*, criticou a tese de Florestan Fernandes de que a sociedade brasileira seria uma sociedade de "brancos para brancos". Freyre (que não identificou nominalmente Florestan, preferindo chamá-lo de "talvez desvairado até mais marxista militante do que paulista conhecedor do Brasil todo") estendeu sua crítica aos sociólogos paulistas em geral, afirmando ser "um paradoxo que justamente em São Paulo floresçam sociólogos arcaico-marxistas".

— As críticas dele são um elogio para o nosso trabalho. Criticar é um direito dele e não nos preocupa — disse Florestan ao tomar conhecimento dos ataques de Freyre.

Florestan gosta de falar sobre o assunto, que pesquisou exaustivamente. Mas não quis entrar em detalhes sobre as afirmações de Freyre "para não suscitar polêmica", uma vez que — em sua opinião — o sociólogo pernambucano estaria "apenas interessado em fazer provocações".

---

* *O Globo* — 29/10/1977.

# HAVERÁ MITOS TRANSREAIS?*

*Gilberto Freyre*

Brilhante como sempre, o professor Fernando Henrique Cardoso, em artigo numa revista conhecida como erótica — e, como tal, para homens — mas, na verdade, transerótica e, por esse arrojo, levada a namoros com assuntos de filosofia, de antropologia, de sociologia — insinua do que tenho escrito sobre o Brasil vir sendo, principalmente, obras, para ele, válidas como literatura. Sem disto se aperceber, toca num dos assuntos mais empolgantes em torno do que seja, além de ciência, ou história, filosofia social. Isto é, até que ponto é lícito, nesse setor, ultrapassar-se o cientificismo ou o racionalismo ou o logicismo, indo-se à reconstrução de realidades em parte fora de convenções dessa espécie: cientificistas, logicistas, racionalista?

De início seja-me permitido esclarecer não o lúcido mestre que é o professor Fernando Henrique Cardoso — que muito admiro — mas o anotador de resumo de um dos meus livros acrescentado, junto, com um por vezes desfigurador sumário biográfico, ao seu admirável comentário, qual a minha posição de possível pensador dada, por puro arbítrio, como "conservador". Ou como — subentenda-se — "reacionário". Evidente deformação. Pois a prazo longo o que sou — além do apoio transicional que desde 64 — que teria sido do Brasil, nestes últimos anos, sem governos excepcionais? — sem entusiasmo, porém com desassombro em assumir atitudes antiliberais e opostas às de intelectuais, diários e semanários desse feitio aparente ou real, venho dando aos governos militares no Brasil — é um anarquista do tipo construtivo.

---

* *Folha de S. Paulo* — 15/07/1978.

À la Bertrand Russell, portanto. À la Georges Sorel. Antiestadista. Antiburocrático. Antitecnocrático.

Coincide meu pensar com o de Sorel, desdenhoso de quanto seja motivação estritamente lógica de comportamentos humanos. Dos coletivos — inclusive os nacionais — tanto quanto dos individuais.

O que me faz aceitar de Sorel um conceito de mito de modo algum — como parece ser o do, neste ponto, para mim, arcaicamente marxista professor Cardoso — sempre pejorativo. O mito como um complexo de imagens até contraditórias, nunca uma só imagem, pura, lógica, racional. Refletindo plenamente e até contraditoriamente realidades, quer atuais, quer das consideradas pretéritas, para meu modo de ver interpenetradas, através de uma concepção, por mim seguida, tíbia, de tempo.

Mítica, portanto, construtivamente mítica, seria toda tentativa de reconstrução de realidades humanas — dentro delas as nacionais — como realidades fluidas. É claro que assim míticas tais reconstruções deixariam grande parte de certos marxistas apenas estátuas, de tão apolíneos, como negação de nada apolíneos seres humanos. Digo grande parte porque, bem analisado Marx, como o analisou magistralmente Edmund Wilson, o que nele se apresenta de maior não terá sido o sistematizador de uma lógica de interpretação materialista da história; e, ainda menos, o ideólogo de um esquema de revolução social à base dessa lógica. E sim — quem o diz entusiasticamente é Edmund Wilson — o poeta. O poeta no sentido alemão de criador. Em outras palavras, o mítico como tende a ser todo poeta nesse sentido alemão de criador. O criador de imagens complexas de realidades sempre fluidas; nunca estatuescas à espera de lógicos que lhe digam que parem para serem apresentadas como perfeitamente lógicas, racionais, cientificistas.

Quando um ilustre correligionário marxista do professor Cardoso, o professor Eugene Genovese, ao analisar o livro brasileiro há pouco comentado de modo tão perspicaz, por mestre Cardoso, encontra nesse livro "poesia", é uma poesia que, a seu ver, torna-se marxistamente válida. Válida em livro de história ou de ciência. Tanto que, com relação a certos pontos, o professor Genovese discorda de correligionários ortodoxos para concordar com o para ele de modo algum antimarxista autor de *Casa-Grande & Senzala* e de outros livros. O brasileiro objeto de discordâncias entre marxistas dos mais brilhantes, dentre os atuais, regozija-se com isto. Conforta-o o fato de ser fluidamente complexo. E volta-se com renovada admiração para um Sorel a quem deve grande parte de sua filosofia social, inclusive política: a de um anarquista de tal modo criativamente anárquico, ao mesmo tempo que construtivo, que todos os estatismos burocráticos, tecnocráticos, ditos socialistas — o sueco tanto quanto o russo-soviético — lhe repugnam como reacionários. Reacionários da pior espécie. Destruidores do que na condição humana é suscetível de maiores arrojos. De criações mais leonardodavincianas. De superações de quanto tenda a uniformizar, matematizar, estandardizar nos homens aqueles ânimos que sendo individuais são também solidários. Mas solidários sem se desnobrecerem no imperialmente coletivo, arregimentado, oficialmente dirigido. O poder político como aquele necessário guarda que regula o tráfego, da imagem de Bertrand Russell.

# REGIONALISMO BRASILEIRO*

*Gilberto Freyre*

Há quem pretenda ver no Regionalismo brasileiro, que vem sendo uma constante na vida e na cultura do nosso país, uma série de episódios de interesse apenas histórico. Depois de madrugado em Franklin Távora, em Inglês de Sousa, no primeiro Afonso Arinos, em Alcides Maya, teria culminado no Movimento do Recife na década 20. Num Regionalismo — o do Recife — paradoxalmente tradicionalista e modernista: paradoxo entrevisto pelo arguto Blaise Cendrars.

Cendrars recorde-se que fez alguns dos modernistas da célebre Semana de 22 voltarem-se, junto com um Mário de Andrade já um tanto encantado por tradições e por coisas de folclore, para as tradições mineiras. Mais: Cendrars também exaltaria na obra de historiador de Paulo Prado o seu sentido ao mesmo tempo paulista e brasileiro. Ainda mais: Cendrars encontraria na literatura e na sociologia dos nordestinos vindos da década de 20 e no seu Regionalismo a um tempo tradicionalista e modernista a mais autêntica atitude brasileira de expressão de um ânimo renovador da cultura nacional naquela época.

Época como que decisiva para o futuro de nossa cultura. A verdade é que essa atitude e esse ânimo assim renovadores, ao mesmo tempo que valorizadores de tradições brasileiras, não desapareceu com a década de 20. Nem com a de 30. Vem se afirmando em novas e vigorosas expressões. Uma delas, a obra, esplêndida de criatividade, de Guimarães Rosa, na literatura de ficção. Outra, a chamada obra de Villa-Lobos. Ainda outra, a de pintores como, além de Tarsila, Di, Portinari,

* *Folha de S. Paulo* — 06/09/1978.

Cícero Dias, Lula, Brennand. Ou a de escultores como Brecheret e Celso Antônio. Mais: o teatro brasileiro criado com inspirações telúricas junto às universais, de Nelson Rodrigues, de Ariano Suassuna, de Cavalcanti Borges, de Jorge Andrade: tão diferentes um do outro em seus estilos e tão afins, os quatro, no essencial. Mais: o cinema brasileiro com Alberto Cavalcanti e renovadores mais jovens. E mais ainda: aquela moderna poesia brasileira desde Manuel de Souza Carneiro Bandeira Filho — o da *Evocação do Recife* — tão rica na combinação dos contrários tradição, região, modernidade que esplende em Carlos Drummond de Andrade, em Cassiano Ricardo, em Jorge de Lima, em Joaquim Cardoso, em João Cabral de Melo Neto, em Mauro Mota. Em vários outros dentre os maiores líricos que têm nos últimos decênios enriquecidos a língua portuguesa. Um deles o próprio Oswald de Andrade, de *Pau-Brasil*, ao lado de Mário de Andrade, de *Noturno de Belo Horizonte* e de *Macunaíma*.

Líricos modernistas. Modernistas sensíveis a sugestões tradicionais e regionais: um aspecto do seu modernismo que só emergiu sob a influência de Cendrars.

Da constância desse ânimo renovador, formado por uma tão paradoxal conjugação de contrários, é preciso não esquecer outros exemplos também expressivos: a arquitetura do paulista Henrique Midlin, um deles. Um Henrique Midlin que se confessou, ele próprio, tocado pela influência do Regionalismo a um tempo tradicionalista e modernista partido do Recife. Confissão que consta de um seu notável livro publicado na Europa e que, junto com outra obra magnífica sobre o assunto — a do também paulista P. M. Baide — deu à arquitetura, à arte, à cultura brasileira, o máximo de repercussão no estrangeiro.

Ainda outros exemplos renovadamente atualizantes do mesmo ânimo: o que irradia de uma obra de ficcionista brasileiro moderno, tão significativo, nesse setor, como José Lins do Rego, Graciliano Ramos, Rachel de Queiroz, Érico Verissimo, Viana Moog, Osman Lins, para apenas lembrar esses poucos: Josué Montello. O Josué Montello de quem acaba de aparecer nova criação romântica inspirada pelo Maranhão: *A noite sobre Alcântara*. Livro? Literatura? Eu diria que mais do que isso: metaliteratura.

Não comento livros, apenas livros, por mais ilustres, no que escrevo para jornais. É tarefa que caberia a uma crítica que, institucionalizada, deixou infelizmente de existir no Brasil. O último a exercê-la magistralmente do seu trono de redator literário do então prestigiosos *Correio da*

*Manhã* dos Bittencourt foi Álvaro Lins: ele próprio exemplo, na sua perspectiva da literatura brasileira, da combinação daqueles contrários. E é bom que reapareça agora, apresentando *A noite sobre Alcântara*, de Josué Montello, o talvez mais brilhante sobrevivente dos dias de crítica literária institucionalizada no Brasil: Franklin de Oliveira. Um Franklin de Oliveira que, com a argúcia tão de sua superior inteligência analítica, diz de Josué Montello em síntese admirável: "Vem construindo (a saga maranhense) dentro de uma técnica romanesca que concilia dialeticamente tradição e renovação, universalismo e regionalismo"...

Tendo deixado de haver, no Brasil, crítica institucionalizada literária e de idéias, não deixariam de surgir isoladamente, esporadicamente, como que extraprofissionalmente, críticos literários e de idéias admiráveis pela lucidez e pelo saber. José Guilherme Merquior, talvez o mais completo pelas virtudes intelectuais que excepcionalmente reúne. Franklin de Oliveira. Francisco de Assis Barbosa, Antonio Carlos Villaça, Edson Nery da Fonseca.

Outro esporádico crítico literário e de idéias acaba de reafirmar sua sensibilidade, sua argúcia, a propósito do regionalismo de Montello: Austregésilo de Athayde. Embora confuso quanto à relação região-universo, Athayde reconhece — reconhece e destaca, em palavras de mestre — que "o essencial da obra de arte é a identificação do homem com o seu meio". Daí, para ele, a importância das experiências: quer as por um romancista adquiridas individualmente, do seu meio ou de sua região, quer as por um artista, em geral, acumuladas "nas gerações que nele se encaram pelo mistério da hereditariedade". Ou seja, por um conjunto em que à sensibilidade do artista às sugestões regionais se junta a sensibilidade aos impactos tradicionais sobre uma cultura que sendo, como a brasileira, una é também plural.

Duvido que Josué Montello — não penso nele como autor de livro mas de outra espécie de criação artística fantasiada de livro — venha a ter interpretação mais pungente do que nele vem sendo seu regionalismo, seu tradicionalismo, seu modernismo. (...) O que o caracteriza como um regionalista, um tradicionalista, um brasilianista do tipo como que ideal desejado para o Brasil por Cendrars: o artista, o escritor que sendo moderno no seu universalismo, absorva, assimile, transfigure sugestões vindas de passados regionais indestrutíveis.

# A PROPÓSITO DE ECONOMISTAS*

*Gilberto Freyre*

Com a recente conversão do economista brasileiro de hoje de maior repercussão no estrangeiro, o professor Celso Furtado, a uma ciência econômica que denominarei trans-econômica nas suas perspectivas e, por conseguinte, exigindo do economista outros saberes, critérios e métodos de análises dos seus objetivos de estudo, além dos exclusivamente econômicos — pode-se considerar iniciada de todo nova fase nos estudos econômicos no Brasil. Pois também assim orientando vinha se apresentando, de modo o mais brilhante, Roberto Campos. Isto sem se desconhecer que tais perspectivas já vinham sendo, de modo menos aberto, as de Roberto Simonsen, as de Eugênio Gudin, as de Caio Prado Júnior. O hoje embaixador Roberto Campos, o hoje ministro do Planejamento Delfim Netto e o professor Celso Furtado, entretanto, vêm abrindo o leque das preocupações do economista. Alargando sua visão sociológica. Mais do que isto, animando-a de inspiração humanística. A qual também se fez notar em Mário Henrique Simonsen e em Rischbieter, para desconsolo dos economistas absolutos.

Desfaz-se assim o mito de que o bom economista seria quase exclusivamente um matemático aplicado: aplicado nos dois sentidos de aplicado. E a Ciência Econômica, aplicação de Matemática escrita em enorme M maiúsculo a atividades consideradas arbitrariamente só econômicas: expressões do comportamento daquele também mítico Homem Econômico como que oposto ao Animal Político dos antigos.

---

* *Folha de S. Paulo* — 03/07/1980.

E uma supervalorização, a do Homem assim matematicamente econômico, agora um tanto em crise. Como um tanto em crise parece encontrar-se aquela Tecnocracia que teria no Economista assim glorificado o maior, o potencialmente mais milagrosos, o logicamente mais capaz de superar, em liderança política, os próprios estadistas e, em saber social, sociólogos, antropólogos, psicólogos sociais, historiadores sociais, pensadores sociais. Pois sem matemática do tipo manejado por economistas ortodoxos através do seu matematicismo não haveria, para tais tecnocratas, Ciência Social: só retórica. Só literatice. Só filosofice.

Sabe-se hoje que não é assim. Com economicismo fechado ou exclusivo não se resolvem problemas econômicos. Isto pelo simples fato de não haver, senão aparentemente, problemas que sejam somente econômicos. E como problemas somente econômicos susceptíveis daqueles soluções apenas matemáticas tão do gosto dos economistas desdenhosos de outras abordagens de problemas econômicos que não sejam as dos números.

Com Roberto Campos — que como embaixador do Brasil em Londres tem sido um mais que economista a lidar com assuntos internacionais — o Brasil dá exemplo magnífico, a brasileiros e a estrangeiros, do que é a capacidade brasileira de lidar com assuntos econômicos, juntando a um justo especialismo, um necessário generalismo.

# SEREI UM ANTI-SÃO PAULO? (1)*

*Gilberto Freyre*

Os museus de imagem e de som estão realizando, no Brasil, obra interessantíssima de registro de vozes e de imagens de brasileiros representativos por suas atuações ou presenças em setores diversos de atividade e de expressão. De expressão sociocultural sob vários aspectos. O Museu de São Paulo está agora sob direção competente e entusiástica: a do pesquisador Boris Cossoy.

Pesquisador que tem já a seu favor valioso estudo em torno da história da fotografia no Brasil: uma arte que teve em Hércules Florence, cujos descendentes vêm sendo bons brasileiros de São Paulo, um pioneiro admirável. Mais: um inventor de contribuição nada insignificante para o aperfeiçoamento dessa técnica de gravação da imagem à qual se juntaria, anos depois, já em nossos dias, a de gravação do som, uma completando a outra.

Os vindouros, no Brasil, ficarão sabendo o que foram — ou são agora — imagens e vozes de brasileiros expressivos que a morte vem levando ou ameaça levar. A imagem e a voz exatas de um Villa-Lobos, por exemplo. Pena terem se perdido, sem essa espécie de registro, a imagem, completada pela voz, de um Santos Dumont. Ou de um Joaquim Nabuco. Ou de um Rui Barbosa. Ou de um Machado de Assis. Registros de suas imagens. De suas vozes, completando as imagens. É a espécie de registro duplo que vem sendo realizado pelos museus de imagem e de som.

Ignoro até que ponto um depoimento, perante interlocutores ilustres do Museu da Imagem e do Som, de São Paulo, deve ser consi-

---

* *Jornal do Comércio*, Recife, Domingo — 06/09/1981.

derado exclusivo ou confidencial por depoentes. Sei que acabo de dar um testemunho dessa espécie: um testemunho provocado. Isto é, respostas e perguntas específicas de interlocutores: e isto e aquilo? É certo isto, é exato aquilo? E esses interlocutores, alguns dos mais expressivos representantes da inteligência e da cultura paulistanas de hoje.

Permito-me recordar aqui, de uma dessas perguntas, referentes a um diz-que-diz malicioso, segundo o qual eu seria, ou viria sendo, através de pronunciamentos, um tanto hostil a São Paulo. Anti-São Paulo, até. Talvez por bairrismo nortista ou nordestino ou pernambucano ou recifense: ressentimento de filho do Brasil pobre — depois de ter sido Brasil rico — em face do esplendor do mais rico dos Brasis. O maior pelo vigor, pelas realizações, pelos arrojos de sucessivos bandeirantes de novos tipos: São Paulo.

Não nego vir procurando, em meus escritos, constatar o que nessa parte hoje pobre do Brasil vem sendo germinal. Lembro-me de, certa vez, ter estendido essa constatação à presença de homens desse Brasil mais tropical, num Brasil, aliás, quase todo situado em trópico — o caso, inclusive, de São Paulo — ou influenciado, por contágio, por características brasileiramente tropicais: presença nas lideranças políticas do nosso país. O que fiz provocado por um reparo, a meu ver, inexato: quanto à qualidade dessa presença.

Segundo tal reparo, viria sendo uma liderança, a desses brasileiros, inepta: sempre prejudicial ao Brasil como um todo nacional. O que me fez recordar o marquês de Olinda, como Regente; Cairu; Penedo; o visconde do Rio Branco; Deodoros, Epitácios e até Dom Vital Cotegipe; Joaquim Nabuco; o conde da Boa Vista; o conselheiro Rosa e Silva; o presidente·Epitácio Pessoa: inclusive ao confiar o principal ministério militar da República a um civil do Sul do porte de Pandiá Calógeras.

# SEREI UM ANTI-SÃO PAULO? (2)*

*Gilberto Freyre*

De minhas relações diretas, pessoais, intelectuais com São Paulo, só posso dizer que, vivendo, como vivo, graças a Deus, de direitos autorais de livros, de artigos de revistas e de jornais, de conferências, meu grande público em língua portuguesa vem sendo o de São Paulo. Sem esse público, teria que contar apenas com estrangeiros, aliás admiráveis: inglês, italiano, alemão, espanhol. Com o público francês, principalmente, e com o de língua espanhola: agora mesmo o da Venezuela. Aí é meu editor um Ayacucho tão lúcido e tão propagador de meus livros como o grande Gallimard, na Europa. Propõe-se agora a Venezuela, pela voz do seu presidente — intelectual e não apenas político — a editar minha obra quase completa. Suponho que por Ayacucho.

Isto depois de, em língua inglesa, vir me faltando a mesma propagação que na língua francesa e na espanhola, depois de ao velho e bom editor Knopf ter absorvido uma Randon House, talvez pouco simpática às minhas idéias. Em outras palavras: talvez — não afirmo — quase patrulhismo. Mas essa omissão em língua inglesa está a ser compensada por novas edições em língua alemã, na italiana e em edições polonesa e finlandesa: a polonesa elaborada com o maior primor.

Voltando a São Paulo: como poderia eu esquecer o fato de meus primeiros artigos em revista em língua portuguesa terem aparecido na *Revista do Brasil*, quando de Monteiro Lobato? O destaque dado a minhas colaborações em velhos dias, eu quase desconhecido, em *O Estado de S. Paulo* e no *Correio Paulistano*? A antecipação de um paulista

* *Folha de S. Paulo* — 12/09/1981.

lúcido, Yan de Almeida Prado, em falar, em artigo de jornal, do Rio, do livro *Casa-Grande & Senzala*? Minha amizade — dentre os meus afetos mais antigos — com Afonso de Taunay, Bellá, Roberto Simonsen, Paulo Prado, Júlio de Mesquita Filho, Fernando de Azevedo, Freitas Marcondes, José Olympio, Gilberto de Melo Kujavsky, Yolanda Penteado, Noêmia, Antônio de Alcântara Machado, Pacheco e Silva, Oswald de Andrade, Francisco de Assis Barbosa? A homenagem que, logo depois de publicado meu primeiro livro, recebi do Centro Onze de Agosto, sendo orador o desde então meu fraterno amigo Osmar Pimentel? O Prêmio do Moinho Santista e as atenções especialmente honrosas da Academia Paulista de Letras e da de História, da Escola de Sociologia e Política, da Universidade do Estado, da Editora Nacional? O Prêmio Record, no setor de Ciências Sociais? O Troféu de Arte? O convite, em termos amigos, para colaborar, com inteira independência, na *Folha de S. Paulo*, dos já meus amigos Frias?

É certo não ter aderido à Semana de Arte de 22. Os meus modernismos trouxe-os direta e pessoalmente, ao Brasil, da Europa e dos Estados Unidos. Descobertos por mim. Assimilados por mim. Mas quem, nos seus últimos anos, mais meu amigo, em São Paulo, que Oswald de Andrade, a princípio tão antigilbertiano por preconceito modernista? Ou Noêmia? Ou Portinari, a despeito de minhas restrições ao exclusivo albinismo dos seus Cristos, das suas Virgens e dos seus santos? Além do que, foram meus amigos em Paris os por mim sempre admirados Tarsila e Brecheret. Amigos de Paris.

Mais: em 1931 aconteceu-me ser preso, no Recife, devido ao Movimento Paulista de então. Fui considerado perigoso comparsa desse arrojo de paulistas — inclusive Euclides Figueiredo, depois meu amigo, junto com o filho Guilherme — contra uma ditadura, na época, policialíssima e arbitraríssima.

Tudo isso dá às minhas relações, desde jovem, com São Paulo, à minha solidariedade com causas de paulistas, base para negação ao boato de ser eu um anti-São Paulo. Preso, no Recife, por suspeita de estar concorrendo para o êxito de bravas reivindicações de paulistas em face daquela ditadura — não é alguma coisa?

Ao que se junta o fato de ter deixado de colaborar no jornal *O Estado de S. Paulo*, quando passou a uma intervenção da mesma ditadura. Isto a despeito do interventor nomeado — pessoa, aliás, de bem — haver insistido, de modo o mais amável, para que minha colaboração no ilustre jornal continuasse. Os Mesquitas sabem dessa minha recusa.

# A NECESSIDADE DO PLURALISMO SOCIOLÓGICO*

*Gilberto Freyre*

Não costumo responder a críticas ao que escrevo da parte de gente que não me pareça idônea ou, sequer, elementarmente informada sobre o que critica em minhas, para eles, Sociologia Não-Sociologia, sendo as deles supersociologias.

Preparo atualmente para a editora Globo, a pedido dos seus ilustres diretores, nova edição — a 6ª — de uma *Sociologia* que vem aparecendo como "Introdução ao estudo dos seus princípios". Nessa nova edição de *Sociologia*, com que creio ter aberto nova perspectiva brasileira a esse difícil estudo, prevaleço-me do fato de ter, há pouco, ocorrido, em Estrasburgo, importante reunião de sociólogos europeus mais jovens, sob a presidência do provecto sempre jovem que é meu colega no Comitê Diretor de "Cahiers Internacionaux de Sociologie", Georges Balandièr. Em Estrasburgo foi posto em relevo o valor das Sociologias Especiais. De onde salientar eu agora ter sido, ou vir sendo, este um dos meus pioneirismos na *Sociologia* de que sou autor: o destaque das Sociologias Especiais como criativas, que são, ante uma ainda incompleta Sociologia Sintética. Ou monolítica.

Tanto que o título da nova edição será *Sociologia: Uma só?* Isto porque, nela, eu e o, nesta edição, meu jovem colaborador, o antropólogo Roberto Mota, do Instituto Nabuco e com estudos sociais pós-graduados na Holanda e na Universidade de Colúmbia, contestaremos, de início, as sociologias monolíticas, ou exclusivas, nas quais se inclui uma, marxista, com pretensões a ser não uma, mas a científica. E afirmare-

---

* *Folha de S. Paulo* — 18/05/1982.

mos — da minha parte uma reafirmação — a necessidade do pluralismo sociológico, quer quanto a objetivos, quer quanto a métodos. Repúdio ao sociologismo monolítico.

O inglês Bottimore, agora em tradução portuguesa, imposto a adolescentes brasileiros, felizmente não vai a tanto. Trata-se de um sociólogo inglês: e, na Inglaterra, a Sociologia vem sendo tratada de resto. Tanto que não é ensinada nas universidades castiçamente britânicas onde o lugar que lhe caberia é ocupado, com o maior relevo, pela Antropologia Cultural, com Pritchard e Fortes vindo se destacando como mestres de mestres. O fato vem resultando numa Antropologia Sócio-cultural britânica bem maior que sua Sociologia. O que se diz sem desapreço por um Ginsberg e um McKay, bons sociólogos, de Londres.

Mas a que equívoco sociológico desejo referir-me? O de página de número especial de *Veja* — excelente revista, a meu ver, nas suas reportagens, entrevistas, noticiário, mas não nas suas críticas de Letras, de Artes e de Ciências Sociais, quase sempre prejudicadas por sectarismo ideológico — na qual, quase sem quê nem pra quê, sou destacado como sociólogo que vem negando ser o mestiço brasileiro trabalhador ou criativo. Deve haver confusão. Talvez com Paulo Prado. É possível que com Monteiro Lobato. Pois tudo que venho escrevendo acerca do Brasil e do brasileiro mestiço é em sentido oposto.

Desde o meu primeiro pronunciamento em língua portuguesa sobre o Brasil considero estar surgindo aqui a maior civilização moderna no trópico. Como será possível tal fenômeno com um Brasil todo de Jecas Tatus improdutivos ou de raquíticos mestiços cacogênicos do litoral — os desdenhados injustamente por Euclides da Cunha e excluídos da sua exaltação do sertanejo — todos estéreis e improdutivos? Quem mais insiste do que eu em opor a arianistas virtudes de brasileiros mestiços: o seu trabalho ou sua criatividade?

De modo que o sociólogo desmentido por *Veja*, na sua página intitulada "Macunaíma", deve ser outro. O próprio Mário de Andrade de *Macunaíma* me parece ser inexato, se é certo que pretendeu fazer do seu herói expressão do brasileiro sem caráter. Inexato porque desde as façanhas dos bandeirantes e das vitórias de brasileiros — para alguns descendentes das três raças preguiçosamente tristes — contra holandeses que há afirmações inconfundíveis de um caráter brasileiro. Caráter ou personalidade. Caráter que a definição de metarracial parece corresponder ao que, nele, independe de origens especificamente raciais para apresentá-lo como conseqüência de um como que modelo já sócio-antropologicamente formado no Brasil. E, além de adotado por aqueles imigrantes — italianos, alemães, poloneses, sírios, japoneses, — que, por uma como predisposição, o vêm seguindo como se aqui tivessem nascido: tornando-se brasileiros à revelia de suas origens raciais.

# GILBERTO FREYRE E UMA
## CARICATURA DE SÃO PAULO*

*Honório de Sylos*

O Brasil conhece e admira o sr. Gilberto Freyre. Historiador, sociólogo, jornalista, parlamentar, o autor de *Atualidade de Euclides da Cunha* conquistou, no mundo das letras e da política, um lugar de grande e merecido relevo, projetando, mesmo, sua figura singular além de nossas fronteiras.

Devemos reconhecer, sem mais rodeios, que é dos mais sugestivos o último trabalho do sr. Gilberto Freyre — *Interpretação do Brasil*, que soma aspectos da formação social brasileira como processo de amalgamento de raças e culturas.

*Interpretação do Brasil* são conferências lidas na Universidade do Estado de Indiana, em 1944. A edição original, em inglês, recebeu o título de *Brazil: An Interpretation*. Advém daí, é evidente, uma maior responsabilidade do ilustre escritor. Falando a estrangeiros, deveria, naturalmente, o publicista de Recife focalizar vários e palpitantes problemas nacionais sob um rigoroso critério científico, evitando, com prudência, a paixão que, em geral, deforma impressões e julgamento.

O livro que acabamos de ler mostra, não obstante, que o admirável sociólogo de *Casa-Grande & Senzala* fugiu, em parte, a essa regra: em relação a S. Paulo, por exemplo, revela idéias que, sem dúvida, não se ajustam à verdade. É que, com certeza, conhecendo muito pouco nossa terra, valeu-se de alheias e quiçá tendenciosas opiniões.

E não podemos, a esta altura, esconder nosso pasmo: um escritor de tal porte tão mal informado acerca, justamente, da província mais

---

* Publicado em jornal paulista no final de 1947.

rica, mercê, em parte, de sua privilegiada situação geográfica e, em parte, ao espírito forte e ousado de seus filhos que, na própria expressão do sr. Freyre, "criaram um novo e estável tipo de homem ou de "raça", notável pelo seu vigor, sua resistência, sua capacidade de luta e pelas suas qualidades ou suas virtudes de pioneiro".[1]

[.............]

Castelhanismo no Brasil, como o sr. Gilberto Freyre vê, não significaria somente uma região, ou sub-região , lutando, através de algum Felipe, para dominar outras regiões ou sub-regiões. Não significaria somente um estado — teoricamente um estado federal, com direitos iguais aos de qualquer outro, mas, praticamente, um poder imperial — querendo dominar todos os demais estados. Isto aconteceu durante o 1° período republicano do Brasil: mais de uma vez, afirma o sr. Freyre, um estado político, quase inteiramente artificial e não propriamente uma região ou sub-região — dominou os outros estados da União brasileira, por meio de superioridades puramente mecânicas ou quantitativas, como as que dizem respeito à maior população, ao maior número de eleitores, e, também, ao grande número de bancos, fábricas e manufaturas existentes no mesmo estado.

Não é mistér muita e aguda perspicácia para adivinhar o endereço certo dessas palavras: S. Paulo, cuja superioridade, para o sr. Gilberto Freyre, é "puramente mecânica ou quantitativa".

Ignora o autor de *Mucambos do Nordeste* que S. Paulo, para ter, hoje, a maior população do Brasil, entre seus co-irmãos, importou o braço estrangeiro, despendendo, em meio século, com a imigração subvencio-

---

[1] — Segundo o sr. Roberto Simonsen, os índices de produtividade "per capita", em 1939 (em mil réis), foi, para só citarmos alguns estados: S. Paulo, 1.460; Rio Grande do Sul, 841; Rio de Janeiro, 619; Paraná, 520; Santa Catarina, 430; Pernambuco, 414; Minas Gerais, 376. O índice "per capita" do Brasil foi, no referido ano, de 627 réis. (*Ensaios Sociais, Políticos e Econômicos*, 1943, S. Paulo).

[2] De 1881 a 1889, despendeu a província de São Paulo, com o serviço de imigração, a soma de 8.287:014$851. A União, de 1822 a 1930, gastou 102.404:640$000 (*S. Paulo e Minas na Economia Nacional* — Manoel Olimpio Romeiro, 1930).

A imigração possibilitou o crescimento rápido da população do estado, o que aconteceu, também, em relação ao Paraná, Sta. Catarina e Rio Grande do Sul. O Nordeste possuía, em 1872, 46,5% da população do país, e o Sul, 48,0%. Segundo o recenseamento de 1890, o Nordeste teve sua percentagem diminuída: 41,9%, subindo o Sul a 52,6%. Trinta anos depois, acentua-se a tendência assinalada: o Nordeste baixa a 36,7% e o Sul atinge a 56,1%.

nada, cerca de duzentos mil contos?[2] Não percamos de vista uma circunstância: numerosas são as fábricas de S. Paulo com filiais espalhadas pelo Brasil, como acontece com a I. R. F. Matarazzo, a Cia. Antartica, Votorantim, Klabin. O mesmo se dá em relação aos bancos paulistas, cujas agências estão pontilhando o território nacional.[3] Desconhece o sr. Gilberto Freyre o valor da contribuição paulista para o fisco federal?

Citemos aqui os cinco primeiros estados (excluído o Distrito Federal) segundo os dados de arrecadação geral do país, em 1946:

1 — S. PAULO ...................................... 4.139.012.459,70
2 — R. G. DO SUL .............................. 653.565.783,70
3 — MINAS GERAIS ............................... 455.553.524,20
4 — PERNAMBUCO .............................. 437.438.099,30
5 — BAHIA ............................................. 282.876.062,70

Da soma arrecadada em nosso estado, a União não despende, aqui, sequer 10%, aplicando, portanto, mais de 90% nas outras circunscrições. É a riqueza paulista que, assim, se derrama por toda parte.

Quanto à renda das Alfândegas, cabe o 1º lugar a Santos, que assinala a arrecadação, no ano passado, de Cr$ 923.080.189,50. Vem, em 2º lugar, o Rio de Janeiro, com Cr$ 890.358.485,70. Seguem-se: Porto Alegre, Cr$ 306.981.803,90; Recife, Cr$ 211.556.084,80 e Salvador, Cr$ 164.195.697,70.

Abençoado imperialismo paulistano, não acha sr. Gilberto Freyre?

A uma certa altura, espanta-se o sociólogo de que se tenha construído uma estrada de ferro em um "desses estados poderosos" (São Paulo, já se vê) com dinheiro nacional, e que foi uma empresa quase de luxo — a maior parte dela com linha dupla. Refere-se, está visto, ao ramal paulista da Central do Brasil. Saberá, por acaso, o erudito brasi-

---

[3] Valor da produção industrial:
1939 ...................................... Cr$ ....................................... %
Brasil ......................... 15.000.000.000,00 ........................... —
S. Paulo ....................... 6.200.000.000,00 ...................... 41,3
1942
Brasil ......................... 27.568.000.000,00 ........................... —
S. Paulo ..................... 10.500.000.000,00 .......................... 47
1946
Brasil ......................... 64.000.000.000,00 ........................... —
S. Paulo ..................... 40.000.000.000,00 .......................... 60
[4] De cerca de 10.000 quilômetros de ferrovias existentes em território paulista, apenas 828,493 pertencem à União e estão assim distribuídos: Central, 321,623; Oeste de

leiro que é esse ramal, justamente, com sua grande receita, que sustenta quase toda essa organização oficial?[4] O mesmo se dá, como é sabido, com os Correios e Telégrafos. Os saldos alcançados, em S. Paulo e no Distrito Federal, cobrem o déficit das demais regiões.

Acha o sr. Gilberto Freyre, em relação aos estados rivais e poderosos, como S. Paulo, Minas e Rio Grande do Sul, que, cada um deles, tinha como seu mais legítimo programa político não tanto a solução dos problemas nacionais, ou brasileiros, de interesse social e humano, como o desenvolvimento de interesses industriais, comerciais e agrícolas estritamente estaduais ou seccionais.

Os fatos desmentem, com eloqüência, essas palavras. Citemos, simplesmente, de passagem, a política seguida pelos quatro presidentes oriundos de S. Paulo.

Prudente de Morais — consolidação da ordem civil;

Campos Salles — consolidação das finanças;

Rodrigues Alves — saneamento, portos, demarcação das fronteiras;

Washington Luís — estradas e estabilidade da moeda.

Trabalhando, S. Paulo, com a moldura dos cafezais, algodoais e das chaminés das fábricas e usinas, enriqueceu o Brasil. E não é certo que a soma de sadios regionalismos, como os de S. Paulo, Minas, Bahia ou Pernambuco, dá à pátria unidade e ação?

S. Paulo exportou para outros estados e deles importou produtos e utilidades. Alguns dados ilustram esta afirmativa.

Em 1946, a província piratiningana importou, dos demais estados, 717.558 tons., no valor de Cr$ 2.109.545.000,00, exportando 245.349 tons., no valor de Cr$ 2.639.690.000,00. No ano de 1945, Pernambuco exportou 247.264 tons. de açúcar, no valor de Cr$ 517.756.000,00, das quais S. Paulo adquiriu 126.030 tons. (valor de Cr$ 227.672.000,00).

E não é esse intercâmbio, essa circulação das riquezas que asseguram o progresso de uma nação?

Não chegamos a compreender como o sr. Gilberto Freyre pode, com sua arejada inteligência, afirmar a heresia de que os problemas industriais, comerciais e agrícolas de São Paulo são "estritamente esta-

---

Minas, 9,526; Noroeste, 472,424; Sul Mineira, 24,920. Só o governo do estado possui cerca de 2.500 quilômetros. Pequena, como se vê, a quilometragem das estradas da União em S. Paulo, inferior à dos estados: Minas Gerais (5.432), Rio Grande do Sul (3.008), Bahia (1.625), Rio de Janeiro (1.213), Ceará (977). S. Paulo ocupa o 8º lugar (4% das estradas da União).

duais". Como vimos, com os dados referentes ao comércio de cabotagem, São Paulo não organizou seu grande parque industrial para, apenas, suprir a região paulista, o que seria refinada ingenuidade, mas, sim, para abastecer o país, exportando pelo menos parte de seus produtos para o estrangeiro. Nosso comércio, como o de Pernambuco, não se anula nas fronteiras regionais. A agricultura de São Paulo atende ao Brasil e ao exterior, e é, sobretudo, pela exportação do café que garante à nação o equilíbrio de sua balança comercial.[5] Pernambuco não produz açúcar, algodão, tecidos, biscoitos ou cimento só pela vaidade de bastar-se a si mesmo. É lógico, claro, evidente. Supor o contrário seria uma violência às leis primárias da economia.

Em interessante relatório acerca do reerguimento econômico do estado, acentuou, recentemente, ilustre personalidade que São Paulo, pela sua posição geográfica e pelo seu progresso industrial, é o estado que mais influi na economia de outros estados; à semelhança de um coração com o seu movimento vital de sístole e diástole, S. Paulo funciona como um grande órgão de centripetismo e centrifugação econômica, para uma vasta região do país: Mato Grosso, Goiás, norte do Paraná, parte dos estados de Minas e do Rio, circunstância que não se deve perder de vista, na elaboração e execução de um planejamento suficientemente plástico, para poder integrar-se no provável planejamento econômico do país[6].

Essas palavras vêm a calhar, e parecem escritas de encomenda, em abono da tese defendida por um jornalista que ousa discordar do sr. Gilberto Freyre.

Por causa da modelar organização da Força Policial de São Paulo, que "era quase tão poderosa quanto o Exército nacional", aponta o sr. Gilberto Freyre nosso estado como a Prússia política, senão militar, do Brasil, que busca o desenvolvimento da política da força estadual dentro do âmbito nacional". Ora, à roda desse afirmação gira, sem dúvida, um equívoco.

São Paulo, realmente, além da instrução, da magistratura por concurso, da polícia civil de carreira, de estradas, imigração e coloniza-

---

[5] No ano passado, a exportação de café atingiu a 15.504.581 sacas, cabendo a São Paulo, nesse total geral, 11.306.132 sacas. O valor a bordo foi o seguinte: Brasil — Cr$ 6.441.463.000,00; São Paulo só — Cr$ 4.974.203.000,00 (75%). De janeiro-abril de 1947, exportação paulista desse produto: 3.305.167 sacas, no valor de Cr$ 1.986.055.000,00.

[6] General Anapio Gomes — Relatório ao governo de S. Paulo, outubro, 1947.

ção, etc. — cuidou da polícia militar, mandando buscar, na França, hábeis instrutores. A Missão Francesa veio em 1906 (secretário da Justiça e Segurança o dr. Washington Luís), quando São Paulo já tinha dado três chefes da nação. E, depois de contar com uma polícia "quase tão poderosa quanto o Exército nacional", São Paulo não "oprimiu" os demais estados, ficando ausente do Catete, precisamente, vinte anos... Prússia tolerante e dócil este nosso São Paulo!

E São Paulo ainda é, para o sr. Gilberto Freyre, uma espécie de Catalunha do Brasil.

E informa, aos norte-americanos, que um paulista, dos mais arrogantes, já chegou a comparar São Paulo a uma locomotiva que puxasse o resto do Brasil, que seriam apenas vinte carros ou vagões vazios.

E esse paulista "dos mais arrogantes" não é senão o grande baiano Artur Neiva, que, antes de 1930, foi, em São Paulo, diretor da Saúde Pública (governo Altino Arantes), fundador, em 1925, do Instituto Biológico e, em 1931, Secretário da Educação. Mais tarde ocupou a interventoria de seu estado natal. Foi esse cientista o autor de tal frase. É assim que se escreve a história, como comentou, nestas mesmas colunas, o cel. Luiz Tenório de Brito.

Falando de homens que se tornaram expressões de força democrática, na vida brasileira, e que foram produtos do velho sistema agrário-patriarcal do Brasil, cita apenas quatro nomes: — Joaquim Nabuco, Sílvio Romero, José Lins do Rego e Cícero Dias — todos do Norte, como se o Sul e o Centro não pudessem oferecer, ao país, tais "expressões de força democrática". É verdade que, no elenco de cientistas que tornaram o Brasil universalmente conhecido, generosamente, junta, entre vários nomes, o de um paulista — Osvaldo Cruz. Procurasse aqui, e acharia, para a primeira lista, nomes como José Bonifácio, Feijó, São Leopoldo, Paula Sousa, Antonio Prado, Luís Pereira Barreto, o solitário do Banharão, e, entre os vivos, toparia Monteiro Lobato...

O sr. Freyre considera que, apesar de algum exagero, há certa verdade nas palavras candentes de Waldo Frank de que "os paulistas são, hoje, burgueses, sob um industrialismo sem plano: burgueses que foram, antes, trabalhadores, mas, no momento, pobres e sem espírito, e, tambem, sem direção".

Não o cuido assim. O progresso de S. Paulo e o valor de seus filhos, em todos os setores da atividade humana, estão em desacordo com Waldo Frank e seu apressado endossante.

Evidente a contradição do escritor, que, em certo ponto do citado livro, reconhece que, "julgando-se os paulistas, pelo que foram capazes de realizar num meio difícil, como o tropical, eles surgem como a mais brilhante expressão de vigor híbrido que já se viu em qualquer parte da América".

Preferimos responder, objetivamente, ao sr. Gilberto Freyre, fugindo, de propósito, às injunções sentimentais do nosso coração paulista. Evitamos, assim, idéias falsas e palavras vãs. Quando umas e outras, disse alguém, começam a tomar conta de nós, impõe-se, então, exame mais refletido para determinar até que ponto atingem a nossa independência de julgamento e a saúde do nosso espírito.

Finalizando, cabe-nos formular um voto: — o de que o sr. Gilberto Freyre tenha tempo de estradar a fundo a história de S. Paulo. Em outros trabalhos, à margem de homens e coisas paulistas — sem escapulir às naturais cambiantes de execução — descobrirá, creio que com agrado, os claros caminhos que levam à verdade.

# O PRETO NO BRANCO*

*Gilberto Freyre*
(Para os "D. A.")

Num ilustre jornal de São Paulo, o sr. Honório de Sylos acaba de aparecer com eloqüente artigo no qual do princípio ao fim se põe em relevo minha vergonhosa ignorância acerca da gente paulista, do seu progresso industrial e da sua "contribuição para o fisco federal", depois de se ter também insinuado meu desconhecimento de assuntos ibéricos.

Excesso de rigor. Exagero de caturrice pedagógica. Pois, pesados bem os prós e os contras, sou, talvez, menos ignorante das coisas paulistas e mesmo das ibéricas do que transparece do artigo com que me honrou o distinto publicista.

O que não significa que deixe de ser imensamente ignorante destes e dos demais assuntos que tenho afoitamente arranhado em livros, conferências e artigos.

Se o sr. De Sylos carrega nas cores e me apresenta como um ignorante absoluto das coisas de São Paulo é que o seu fervor de propagandista bem intencionado das glórias e virtudes de sua terra às vezes o faz errar nas suas interpretações dos meus escritos. Escritos que têm isto de fundamentalmente diverso dos de sua predileção: não são nem de apologia nem de propaganda.

Nem de propaganda de uma doutrina, nem de uma nação, nem de um governo.

Admiro profundamente a gente paulista; mas confesso-me incapaz de tornar-me propagandista de suas virtudes. Por uma questão, talvez,

---

* *Diário de Pernambuco* — 18/12/1947.

de deformação intelectual, a simples palavra *propaganda* me repugna. Vêm-me logo à lembrança as propagandas nacionais de tempo de guerra e as propagandas oficiais ou comerciais de tempo de paz. E a idéia de que o país de que se faz melhor e mais ruidosa reclame seja sempre "o maior do mundo" como os xaropes, os automóveis e os governos mais insistentemente louvados em folhetos, nas seções pagas das gazetas e nos rádios seriam sempre os melhores do universo, é idéia que nem sempre se harmoniza com a minha, de que todos os homens e todos os povos, mesmo os mais gloriosos, têm os seus defeitos do mesmo modo que os xaropes, os automóveis e os regimes políticos anunciados como perfeitos ou messiânicos podem vir a ser superados por outros xaropes, automóveis ou regimes: ou ser aperfeiçoados, corrigidos e melhorados. É o que está se passando, por exemplo, com a penicilina — talvez a maior maravilha dos nossos dias. E com o próprio regime democrático. De modo que se São Paulo — o estado, não o santo — grande e admirável como já chegou a ser, pode ser melhorado, aperfeiçoado e corrigido, está em excelente companhia: com a penicilina e com a democracia. Com o próprio cristianismo, para o qual só o Cristo é perfeito.

O sr. Honório de Sylos, porém, colocando-se hoje em relação a São Paulo na mesma posição do eminente Afonso Celso, em relação ao Brasil de há meio século, vê em qualquer restrição às glórias paulistas ofensa a São Paulo. E tal é o seu zelo, o seu ufanismo, o seu misticismo que em generalização sobre estados grandes e poderosos do Brasil só enxerga este "endereço certo": "São Paulo". O que é querer negar o fato de que existem neste vasto Brasil outros estados grandes e poderosos, culpados, durante a primeira República, dos mesmos pecados de mau estadualismo, que São Paulo praticou: Minas e Rio Grande do Sul, por exemplo. E com relação a luxos ou caprichos ferroviários ou portuários num só estado — o predileto de "Sua Majestade o presidente", no poder — com prejuízo de necessidades elementares de outros estados ou de regiões inteiras — erro tantas vezes praticado durante a primeira República — engana-se completamente o sr. De Sylos ao supor que meu "endereço certo" é sempre, em *Interpretação do Brasil*, São Paulo. É também Minas e até a Paraíba: a Paraíba dos dias de Epitácio Pessoa, presidente da República.

Parece que o presidente Epitácio Pessoa pecou como ninguém neste ponto: em sacrificar a solução de problemas nacionais ou regionais a interesses estaduais e até municipais. Que o digam os conhecedores da história dos nossos traçados de estradas de ferro e dos nossos portos.

Outra vez se engana lamentavelmente o sr. De Sylos quando, diante de uma referência minha, no mesmo *Interpretação do Brasil*, a "forças policiais quase tão poderosas quanto o Exército Nacional", conclui com impressionante leviandade que o endereço certo é só este: "São Paulo". "Prússia brasileira?" O sr. De Sylos não hesita: é com São Paulo. Só pode ser com São Paulo.

Toda alusão a "estado grande" ou a "estado poderoso" faz que o sr. De Sylos surja como um São Jorge para matar dragões anti-paulistas. Ou como um cristão que avistasse mouros na costa; e esta costa sempre o litoral do estado de São Paulo.

Ora, a impressão de Prússia não foi São Paulo que me comunicou alarmantemente: foi Minas Gerais. O doce, o pacato, o pacífico, o amável estado de Minas Gerais pareceu-me, quando o visitei, um estado em pé de guerra com uma força policial que tivesse qualquer coisa de um Exército Nacional.

Anos depois, encontrei a mesma situação no Rio Grande do Sul. Enquanto o São Paulo que visitei em 1935, a convite dos estudantes de Direito, estava longe de impressionar brasileiro de outro estado como "uma Prússia brasileira". Era quase uma Polônia: uma Polônia dos dias de martírio polonês. Seu prussianismo fôra superado pelo de Minas e pelo do Rio Grande do Sul.

A esta altura permita o sr. De Sylos recordar-lhe um tanto deselegantemente o fato de que em 1932 fiquei ao lado de São Paulo e contra a primeira ditadura Vargas. Estava eu então em Pernambuco, estado dominado pelo despotismo ditatorial. A propaganda do ditador espalhara pelo Norte inteiro as maiores mentiras contra os insurretos paulistas. Que eram separatistas. Que estavam a serviço de interesses estrangeiros. Que eram isto. Que eram aquilo. Ainda assim, houve numerosos brasileiros doutros estados do Norte, do Sul e do Centro que se definiram pela causa paulista. Fui um deles. E essa atitude valeu-me ser agredido por capangas ditatoriais. Contra eles, sozinho e desarmado, reagi quanto pude, tomado de repente de uma combatividade de paulista que enfrentasse emboabas. Tanto consegui reagir que fui preso como um matamouros pela polícia ditatorial. Verifiquei então que um dos agressores era companheiro de quarto do delegado de polícia, diante de cuja delegacia se verificara a agressão, a princípio de dois, depois de três contra um.

Na verdade de uma delegacia inteira contra um, poderia dizer-se eu muito perigoso de espanholada.

Quem, em dias difíceis, ousou definir-se assim, por São Paulo, não há de permitir hoje, nem ao sr. De Sylos nem a ninguém, tratá-lo como se fosse um inimigo, um detrator, um inteiro ignorante das virtudes paulistas. O que eu nunca fui nem sou hoje é um louvador sistemático de qualquer gente — nem mesmo da minha — ou um entusiasta cego do moderno progresso brasileiro em tanta coisa, ao meu ver, desorientado.

Tanto que estou de pleno acordo com o eminente paulista sr. Roberto Simonsen quanto à necessidade de planejamento econômico no Brasil. Planejamento que dê a São Paulo o lugar que lhe compete de centro de uma região inteira e não apenas de um estado. Pois, no Brasil, precisamos quanto antes começar a encarar e a procurar resolver problemas sociais e de economia, políticos e de cultura, não dentro de mesquinhos ou exclusivos interesses estaduais mas regionalmente e inter-regionalmente; nacionalmente e interamericanamente.

Como velho admirador da gente paulista, é a posição que eu desejaria ver hoje assumida pelos seus líderes: a de pioneiros do planejamento social e econômico, no Brasil, dentro de critério ao mesmo tempo interregional e brasileiro, nacional e interamericano. Critério que supere tanto o balcanicamente estadualista como o estreitamento nacionalista.

Nada de estados grandes dominando a política nacional como estados grandes: pelo só prestígio da quantidade dos seus votos ou do peso das suas indústrias. Nada de estadualismos imperialistas. Nada de Prússias brasileiras, por um lado, nem, por outro lado, de Polônias oprimidas por conquistadores mais ou menos violentos.

Creio ter posto o preto no branco. Não sou nenhum "inimigo de São Paulo" do mesmo modo que não sou propagandista ou apologista sistemático nem de suas glórias e de suas virtudes nem das glórias e virtudes do Brasil, de Portugal, da Espanha, da Grã-Bretanha. De povo nenhum de minha particular admiração. Meu ofício é outro.

Dito o que, me resta ainda declarar ao sr. De Sylos que suas eloqüentes estatísticas sobre a contribuição paulista para o fisco federal me impressionaram tão pouco como suas palavras de entusiasmo pela expansão das indústrias Matarazzo pelo resto do Brasil. É justamente contra a mística do quantitativismo e contra o furor do industrialismo individualista e desordenado — como o que se exprime na expansão do poder econômico de uma família tornada privilegiada pelo dinheiro — que se levanta meu socialismo democrático, reformista e ético. Batendo-me pela ascensão das massas me bato igualmente pela conservação e pelo aperfeiçoamento dos valores e das tradições de qualidade para que a mística da quantidade não nos esmague ou nos rebaixe como se fosse a força decisiva ou absoluta nas civilizações modernas. O que mais me repugna no "comunismo russo" ou no "capitalismo norte-americano" é justamente o seu quantitativismo. E o que mais admiro em São Paulo é a sua contribuição qualitativa para a cultura brasileira e não sua simples contribuição quantitativa para o fisco federal.

Nenhuma razão tem o sr. De Sylos em queixar-se de que em *Interpretação do Brasil* exalto apenas brasileiros do Norte como "Joaquim Nabuco e Sílvio Romero, José Lins do Rego e Cícero Dias", esquecendo os homens representativos ou de qualidade do Centro e os do Sul. Recorda omissões: Osvaldo Cruz, paulista, Monteiro Lobato, outro paulista. Engano de quem leu apressado aquelas conferências. Tanto Osvaldo Cruz como Monteiro Lobato são ali salientados. E ninguém é mais exaltado nas tais conferências do que o santista José Bonifácio. O qual, nem por ter sido injusto, num dia de mau humor, com seus comprovincianos, deve ser esquecido pelos bons paulistas que hoje se consagram à propaganda das virtudes e das glórias da sua gente com o zelo, a intransigência e o fervor do sr. De Sylos.

Será que das lições com que me honrou o sr. De Sylos nenhuma me aproveitou?

De modo nenhum: uma, pelo menos, me foi útil. Tendo eu escrito que o autor da célebre comparação de São Paulo com uma locomotiva que puxasse o resto do Brasil fôra um paulista, o sr. De Sylos com toda a razão triunfalmente me corrige: o suposto paulista foi um baiano! Baiano por muitos anos residente em São Paulo, onde se impregnou da mística estadualista do grande estado, porém baiano.

Essa correção, eu recebo do sr. De Sylos com toda a humildade. Batendo nos peitos: aqui errei grosseiramente, Senhor Deus!

Em nova edição de *Interpretação do Brasil*, o feio erro será corrigido e o "arrogante paulista" se transformará num "baiano contaminado" pela "arrogância", não da gente paulista, mas de alguns paulistas convencidos de que fora de São Paulo não há salvação.

Quanto à verdade é que, se norte-americanos mais simplistas assim têm pensado, outros, como Elihu Root, a província, a cidade, a parte do Brasil que consideraram mais altamente civilizada não foi nem o Rio com suas avenidas novas nem São Paulo com suas indústrias triunfantes e seu café, nem Minas Gerais com seu ouro e seu gado, nem o Rio Grande do Sul com suas carnes e seus frigoríficos: foi a Bahia. E a Bahia não por causa do seu cacau mas, principalmente, por suas superioridades espirituais e estéticas.

# GILBERTO FREYRE, UM PSICODRAMA*

*Walter Galvão*
Ao Grupo Pró-História

O escritor e sociólogo pernambucano Gilberto Freyre não conquista a modernidade assumindo experiências homossexuais da juventude através das páginas de revistas, ou invocando a si um fantasmagórico anarquismo que teria moldado sua prática de vida ao longo da história.

Gilberto Freyre é um mito e um fetiche. Mito da *intelligentsia* (no sentido sociológico do termo) nordestina galvanizada pela sua conceituação do regionalismo com força vitalizadora da nação brasileira, e fetiche da vanguarda artística e política regional que exorciza em suas críticas o patriarcalismo culturalóide que se expande de Apipucos às colunas dos jornais brasileiros e internacionais.

Gastamos papel e tinta discutindo a trajetória desse Narciso tropical, uma farpa tradicionalista contemporânea, que exibe uma metodologia analítica reducionista ao criticar expressões intelectuais ao nível de Florestan Fernandes e Caio Prado Júnior.

Freyre, ao interiorizar a obra desses dois pensadores ante a sua, deflagra mais uma batalha da guerra ideológica que em seu epicentro abriga formas de encaminhar a reflexão e conseqüentemente a práxis de acomodação de uma sociedade com suas particularidades no contexto de um continente esmagado pelo etnocentrismo explorado pelo imperialismo, açoitado pelo colonialismo cultural.

Na constatação desse fato e na análise das suas conseqüências, inevitável será um posicionamento também ideológico de quem se propõe à crítica. Tentamos, porém, a partir de agora, contestar convic-

* *O Norte*, João Pessoa — 13/01/1984.

ções de Gilberto Freyre, ressaltando a validade teórica da sua obra e projetando o significado à Sociologia brasileira da natural superação dos seus conceitos pela emergência de textos como *A revolução burguesa no Brasil*, de Florestan Fernandes, ou a completude de suas idéias possibilitada por ensaios como *A história econômica do Brasil*, de Caio Prado Júnior.

Rápidas digressões sobre o saber. Ao homem, resta a consciência que nada mais é do que o sentir-se socialmente capaz. Essa capacidade fundamenta-se não na força para articular um pacto social. O homem inventa-se a partir do pacto verbal. Se com as mãos surge a fagulha da Mecânica que projeta a Física Quântica para que possamos riscar um fósforo em sossego, temos com o pacto verbal a *poiesis* História. Octavio Paz, em texto recente sobre a função social da palavra, eleva o saber à categoria de alavanca revolucionária.

E é com essa alavanca que se insurge Gilberto, não para tentar na atualidade fazer desabar estruturas obsoletas mas sim preservá-las. A postura do autor de *Casa-Grande & Senzala* cheira à angústia por perceber que o tempo erodiu a simpatia (que Heidegger, para definir, empregou a expressão *mitsein* — estar ou ser com; e que Ribot entende como "existência de disposições idênticas em dois ou mais indivíduos da mesma espécie ou espécie diferente, e para Bain é "a tendência de um indivíduo a concordar com os estados ativos ou emocionais de outros quando esses estados se revelam por certos meios de expressão"), simpatia com a qual ele rompeu com a linguagem da ensaística brasileira nas três primeiras décadas do século.

O intuicionismo bergsoniano, conforme apontou Merquior, que permeia a expressão estética em Gilberto Freyre, dá-lhe a graça poética de um transgressor. Com *Casa-Grande & Senzala* (ensaio que arranca admiração de pensamentos díspares como os de Eduardo Portella, José Guilherme Merquior, Darcy Ribeiro, Monteiro Lobato, Sombart, Gurvitch, Bastide e Tropero) ele transgride a norma da ensaística de Nabuco e Rui Barbosa e vai além da metodologia durkenheimiana que moldou o ensaio *Populações meridionais do Brasil* de Oliveira Vianna.

Aplicando ao seu texto os mitos, ritos e ritmos do saber popular que subjaz ao discurso formal do Brasil com seus repiques eruditos e chiliques de submissão colonialista, o Narciso de Apipucos, faiscando de inteligência e sensualismo, avança por uma sociologia que desvenda um povo até então desconhecido, povo que se refestela nas cozinhas e nas camas. Esta a interpretação de Freyre, que acumula ainda em *CG&S*

sabor literário que o transporta à condição de um dos canais de propagação do Modernismo no país.

As suas acusações a Florestan Fernandes e o desprezo dirigido à produção de Caio Prado Júnior caracterizam Gilberto vivenciando ainda um psicodrama, em que categorias analíticas apresentam-se quais fatias do saber isoladas sobre o húmus vivificante do trabalho do homem, o fundamento da existência social.

Florestan Fernandes, intelectual de vivência rica com os problemas do povo brasileiro (foi engraxate, lutou pela vida nas ruas miseráveis de São Paulo), ao escrever *A revolução burguesa...*, além de uma resposta ao regime imposto ao país a partir de 1964, prossegue a tentativa de Gilberto Freyre de explicar o país aos que nele vivem e sofrem.

A condução crítica dessa análise, embebida em brilho dialético que atropela o positivismo liberal que tonifica a discussão acadêmica em grandes centros brasileiros, incomoda Freyre, que, além de anglófilo, admira em Gasset o seu caroço teórico que indica um eurocentrismo a partir de uma tradição metafísica baseada nas contradições do pensamento espanhol (um indicativo é o Regionalismo como Freyre o define).

Florestan Fernandes materializa contra esse Regionalismo, ao lado de outros intelectuais socialistas brasileiros, uma proposta à História que não a trata como se ela fosse constituída de fatos isolados, mas sim um conjunto orgânico de aspirações dos povos que, por meio de seus processos evolutivos de produção, vão alcançando estágios de aperfeiçoamento social.

A Sociologia brasileira plenifica-se em Florestan — um dos seus representantes mais qualificados — por ratificar a assertiva de Manheim, no sentido de que a análise socialista afasta-se do abstracionismo para instaurar a concretude da teoria em práxis. Gilberto Freyre, ao relegar o abstracionismo de alguns sociólogos ditos importantes da sua geração, permanece imerso em pensamento burguês por articular uma produção intelectual interpretativa mas a partir da sua vivência como senhor de engenho, e não uma confrontação combativa das informações que compõem o ideário das diferentes classes em confronto à época da formação da família patriarcal brasileira.

O caso de Caio Prado Júnior é diferente. A sua *História da economia* é uma interpretação original, hoje clássico no gênero, que visualiza o Brasil como palco de explorações e experiências do capitalismo em expansão, trabalho que evolui com fundamentada argumentação em *A revolução brasileira*.

277

A contribuição dos dois autores atacados por Gilberto Freyre, em sua guerra santa contra o marxismo, impõe-se pelo rigor científico. A acusação é uma pista do liberalismo de Freyre e não o alimenta com a mesma luz que bafejou a trajetória intelectual de Shumpeter, que acreditou no fim do capitalismo e na evolução para o socialismo do mundo, se bem que por vias distantes das indicadas por Marx.

Gilberto Freyre, personalidade brilhante que não podemos deixar de admirar (um homem que, no Ceará, entre pescadores, se divertia fumando maconha) pela impetuosidade intelectual e ousadia existencial, constitui-se, em definitivo, num foco de resistência à revolução brasileira. Ele crê no comodismo das classes, na via parlamentar e na democracia racial. Não crê em evolução igual a socialismo. E se ele rumina esse vocábulo, certamente é para degluti-lo entre soberbos goles de tarubá, uma das bebidas indígenas que ele descreve em *Casa-Grande & Senzala*. Embriagado de paixão, G.F. alarga, com força, o seu espaço. Ao seu modo, ele homenageia a vida.

(Para conclusão desse texto, contribuiu a seguinte bibliografia: *Casa-Grande & Senzala*; "Na casa-grande dos oitenta", José Guilherme Merquior; entrevista de Gilberto Freyre à revista *Veja* — janeiro-84; *História e consciência social*, Leôncio Basbaum; *Ensaios insólitos*, Darcy Ribeiro; *Sociologia política de Oliveira Vianna*, Paulo Edmur de Souza Queiroz; artigos de Eduardo Portella e José Lins do Rego).

Banquete no Automóvel Clube de São Paulo, oferecido por escritores, jornalistas e estudantes paulistas em homenagem a Gilberto Freyre, após sua conferência sobre "Modernismo e modernidade na arte política", em 23 de junho de 1946. Gilberto é o quarto da esquerda para a direita, sentado, ao fundo.

Grupo formado após o banquete oferecido a Gilberto Freyre no Automóvel Clube de São Paulo. Da direita para a esquerda: professor Alvino Lima, pintor Di Cavalcanti, poeta José Tavares de Miranda, jornalista Osmar Pimentel, jornalista José Vicente de Freitas Marcondes, sociólogo Gilberto Freyre, pintor Lula Cardoso Ayres e os acadêmicos de Direito Renato Sampaio Coelho e Otero Cardoso de Melo.

# APÊNDICE

APÊNDICE

# RETRATO MOLECULAR DO BRASIL*

Muitos autores, usando metodologia histórica, sociológica e antropológica, já analisaram as origens do povo brasileiro: Paulo Prado em *Retrato do Brasil* (1927), Gilberto Freyre em *Casa-Grande & Senzala* (1933), Sérgio Buarque de Holanda em *Raízes do Brasil* (1936) e Darcy Ribeiro em várias obras, culminando em *O povo brasileiro* (1995). Nós usamos novas ferramentas — a genética molecular e a genética de populações — para reconstituir e compreender o processo que gerou o brasileiro atual, no momento em que comemoramos 500 anos da chegada dos europeus ao Brasil.

O geneticista norte-americano John Avise definiu a filogeografia como o campo de estudo dos princípios e processos que governam a distribuição geográfica de linhagens genealógicas dentro das espécies, com ênfase em fatores históricos. Ela integra conhecimentos de genética molecular, genética de populações, filogenética, demografia e geografia histórica. Sabendo que linhagens genealógicas ameríndias, européias e africanas contribuíram para a composição da população brasileira, decidimos mapear na população branca do Brasil atual as distribuições espaciais dessas linhagens em um contexto histórico. Para isso, amostras de DNA da população do Norte, Nordeste, Sudeste e Sul do Brasil foram estudadas com dois marcadores moleculares de linhagens genealógicas: o cromossomo Y para estabelecer linhagens paternas

* Artigo publicado em abril de 2000 na revista *Ciência Hoje*, assinado pelos cientistas Sérgio D. J. Pena, Denise R. Carvalho Silva, Juliana Alves Silva, Vânia F. Prado e Fabrício R. Santos, da Universidade Federal de Minas Gerais.

(patrilinhagens) e o DNA mitocondrial para estabelecer linhagens maternas (matrilinhagens). Comparações com estudos realizados em populações de outros países permitiram estabelecer a origem geográfica da vasta maioria dessas linhagens genealógicas.

## A genética reconstruindo a história

Há duas estratégias que a genética molecular pode usar para responder sobre a história evolucionária humana: estudar populações atuais para fazer inferências históricas, como neste trabalho, ou resgatar DNA humano de múmias e ossadas arqueológicas para reconstituir a estrutura genética de populações do passado.

A segunda estratégia, chamada de arqueologia molecular, tem progredido muito (estudos de DNA mitocondrial em ossadas de 24 mil anos mostraram, por exemplo, que o homem de Neandertal não foi um antepassado do homem moderno). Entretanto, os estudos genéticos de populações atuais usando os 'polimorfismos' de DNA (regiões do genoma humano onde há diferenças entre indivíduos normais) são mais confiáveis cientificamente. Essa é a mesma técnica adotada em testes de determinação de paternidade, criminalística molecular e mapeamento de genes.

A existência de diferentes tipos de polimorfismo de DNA, classificados de acordo com sua natureza molecular e sua localização no genoma, possibilita estudos diversos. Polimorfismos em autossomos (cromossomos não-sexuais) são ótimos marcadores de individualidade. Como todos temos duas cópias de cada autossomo e as cópias de cada par trocam genes (recombinam-se) a cada geração, as combinações são efêmeras, impedindo que duas pessoas tenham o mesmo genoma.

Situação diferente é observada no segmento exclusivo do cromossomo sexual Y (presente apenas em homens) e no DNA mitocondrial (DNA presente em organelas celulares denominadas mitocôndrias), que apresentam propriedades genéticas em comum. Primeiro, eles são herdados de apenas um dos pais: o cromossomo Y é transmitido através do espermatozóide paterno apenas para filhos homens e o DNA mitocondrial é transmitido através do óvulo materno para filhos e filhas (figura 1). Segundo, não trocam genes com outros segmentos genômicos (não se recombinam), sendo transmitidos às gerações seguintes em blocos de genes (denominados 'haplótipos').

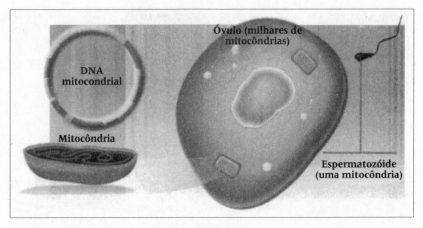

Figura 1

*Na fertilização humana, só os espermatozóides que têm o cromossomo Y geram filhos homens (patrilinhagem), e só as mitocôndrias maternas (do óvulo) são transferidas para todos os filhos (matrilinhagem) — a mitocôndria paterna pode penetrar o óvulo, mas perde-se por diluição.*

Esses blocos permanecem inalterados em patrilinhagens ou matrilinhagens (figura 2) até que ocorra uma mutação. As mutações ocorridas durante a evolução humana geraram variações ('polimorfismos') dos haplótipos que servem como marcadores de linhagem. Além disso, o cromossomo Y e o DNA mitocondrial fornecem informações complementares, permitindo traçar patrilinhagens e matrilinhagens que alcançam dezenas de gerações no passado, podendo assim reconstruir a história genética de um povo (figura 3).

Entretanto, o que os haplótipos de DNA mitocondrial e do cromossomo Y nos informam é uma parcela muito pequena da contribuição genética dos antepassados de um indivíduo, porque este tem quatro avós, oito bisavós, 16 trisavós, 32 tetravós e assim por diante. O estudo do haplótipo de cromossomo Y informa sobre apenas um desses antepassados homens e o do DNA mitocondrial sobre apenas uma antepassada — eles não informam nada sobre todos os outros antepassados com seus milhares de genes.

Para usar uma analogia, imaginemos que Diogo Álvares, o famoso Caramuru, tenha passado seu sobrenome para seus filhos, e estes para os próprios filhos, e assim por diante, criando apenas uma patrilinhagem Álvares no Brasil. Agora imaginemos um indivíduo contemporâneo chamado João Álvares. O sobrenome Álvares indicaria que ele

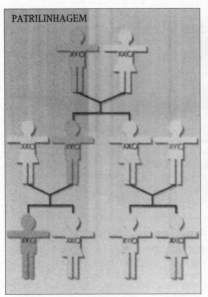
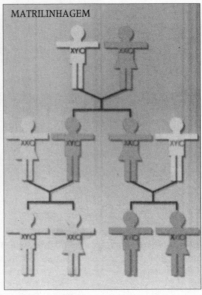

## Figura 2

*Mecanismo de transmissão hereditária de cromossomo Y e de DNA mitocondrial (representado por um círculo) na mesma família: as pessoas destacadas pertencem (A) à mesma patrilinhagem (têm cromossomos Y idênticos), ou (B) à mesma matrilinhagem (têm DNA mitocondrial idêntico).*

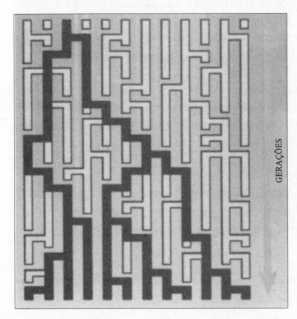

## Figura 3

*Em cada geração alguns cromossomos Y (ou DNAs mitocondriais) são transmitidos para os filhos e outros são perdidos, o que significa que, após grande número de gerações, todos os cromossomos Y (ou DNAs mitocondriais) sobreviventes provavelmente serão descendentes de um único ancestral.*

descende de Caramuru, mas daria informação sobre uma fração minúscula da sua genealogia, pois não diria nada sobre toda a família de sua mãe, de sua avó paterna etc.

## As variações do cromossomo Y

O cromossomo Y humano tem três partes distintas. Duas pequenas regiões, nas extremidades dos dois 'braços' desse cromossomo, mostram homologia (mesmos genes, na mesma seqüência) com o cromossomo X e se recombinam com este. Por isso, são chamadas de pseudo-autossômicas. A terceira parte (mais de 90% do cromossomo) é exclusiva do Y e não sofre recombinação — os haplótipos dessa parte são transmitidos inalterados de pai para filho por gerações e gerações.

Para identificar os diferentes haplótipos necessitamos estudar polimorfismos de DNA, que podem possuir velocidades evolucionárias diferentes. No estudo das linhagens de cromossomo Y em brasileiros, optamos por polimorfismos de evolução lenta, ou UEPs (do inglês *unique event polymorphisms*), que indicam eventos mutacionais únicos. Há dois tipos de UEPs: os que resultam da mudança de uma só base de seqüência do DNA (SNP, do inglês *single nucleotide polymorphism*), e os decorrentes da 'entrada' de uma curta seqüência de bases ('retroposon') em uma determinada posição no cromossomo. A identificação desses polimorfismos é utilíssima para a reconstrução da história de migrações em populações humanas.

Um bom exemplo foi a comprovação científica de que a maioria dos indígenas das Américas descende de populações da área central da Sibéria, na Ásia. Em 1995, o estudo de polimorfismos de cromossomb Y de ameríndios de 18 tribos indígenas, da Argentina até os Estados Unidos, nos permitiu identificar apenas um haplótipo na grande maioria deles. Nossos dados reforçavam a noção de que os ameríndios das três Américas eram provenientes da migração de uma única população asiática na qual esse haplótipo era o mais freqüente (o 'haplótipo fundador').

Seria então possível usar esse haplótipo para encontrar a população asiática de onde ele veio? Fizemos estudos genéticos em DNA de centenas de homens de inúmeras populações da Sibéria e da Mongólia, usando 30 UEPs: do cromossomo Y humano. Descobrimos que duas populações que habitam em regiões adjacentes na Sibéria Central eram as mais similares aos ameríndios: os Ketis (da bacia do rio Yenissey) e os Altais (das montanhas Altai). Tais dados apontam para essa região siberiana como o berço mais provável dos ameríndios.

## As variações do DNA mitocondrial

O DNA mitocondrial humano é circular, muito pequeno (16. 569 pares de bases), e situa-se no citoplasma, dentro das mitocôndrias, as usinas energéticas das células, como visto na figura 1. Acredita-se que as mitocôndrias eram microrganismos independentes que, englobados por ancestrais de nossas células, tornaram-se simbiontes ao longo da evolução, tanto que conservam características de DNA microbiano.

O DNA mitocondrial humano possui duas regiões com propriedades evolutivas diferentes. A maior região (mais de 90% do total) é codificante, ou seja, é usada como molde para síntese de RNA. A taxa de mutação nessa região é cerca de cinco vezes maior do que a do DNA nuclear. A segunda região, chamada de 'alça D', tem em torno de 1.112 pares de bases, não é codificante e evolui cinco vezes mais rápido que o DNA nuclear). Em geral, estudam-se as duas regiões, seqüenciando o DNA mitocondrial nos dois trechos mais variáveis da alça D e procurando SNPs em posições específicas da região maior. A busca de SNPs é feita com enzimas de restrição, que cortam o DNA em seqüências específicas (com quatro a seis bases) — alterações na seqüência do DNA mitocondrial podem eliminar sítios de restrição ou criar um novo onde não havia nenhum. SNPs estudados com enzimas de restrição recebem o nome especial de RFLPs (do inglês *restriction fragment length polymorphisms*, ou seja, polimorfismos de tamanho de fragmentos de restrição).

O melhor exemplo de reconstrução da evolução a partir do DNA mitocondrial foi dado em 1987 pelo grupo de Allan Wilson, na Universidade da Califórnia (em Berkeley). Eles estudaram RFLPs no DNA mitocondrial de 147 indivíduos de várias origens geográficas e elaboraram uma árvore filogenética que apontava apenas um ancestral comum: o DNA mitocondrial de uma mulher que viveu na África há cerca de 200 mil anos. Quatro anos depois, o mesmo grupo confirmou os resultados pelo seqüenciamento da alça D. Embora a metodologia estatística desses estudos tenha sido posteriormente criticada e a estimativa de idade reduzida para 150 mil anos, a conclusão básica, de que o homem moderno emergiu em época recente na África, foi corroborada por outros estudos genéticos.

## Amostragem da população brasileira

O Brasil tinha 157.070.163 habitantes em 1996, distribuídos pelas regiões Norte (11.288.259), Nordeste (44.766.851), Sudeste (67.000.738), Sul (23.513.736) e Centro-Oeste (10.500.579), segundo o Instituto Brasileiro de Geografia e Estatística (IBGE). Quanto à 'raça' (ver 'Não existem raças' no final deste texto), o IBGE adotou um critério simplista — segundo a cor da pele, por autoclassificação: branca, preta, amarela, parda, indígena e sem declaração — para obter a distribuição das cores de pele no Brasil como um todo e nas cinco principais regiões (figura 4).

| REGIÃO | COR OU 'RAÇA' | | | | | |
|---|---|---|---|---|---|---|
| | Branca | Preta | Amarela | Parda | Indígena | S/declaração |
| Centro-Oeste (9.425.053) | 4.418.571 (46,9%) | 292.943 (3,1%) | 30.686 (0,3%) | 4.615.250 (49%) | 52.750 (0,6%) | 14.853 (0,1%) |
| Nordeste (42.494.112) | 11.317.738 (26,6%) | 2.368.206 (5,6%) | 27.371 (0,06%) | 28.611.078 (67,3%) | 55.854 (0,13%) | 113.865 (0,3%) |
| Norte (10.027.373) | 2.279.173 (22,7%) | 329.261 (3,3%) | 13.994 (0,1%) | 7.230.657 (72,1%) | 124.618 (1,2%) | 49.670 (0,5%) |
| Sudeste (62.740.146) | 39.260.994 (62,6%) | 3.662.794 (5,8%) | 471.732 (0,8%) | 18.985.393 (30,2%) | 30.584 (0,05%) | 328.649 (0,5%) |
| Sul (22.129.131) | 18.428.446 (83,3%) | 681.926 (3,1%) | 86.875 (0,4%) | 2.873.707 (13%) | 30.342 (0,1%) | 27.835 (0,1%) |
| Brasil (146.815.815) | 75.704.922 (51,6%) | 7.335.130 (5%) | 630.658 (0,4%) | 62.316.085 (42,4%) | 294.148 (0,2%) | 534.872 (0,4%) |

Figura 4

*Distribuição dos brasileiros, por regiões geográficas, em 1991 de acordo com a cor da pele (por autoclassificação).*

A análise dos dados sobre 'raça' revela um gradiente (do Norte para o Sul) nas proporções relativas das cores de pele: brancos são 22,7% da população no Norte e 83,3% no Sul. Nota-se ainda que o Sudeste é a região em que as proporções mais se assemelham às do

Brasil como um todo. Tais dados demonstram a dificuldade de obter uma amostra representativa da população brasileira para pesquisa genética, principalmente sabendo-se que tais estudos são complexos demais para que se analise grande números de indivíduos.

Nós optamos, por razões teóricas e logísticas, pelo estudo de uma amostra de 200 indivíduos (247 para o DNA mitocondrial), o que é um bom número em termos de estudos filogeográficos humanos (por exemplo, o estudo de várias populações mundiais de 'Eva mitocondrial' do grupo de Allan Wilson incluiu apenas 147 indivíduos), distribuídos em quatro das cinco principais regiões geográficas do Brasil: 50 indivíduos do Sudeste (Minas Gerais; 99 pessoas no caso do DNA mitocondrial), 50 indivíduos do Norte (Amazonas, Rondônia, Acre e Pará; 48 no caso do DNA mitocondrial), 50 indivíduos do Nordeste (Pernambuco) e 50 indivíduos do Sul (Rio Grande do Sul, Santa Catarina e Paraná).

Para evitar que essa escolha, em cada região, afetasse os resultados, restringimos nossa amostra à população branca, majoritária no Brasil (51,6%). Já existem várias análises sobre a proporção de genes europeus em negros brasileiros (os dados anteriores à era do DNA foram reunidos por Francisco Salzano e Newton Freire-Maia no livro *A study of brazilian populations*, de 1970), mas nenhum bom estudo da presença de linhagens ameríndias e africanas na população branca.

Obtivemos amostras de DNA (colhidas com permissão e codificadas para garantir total anonimato) de indivíduos não-aparentados, todos autoclassificados como brancos, escolhidos ao acaso entre universitários e pacientes que se submeteram a estudos de determinação de paternidade. A amostragem, porém, incluiu principalmente pessoas de classe média e classe média alta, o que poderia afetar as conclusões dos estudos. Por isso, amostras de DNA de trabalhadores rurais brancos do Vale do Jequitinhonha (MG) — cedidas pelos professores Carlos Maurício Antunes e Roberto Campos Amado, do Departamento de Parasitologia da UFMG — foram estudadas, para comparação.

## Patrilinhagens em brasileiros brancos

Os estudos filogeográficos usando o cromossomo Y baseiam-se na teoria, aceita universalmente, de que todos os haplótipos de cromossomos Y existentes hoje derivam de um haplótipo ancestral que estaria presente entre os primeiros *Homo sapiens*, ainda hoje encontrado em bosquímanos Kung, que vivem no sul da África. À medida que os homens migraram para novas regiões, o conjunto inicial de genes foi sendo alterado por mutações, o que gerou novos haplótipos, cada um comportando-se como uma linhagem evolutiva independente. Em geral, quanto mais antigo o haplótipo, maior sua distribuição geográfica.

Um dos eventos mais precoces na evolução do cromossomo Y, por exemplo, teria sido a mudança de adenina (A) para guanina (G) na posição 1532. Isso alterou o conjunto ancestral (chamado haplótipo 7) e criou o haplótipo 2, presente em todos os continentes. Nos estudos práticos, usa-se o conceito mais amplo de "haplogrupo" (grupo de haplótipos intimamente relacionados). Eventos mutacionais já estudados definem os principais haplogrupos, que em geral têm distribuição geográfica restrita (figura 5). A exceção é o haplogrupo 2, mas novos marcadores estão sendo pesquisados para que, em breve, seja alcançada uma melhor resolução dentro desse grupo.

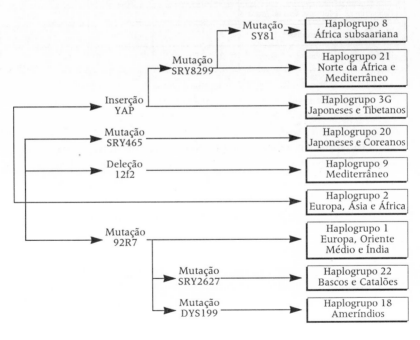

Figura 5
*Principais haplogrupos de cromossomo Y,
com as ligações filogenéticas entre eles e a distribuição geográfica.*

Nosso estudo filogeográfico de brasileiros brancos (figura 6) permite deduzir que a imensa maioria das linhagens de cromossomo Y do país é de origem européia, mais especificamente portuguesa (como revela a semelhança com dados referentes a 93 portugueses, obtidos em colaboração com o geneticista Jorge Rocha, da Universidade do Porto). Chama atenção a contribuição mínima de cromossomos Y vindos da África subsaariana (haplogrupo 8, com 2% do total) e ameríndios (haplogrupo 18, nenhum).

| HAPLOGRUPO | ORIGEM GEOGRÁFICA | NORTE | NORDESTE | SUDESTE | SUL | BRASIL | PORTUGAL |
|---|---|---|---|---|---|---|---|
| Haplogrupo 8 | África subsaariana | 0 | 4 | 4 | 0 | 2 | 1 |
| Haplogrupo 21 | Áf. do Norte e Mediter. | 13 | 8 | 16 | 16 | 14 | 12 |
| Haplogrupo 1 | Europa | 56 | 67 | 56 | 52 | 57 | 66 |
| Haplogrupo 9 | Mediterrâneo | 14 | 2 | 10 | 4 | 8 | 6 |
| Haplogrupo 22 | Bascos e Catalães | 0 | 0 | 2 | 0 | 1 | 2 |
| Haplogrupo 2 | Europa, Ásia ou África | 14 | 19 | 12 | 28 | 19 | 13 |
| Haplogrupo 18 | Ameríndios | 0 | 0 | 0 | 0 | 0 | 0 |
| Haplogrupo 20 | Japoneses e Coreanos | 2 | 0 | 0 | 0 | 1 | 0 |

Figura 6

*Origem dos cromossomos Y de brasileiros brancos e de portugueses (em %) —
o haplogrupo 2 (em destaque) é o único sem origem geográfica definida.*

Em contraste, os cromossomos Y europeus (haplogrupo 1) estão presentes na grande maioria (57%) dos brasileiros. Tal participação aumenta quando se admite que o haplogrupo 2 (19% da amostra) tem sua principal origem na Europa. Há várias linhas de evidência nesse sentido. Esse haplogrupo, por exemplo, é comum em portugueses (13%), e Portugal é o país de origem da maioria dos imigrantes europeus para o Brasil (figura 7).

Mas de onde veio o excesso de haplogrupo 2, já que a proporção entre brasileiros é maior que entre portugueses? Não do leste da Ásia, pois é pequena a proporção, no país, de cromossomos Y japoneses e coreanos. Uma pista surge da comparação das regiões do Brasil: a maior proporção do haplogrupo 2 ocorre no Sul (28%), onde foi importante a imigração de alemães e outros europeus, e a segunda no Nordeste (19%), palco da invasão holandesa. Mesmo existindo outras contribuições (do Oriente Médio, por exemplo), a Europa é também a origem mais provável do excesso de haplogrupo 2. Assim, no mínimo 66% e no máximo 85% (este talvez mais próximo da verdade) dos cromossomos Y em brancos brasileiros vieram da Europa.

| (1500-1808) | | (1851-1960) | |
|---|---|---|---|
| ORIGEM | NÚMERO | ORIGEM | NÚMERO |
| Portugal | 465.000 | Portugal | 1.732.000 |
| | | Itália | 1.619.000 |
| | | Espanha | 694.000 |
| | | Alemanha | 250.000 |
| | | Japão | 229.000 |
| | | Total | 4.524.000 |

Figura 7
*Origem das migrações para o Brasil, sem incluir os escravos africanos, nos três primeiros séculos após o descobrimento e desde meados do século XIX.*

Também é alta a proporção — em brasileiros (14%) e portugueses (12%) — do haplogrupo 21, encontrado basicamente no norte da África e, em menor proporção, em áreas mediterrâneas. O grupo do geneticista Antônio Amorim, na Universidade do Porto, demonstrou que em Portugal a freqüência do haplogrupo 21 aumenta gradativamente do norte para o sul, atingindo quase 25% no Algarve, no extremo sul. A explicação histórica mais provável é que esse haplogrupo é uma relíquia genética dos sete séculos de invasão da Península Ibérica, na Idade Média, pelos mouros (oriundos do norte da África).

Sua alta freqüência em brasileiros deve-se então aos portugueses, pois não há registros sobre a vinda para o Brasil de números significativos de escravos do norte da África (o que é reforçado pela baixa proporção de linhagens de DNA mitocondrial do norte africano encontrada em nossos estudos). Se o haplogrupo 21 foi trazido por portugueses, deve ser somado às contribuições européias. Assim podemos concluir que a imensa maioria das linhagens de cromossomo Y dos brasileiros brancos veio da Europa, especialmente de Portugal.

As proporções mínimas de cromossomos Y africanos e ameríndios constatadas poderiam levantar dúvidas sobre a adequação da amostra.

Sabendo que a distribuição de cores de pele é desigual nos segmentos sociais do Brasil, poderia o predomínio de pessoas de classe média e classe média alta na nossa amostra viciar os resultados, apontando maior ancestralidade européia? Um fato desmente isso. O estudo dos cromossomos Y de 10 indivíduos brancos de baixa renda do Vale do Jequitinhonha (MG) também não detectou haplótipos ameríndios ou da África subsaariana.

## Matrilinhagens em brasileiros brancos

As linhagens de DNA mitocondrial de todo o mundo dividem-se em três grandes conjuntos, os super-haplogrupos africanos, enquanto o último ocorre em todos os continentes, mas pode ser subdividido em haplogrupos L1, L2 e L3. Os dois primeiros são especificamente africanos, enquanto o último ocorre em todos os continentes, mas pode ser subdividido em haplogrupos típicos de populações africanas, européias, asiáticas e ameríndias.

A classificação por DNA mitocondrial é bem mais complexa que a baseada no cromossomo Y. Em ameríndios brasileiros, por exemplo, há apenas um haplogrupo principal de Y mas quatro de DNA mitocondrial (A, B, C e D). A diversidade de DNAs mitocondriais também foi muito grande em brasileiros brancos: 171 haplótipos distintos em 247 indivíduos. Ao contrário do revelado pelo estudo do cromossomo Y (ampla maioria de haplogrupos europeus), os DNAs mitocondriais tiveram, para todo o Brasil, uma distribuição de origens geográficas bem mais uniforme: 33% de linhagens ameríndias, 28% de africanas e 39% de européias. Entre as linhagens européias, destacam-se os haplogrupos H, T e J, sendo responsáveis respectivamente por 44%, 14% e 10% do total dessas linhagens.

Como os ameríndios vieram da Ásia, o DNA mitocondrial não os diferencia dos asiáticos. Assim, assumimos que todas as linhagens asiáticas (haplogrupos A, B, C e D) eram ameríndias. Como não encontramos no Brasil outras linhagens da Ásia que não ocorram também entre ameríndios, qualquer erro decorrente da adoção dessa premissa deve ser muito pequeno. Já a grande diversidade de haplogrupos africanos é compatível com o fato de que os escravos foram trazidos para o Brasil de muitas áreas (principalmente do oeste africano, mas também de Moçambique, no leste).

O fato de encontrarmos 33% de matrilinhagens autóctones permite-nos calcular que em torno de 45 milhões de brasileiros possuem DNA mitocondrial originário de ameríndios. Em outras palavras, embora desde 1500 o número de nativos no Brasil tenha se reduzido a 10% do original (de cerca de 3,5 milhões para 325 mil), o número de pessoas com DNA mitocondrial ameríndio aumentou mais de 10 vezes.

## Raízes filogenéticas do Brasil

Os resultados obtidos demonstram que a imensa maioria (provavelmente mais de 90%) das patrilinhagens dos brancos brasileiros é de origem européia, enquanto a maioria (aproximadamente 60%) das matrilinhagens é de origem ameríndia ou africana.

As patrilinhagens, embora sejam maciçamente européias e muito semelhantes à distribuição em Portugal, exibem ainda considerável variabilidade. Isso deve-se à alta diversidade genética dos ibéricos, fruto de muitas invasões e imigrações: celtas, fenícios, gregos, romanos, suevos, visigodos, judeus, árabes e bérberes. A maior mistura gênica certamente ocorreu nos 700 anos de ocupação por mouros (até 1492), e está expressa na alta freqüência do haplótipo 21 (do norte da África) em portugueses — e, através deles, nos brasileiros.

Outra pista interessante é a alta freqüência do haplogrupo 9 do cromossomo Y em portugueses e brasileiros. Esse haplogrupo ocorre em toda a área mediterrânea, mas atinge suas freqüências máximas em judeus e libaneses. Até o final do século XIV, grande quantidade de judeus vivia na Península Ibérica, em aparente harmonia com cristãos e muçulmanos. No século XV, a discriminação aumentou, até que os judeus, exceto os que se converteram ao cristianismo ('cristãos novos'), foram expulsos de Portugal, em 1509. Embora fosse proibido a judeus e mouros emigrar para as Américas, muitos cristãos novos vieram para o Brasil, provavelmente trazendo o haplogrupo 9.

Por sua vez, os imigrantes que chegaram ao Brasil a partir da metade do século XIX, em especial italianos, espanhóis, alemães, japoneses e sírio-libaneses, deixaram sua 'marca' no aumento (em relação a Portugal) da freqüência dos haplogrupos mediterrâneos 21 e 9 (italianos, espanhóis e sírio-libaneses) e na presença dos haplogrupos 22 (espanhóis) e 20 (japoneses). Como foi dito, a presença dos alemães no Sul e dos holandeses no Nordeste provavelmente reduziu a freqüência dos haplogrupos mediterrâneos nessas regiões e aumentou a do haplótipo 2.

Já os estudos de DNA mitocondrial revelam proporções gerais de 33% de linhagens ameríndias, 28% de africanas e 39% de européias, mas com variações consideráveis de região para região, segundo o padrão esperado pela história de colonização de cada uma (figura 8). No Sul, são europeus 66% dos haplótipos, o que reflete a ampla imigração da Europa para a região nos séculos XIX e XX. No Norte, onde a presença indígena é elevada, 54% das matrilinhagens são ameríndias. No Nordeste, como esperado, predominam matrilinhagens africanas (44%). No Sudeste, a distribuição das linhagens é muito uniforme. Apesar da alta diversidade de linhagens de DNA mitocondrial européias e africanas, não foi possível relacionar haplogrupos específicos a regiões brasileiras. As linhagens européias H, T e J predominam em todas as regiões e não apresentam um padrão específico de distribuição. Isso é consistente com o fato de que dentro da Europa a diferenciação de matrilinhagens é bastante pobre.

| REGIÃO | POPULAÇÃO BRANCA | FRAÇÃO DE LINHAGENS AMERÍNDIAS EM BRANCOS (OBTIDA NO ESTUDO) | NUMERO DE LINHAGENS POR REGIÃO (POPULAÇÃO X FRAÇÃO) |
|---|---|---|---|
| Norte | 2.279.173 | 0,54 | 1.230.753 |
| Centro-Oeste | 4.418.571 | (0,33)* | 1.458.128 |
| Nordeste | 11.317.738 | 0,22 | 2.489.902 |
| Sudeste | 39.260.994 | 0,33 | 12.956.128 |
| Sul | 18.428.446 | 0,22 | 4.054.258 |
| Brasil | 75.704.922 | 29,3%** | 22.189.169 |

Obs.: * Como não houve amostragem no Centro-Oeste, foi usada a mesma fração do Sudeste.
** Percentual calculado após a soma do número de linhagens obtido em cada região.

Figura 8
*Linhagens ameríndias de DNA mitocondrial (matrilinhagens) na população branca (cálculo com base nos percentuais obtidos no estudo, aplicados aos totais de brancos em cada região) — o percentual final obtido (29,3%) é semelhante à proporção geral de 33% (sobre a amostra estudada).*

No caso das linhagens africanas, sabe-se que a maioria dos escravos trazidos para o Brasil veio da costa oeste da África, da vasta região entre o rio Senegal (no norte) e a Angola portuguesa (no sul). Os escravos chamados de 'minas', aprisionados na parte mais ao norte dessa região, constituíam cerca de um terço do total trazido para o Brasil (figura 9) e concentraram-se inicialmente na Bahia — muitos tinham a religião ioruba, de onde veio o candomblé baiano. A maioria dos escravos do Rio de Janeiro e Minas Gerais veio de Angola — de tribos que falavam dialetos do tronco bantu. Entretanto, as consideráveis migrações de escravos ocorridas entre os estados, no século XIX, homogeneizaram sua distribuição. Sabe-se pouco sobre a distribuição de haplogrupos de DNA mitocondrial na África, especialmente em Angola. Assim, fica difícil fazer inferências filogeográficas e partir dos nossos resultados, que mostram que os haplogrupos L3 e L1c constituem quase 50% dos africanos.

| PERÍODO | NÚMERO |
|---------|--------|
| 1551-1700 | 580.000 |
| 1701-1810 | 1.891.000 |
| 1810-1857 | 1.145.000 |
| TOTAL | 3.616.000 |

Figura 9
*Desembarques de escravos africanos no Brasil.*

As linhagens ameríndias mostraram um padrão curioso. O haplogrupo A foi o mais comum no Nordeste, Sudeste e Sul (36% do total das três regiões), enquanto o C foi mais comum no Norte (38%). Novos estudos estão sendo iniciados para tentar explicar essa correlação geográfica.

## O retrato molecular do Brasil no contexto histórico

Em resumo, nossos estudos filogeográficos com brasileiros brancos revelam um padrão de reprodução direcional: a imensa maioria das patrilinhagens é européia, enquanto a maioria das matrilinhagens (cerca de 60%) é ameríndia ou africana. Os resultados combinam com o que se sabe sobre o povoamento pós-cabralino do Brasil

Exceto pelas invasões (temporárias) de franceses no Rio de Janeiro e de holandeses em Pernambuco, praticamente apenas portugueses vieram para o Brasil até o início do século XIX. Os primeiros imigrantes portugueses não trouxeram suas mulheres, e registros históricos indicam que iniciaram rapidamente um processo de miscigenação com mulheres indígenas. Com a vinda dos escravos, a partir da segunda metade do século XVI, a miscigenação estendeu-se às africanas.

Em 1552, em carta ao rei D. João, o padre Manuel da Nóbrega fala da falta de mulheres brancas na nova colônia, e pede que estas sejam enviadas, para que os homens "casem e vivam (...) apartados dos pecados, em que agora vivem". A coroa portuguesa, que tolerava relacionamentos entre portugueses e índias desde o início da colonização, passou a estimular casamentos desse tipo oficialmente por um Alvará de Lei emitido em 4 de abril de 1755 pelo marquês de Pombal. A idéia de Pombal, aparentemente, era povoar o Brasil, garantindo sua ocupação, mas essa política surpreendentemente liberal não se estendeu aos africanos. É óbvio, porém, que a mistura de portugueses com africanas continuou.

A partir da metade do século 19, o Brasil recebeu enormes levas de novos imigrantes, destacando-se portugueses e italianos, seguidos de espanhóis, alemães, japoneses e sírio-libaneses. Entre 1872 e 1890, por exemplo, a população de brancos brasileiros aumentou em 2,5 milhões (figura 10). Embora muitos imigrantes tenham vindo com suas famílias (em especial os alemães), havia um excesso significativo de homens em outros grupos. Como os imigrantes eram em geral pobres, casavam-se com mulheres também pobres, o que no Brasil significava entre cor de pele e classe social. Isso está ilustrado no quadro *A redenção de Can*, de Modesto Brocos y Gomes, pintado em 1895 (figura 11).

|            | 1500      | 1871       | 1890       | 1990        |
|------------|-----------|------------|------------|-------------|
| Ameríndios | 4.500.000 | 440.000    | 440.000    | 280.000     |
| Brancos    | ...       | 3.854.000  | 6.302.000  | 81.407.000  |
| Negros     | ...       | 1.976.000  | 2.098.000  | 7.264.000   |
| Pardos     | ...       | 4.262.000  | 5.934.000  | 57.822.000  |
| **TOTAL**  | **4.500.000** | **10.532.000** | **14.774.000** | **146.773.000** |

Figura 10
*Crescimento da população brasileira após o descobrimento*

Vários autores, dentre os quais despontam os já mencionados Prado, Freyre, Holanda e Ribeiro, enfatizaram a natureza triíbrida da população brasileira, a partir dos ameríndios, europeus e africanos. Os dados que obtivemos dão respaldo científico a essa noção e acrescentam um importante detalhe: a contribuição européia foi basicamente através de homens e a ameríndia e africana foi principalmente através de mulheres. A presença de 60% de matrilinhagens ameríndias e africanas em brasileiros brancos é inesperadamente alta e, por isso, tem grande relevância social.

Figura 11

*No óleo A redenção de Can (1895), pintado por Modesto Brocos y Gomes, a avó negra agradece aos céus pelo neto branco (no colo da mãe, uma mulata). O pai é branco e parece um imigrante de origem ibérica ou mediterrânea. Segundo a Bíblia, Can, um dos filhos de Noé, recebeu uma maldição (ele e seus descendentes seriam escravos) e por isso pensadores que queriam adequar a ciência ao texto bíblico o apontaram por séculos como o antepassado dos povos negros. Como a idéia do pintor era representar o "branqueamento da raça", isso significava a 'redenção' de Can.*

O Brasil certamente não é uma 'democracia racial'. Prova disso é a necessidade de uma lei para proibir o racismo. Pode ser ingênuo de nossa parte, mas gostaríamos de acreditar que se os muitos brancos brasileiros que têm DNA mitocondrial ameríndio ou africano se conscientizassem disso, valorizariam mais a exuberante diversidade genética do nosso povo e, quem sabe, construiriam no século XXI uma sociedade mais justa e harmônica.

## Não existem raças

A razão pela qual "raça" está entre aspas no texto é que, embora o IBGE ainda use o termo, ele é mais uma construção social e cultural do que biológica. Do ponto de vista genético, não existem raças humanas. O homem moderno distribuiu-se geograficamente e desenvolveu características físicas, incluindo cor da pele, por adaptação ao ambiente de cada nicho geográfico. Geneticamente, no entanto, não houve diversificação suficiente entre esses grupos geográficos para caracterizar raças em um sentido biológico, como mostrou recentemente o geneticista americano Alan Templeton. Isso introduz uma dificuldade: como podemos nos referir a certos grupos, como os índios brasileiros? Uma nomenclatura que tem sido crescentemente usada é a de "etnias", que deveriam ser definidas (de modo muito amplo) como grupos populacionais que têm características físicas ou culturais em comum. A definição de etnia como "grupo biológico e culturalmente homogêneo", dada pelo *Novo Dicionário Aurélio* (1ª edição), é errada. Não existe na Terra nenhum grupo humano biologicamente (nem culturalmente) homogêneo.

# SOBRE OS AUTORES

EVALDO CABRAL DE MELLO — Historiador e diplomata pernambucano, escreve mensalmente no caderno Mais! do jornal *Folha de S. Paulo*. Considerado um renovador na forma de analisar o período da dominação holandesa no Brasil, é autor de, entre outros livros, *Olinda Restaurada, Rubro Veio — O imaginário da restauração pernambucana, O Norte agrário e o Império(1871-1889), O negócio do Brasil — Portugal, Os Países Baixos e o Nordeste* e *O nome e o sangue — Uma parábola familiar do Pernambuco colonial*, publicados pela Topbooks.

MARIA LÚCIA GARCIA PALLARES-BURKE — Historiadora, professora da Faculdade de Educação da USP, é autora de um livro sobre o pensamento e a obra educacional do jovem Anísio Teixeira (1988). Pesquisadora associada ao Center of Latin America Studies da Universidade de Cambridge, Inglaterra, publicou *The Spectator, o teatro das luzes* (1995), *Nísia Floresta, O Carapuceiro e outros ensaios de tradução cultural* (1996, Hucitec) e *As muitas faces da História — nove entrevistas* (2000, Editora da Unesp), entre outras obras.

NICOLAU SEVCENKO — Professor de História da Cultura do Departamento de História da FFLCH da USP; professor visitante da Universidade de Georgetown em Washington; do King's College da Universidade de Londres; da Universidade de Illinois em Urbana-Champaign. Autor, entre outros, de *Literatura como missão* (Brasiliense, 83) e *A Revolta da Vacina* (Brasiliense, 85; Scipione, 92); coordenador do volume 3 da *História da Vida Privada no Brasil* (Cia. das Letras, 1998) e *A corrida para o século XXI: no loop da montanha-russa* (Cia. das Letras, 2001).

PETER BURKE — Professor de História na Universidade de Cambridge, Inglaterra, e pesquisador com especial interesse em História cultural européia no período 1450-1750 e em História do pensamento histórico, entre seus livros destacam-se: *Culture and Society in Renaissance Italy; Venice and Amsterdam: a Study of Seventeenth-Century Elites; Popular Culture in Early Modern Europe; The Fabrication of Louis XIV; History and Social Theory; The Art of Conversation; Varieties of Cultural History* e *A Social History of Knowledge from Gutenberg to Diderot*.

PEDRO PUNTONI — Historiador, pesquisador do Cebrap (Centro Brasileiro de Análise e Planejamento) e doutor em História Social pela Universidade de São Paulo, onde leciona História do Brasil, é autor de, entre outros, *A guerra dos bárbaros: povos indígenas e a colonização do sertão nordeste do Brasil (1650-1720)* e *A mísera sorte: a escravidão africana no Brasil Holandês e as guerras do tráfico no Atlântico Sul 1621-1648* (Hucitec).

ANTONIO DIMAS — Professor de Literatura Brasileira na Faculdade de Filosofia e Letras da Universidade de São Paulo desde fevereiro de 1969 e representante eleito da área de Letras/Lingüística junto à CAPES (1999-2001), é autor de, entre outros, *Rosa-Cruz — Contribuição ao Estudo do Simbolismo* (FFLCH-USP, 1980), *Tempos Eufóricos — Análise da revista Kosmos*: 1904-1909 (Ática, 1983), *Romance e Espaço* (Ática, 3ª ed.: 1994) e *Brasil, país do passado?*, este em colaboração com Lígia Chiappini e Berthold Zilly (Boitempo-EDUSP, 2000).

STUART SCHWARTZ — Stuart B. Schwartz é professor de História da América Latina na Universidade de Yale, Estados Unidos. Formado em História e Antropologia pela Universidade de Colúmbia, Nova York, suas pesquisas e trabalhos escritos concentraram-se no Brasil colonial, e entre seus livros destacam-se *Burocracia e sociedade no Brasil colonial* (1979), *Segredos internos — Engenhos e escravos na sociedade colonial* (1988) e *Escravos, roceiros, e rebeldes* (2001). É professor visitante da USP e das Universidade Federais do Paraná e da Bahia.

EDSON NERY DA FONSECA — Professor Emérito da Universidade de Brasília, é apontado como o maior especialista em Gilberto Freyre, de quem organizou, entre outras obras, *Prefácios desgarrados* (1978), *Heróis e vilões no romance brasileiro* (1979), *Pessoas, coisas & animais* (1979 e 1980), *Novas conferências em busca de leitores* (1995) e *Antecipações* (2001).

Premiado pela UniverCidade do Rio de Janeiro como autor do melhor ensaio inédito sobre G.F. no ano do centenário (2000), tem no prelo da Topbooks o dicionário *Gilberto Freyre de A a Z*.

CARLOS GUILHERME MOTA — Historiador, professor titular de História Contemporânea da Universidade de São Paulo e professor de História da Cultura na pós-graduação da Universidade Presbiteriana Mackenzie, foi o primeiro diretor do Instituto de Estudos Avançados da USP (1986-88), do qual é membro. Ex-*visiting scholar* das Universidades de Londres e Stanford, é autor de *Nordeste,1817, Ideologia da Cultura Brasileira* e *Idéia de Revolução no Brasil*, entre outros, e foi coordenador de *Viagem Incompleta — A Experiência Brasileira (1500-2000*).

JOÃO CEZAR DE CASTRO ROCHA — Professor de Literatura Comparada da UERJ, *overseas visiting scholar* da Universidade de Cambridge e *visiting scholar* da Universidade de Yale, é autor de *Literatura e cordialidade — O público e o privado na cultura brasileira* (EdUERJ, 1998) e co-autor de *René Girard — Um longo argumento do princípio ao fim* (Topbooks, 2000). Entre outros, organizador de *Anthropophagy Today?* (Universidade de Stanford, 2000) e *Brazil 2001: A Revisionary History of Brazilian Literature and Culture* (Universidade de Massachusetts).

OLAVO DE CARVALHO — Filósofo e jornalista nascido em Campinas, São Paulo, é diretor do Seminário de Filosofia do Centro Universitário da Cidade do Rio de Janeiro e autor de *O Jardim das Aflições: Ensaio sobre o materialismo e a religião civil* (1997), *Aristóteles em nova perspectiva* (1998) e *O imbecil coletivo (I e II)*, entre outros livros, além de articulista do jornal *O Globo* e da revista *Época*.

GABRIEL COHN — Professor titular no Departamento de Ciência Política da Universidade de São Paulo/USP e editor da revista *Lua Nova — Revista de Cultura e Política* do Centro de Estudos de Cultura Contemporânea/CEDEC, é autor de livros e artigos sobre teoria social, especialmente sobre Max Weber, Theodor W. Adorno e Florestan Fernandes.

HERMANO VIANNA — Antropólogo, publicou os livros *O mundo funk carioca* (1988) *e O mistério do samba* (1995). É também roteirista de televisão e cinema, tendo trabalhado nos documentários musicais *African Pop, Folia na Bahia* e *Baila Caribe*. Fez o roteiro do especial de TV sobre os 30 anos de carreira do compositor e cantor baiano Gilberto Gil.

markgraph

Rua Aguiar Moreira, 386 - Bonsucesso
Tel.: (21) 3868-5802    Fax: (21) 270-9656
e-mail: markgraph@domain.com.br
Rio de Janeiro - RJ